絶対決める!

警察官

大卒程度

採用試験総合問題集

新星出版社

本書の特色と使い方

長く続く不況の時代にあって、公務員を志望する人が増えていますが、その中でも、社会の治安を守る警察官の仕事はやりがいのあるものといえます。

本書は、警察官採用試験に向けて、どんな問題が出題されるのかを理解し、基本的な知識を身につけることができるよう工夫して編集されています。

●どの自治体にも対応

警察官採用試験は、地方自治体ごとに実施されていますので、統一した試験ではありません。しかし、筆記試験の形式や内容については共通することも多くあります。本書では、どの自治体の試験にも対応できる科目構成で編集しました。

●知識分野は一問一答形式で確実な知識を身に付ける

実際の試験は多肢択一式で出題されます。本書では多肢択一式の対策として、問題文の記述を読み、それが正しい内容かどうかを判断するという形式にしました。できなかったものには、問題番号ごとに設けたチェックボックスに印をつけておき、繰り返し学習して、知識を自分のものとしましょう。

●重要箇所が一目でわかる赤字のキーワード

解説では問題を解くためのキーワードを赤字にしています。赤シートを活用すれば、穴埋め問題としても利用することができますので、知識の習得に役立てましょう。

●知能分野は詳しい解説でじっくり学習する

判断推理、数的推理については、覚えるというより考える力が必要ですから、本試験と同様の形式で解説を詳しくしました。苦手としている人も多い分野ですが、ヒントとなる考え方を囲みの中で紹介していますので、参考書がなくても、この問題集でかなりの力がつくように考えられています。

本書は科目ごとにも学習できますので、苦手なところを重点的に補強することもできます。また、見開き2ページで構成されていますので、わずかな時間を利用して少しずつ学習することもでき、細切れの時間も有効に使える便利な問題集です。

本書を上手に利用して、採用試験に合格されますことをお祈りいたします。

絶対決める！ 警察官<大卒程度>採用試験総合問題集

＜目　　次＞

警察官採用試験受験ガイド

警察官は公安職の地方公務員であり、その活動は広範にわたっています。言うまでもなく市民生活を守る非常に重要な役割を担っており、それだけにやりがいのある仕事といえるでしょう。最近では警察官を目指す人が増え、人気が上昇中です。

警察官の採用試験は各都道府県ごとに実施されているので、詳しい内容については、受験を希望する警察本部の該当する部署に問い合わせる必要がありますが、共通する内容、あるいは類似する内容も多いので、概要をまとめました。

1　試験の区分と学歴・年齢要件

試験区分は、東京都の場合、Ⅰ類（大学卒業程度）、Ⅱ類（短大卒業程度）、Ⅲ類（高校卒業程度）という区分をしています。そのほか、A種（大学卒業程度）、B種（その他）としている自治体もあります。ここでの大学卒業程度というのは、大学を卒業しているか、卒業見込み、または大学卒業程度の学力を有していることという学歴要件です。短大卒業程度、高校卒業程度も同様の学歴要件です。

また、いずれの区分においても年齢要件がありますので注意が必要です。

2　試験日程

一般の行政職の公務員試験とは異なり、警察官採用試験は、年間に複数回行われます。4月から7月に1回目、9月から11月に2回目が行われることが多いようです。受験申し込み受付期間も試験に応じて設定されていますので、希望する自治体の警察本部に早めに問い合わせておくようにしましょう。

最近は、インターネット上で試験案内をしている自治体もありますので、活用してください。

3　受験資格

試験区分による学歴要件、年齢要件があることは先述のとおりです。

なお、日本国籍を有しない人、地方公務員法16条に規定する欠格条項に当たる人は受験資格がありません。

4　受験手続

採用試験受験案内と受験申込書は、各都道府県の警察署に出向けば交付されますが、ホームページからダウンロードすることもできる自治体もあります。また郵便で申し込むこともできます。申し込みは、受験申込書に必要事項を記入し、警察本部に持参または郵送します。受験案内の入手と受験申し込みの手続の方法についての詳しい要領は、自治体ごとに異なります。まずは警察署に問い合わせてみるとよいでしょう。

5　共同試験制度

警察官の採用試験では、共同試験という制度があります。これは、一次試験を複数の都道府県で共通するものを行い、第1志望の都道府県の一次試験に不合格であった場合、第2志望の都道府県の一次試験に合格する機会が与えられるというもので、合格すれば第2志望の都道府県の試験官が一次試験を受けた県に赴き二次試験を受けることができます。

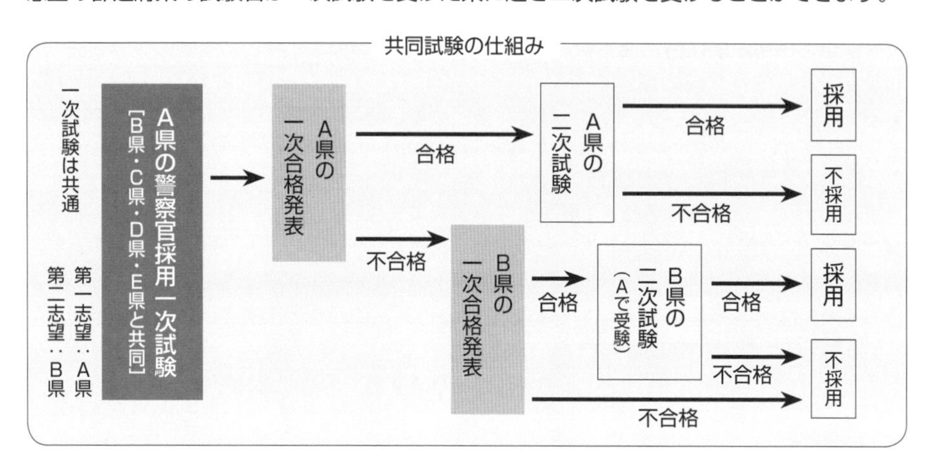

6　試験方法と内容

試験方法も詳細は都道府県によって異なりますが、大部分の自治体で、教養試験、論文試験、面接試験、身体検査、適性検査、体力検査が一次と二次に分けて実施されています。

一例をあげると、一次試験で実施される筆記試験の内容は次のとおりです。なお二次試験では面接試験が行われます。

教養試験（択一試験）… 知能分野 / 文章理解・判断推理・数的推理・資料解釈・空間把握
知識分野 / 人文科学（日本史・世界史・地理)、社会科学（政治・経済・倫理・社会)、自然科学（物理・化学・地学)、一般科目（国語・英語・数学）[50 問程度、試験時間 120 分]

論文（作文）試験 …… 課題式で、文章による表現力について試験 [試験時間については都道府県によって異なる]

7　合格発表と採用

自治体によって差がありますが、一次試験の合格発表は試験の 2 ～ 3 週間後に、二次試験についてはおよそ 1 か月後に、それぞれ本人に郵便で通知されます。また、ホームページ上でも合格者の受験番号が掲載される自治体もあります。

合格者は各都道府県の採用候補者名簿に記載され、翌年 4 月 1 日以降順次採用されます。

第1章

政治

経済

社会・倫理

政治　問題

以下の記述を読み、正しいものには○、誤っているものには×をつけよ。

問 1 check✓ □□□

権力の基盤について、H．ラスウェルは「集団の統合現象」と考えており、いかなる権力といえども物理的な力に依存するだけでは自己を維持することはできないとした。そして、権力の自己維持の手段として、ミランダとクレデンダを挙げている。

問 2 check✓ □□□

権力論における実体概念とは、権力の根拠を支配者の有する何らかの価値に見い出した考え方で、権力はだれかに所有されているという意味で実体的なものであるとしている。実体概念に基づく権力論として、N．マキャヴェリの「暴力の集中」やK．マルクスの「生産手段と富の集中」がある。

問 3 check✓ □□□

ウェーバーが示した支配三類型におけるカリスマ的支配とは、被支配者が伝統の持つ神聖性を信仰し、伝統によって権威づけられた支配者に正当性を認めて、服従している形態のことをいう。

問 4 check✓ □□□

支配者に必要とされる資質について、プラトンは「ライオンの力と狐の狡知」を駆使できる「哲人王」が統治を行うべきであるとしている。その場合のライオンの力とは、権力への意志・野心・勇気・精力・武人的実行力のことであり、狐の狡知とは、真実が何であれ、人にあるもののごとく見せかけて、巧みに目的を達成する術を指している。

問 5 check✓ □□□

代表的リーダーシップとは、政治は社会の成員の合意に基づいて行われるべきであることを制度原理としている。リーダーはフォロワーの経済的利益だけでなく、大衆の価値体系から発する欲求の総体までを政治目標として実現を目指さなければならない。

問1 ×　設問文は**メリアム**の権力論である。**H．ラスウェル**の権力論では、権力の源泉を尊敬・愛情・富・技能などの「**基底価値**」に置いており、権力者はこれらの基底価値を与えたり、奪ったり、または剥奪を示唆したりすることによって他人の行動をコントロールしようとする。

問2 ○　権力の**実体概念**としては、その通り。その他に、権力の基本的性質としては**関係概念**がある。**関係概念**では、権力を当事者間の関係に規定されるものと考えている。**関係概念**に基づいた権力論として、**R．ダール**は「AがBに、普通ならBがやらないことをやらせた場合、AはBに対して権力を持つといえる」と定義している。

問3 ×　**ウェーバー**の**支配三類型**は、**伝統的支配**、**カリスマ的支配**、そして**合法的支配**からなる。**カリスマ的支配**とは、支配者の持つ超人的な資質を被支配者が認め、それに服従することによって成立している支配形態で、合法的支配とは、被支配者が明示的で予測可能な一般的ルールに正当性を認めて、そのルール、規則に基づく支配に従うことによって成立する支配形態のことである。

問4 ×　**プラトン**は「**善のイデア**」を認識しており、なおかつ政治の技能も駆使できる「**哲人王**」が統治すべきであると説いている。「**ライオンの力と狐の狡知**」を支配者の資質としたのは**マキャヴェリ**である。

問5 ○　**代表的リーダーシップ**は **R．リピット**によるものである。**代表的リーダーシップ**では、被指導者の価値観に沿う行動が望まれるために、リーダーの創造性は要求されず、保守的になる。このほかに**伝統的・創造的リーダーシップ**がある。

問題

以下の記述を読み、正しいものには○、誤っているものには×をつけよ。

問 6
check✓
□□□

ラザースフェルドとR．マートンがマスメディアの役割として挙げた「社会の構成部分の相互作用」とは、社会の分業化に伴って減少した社会内部のコミュニケーションを増大させ、公共的な討論の場を通じて人々を互いに結び付ける機能である。

問 7
check✓
□□□

リースマンが政治意識について規定した内部指向型とは、自己の内面化された権威に従うタイプであり、近代市民社会の人間像である。このほかにも現代の典型的人間像を表わした他人指向型と前近代の人間像を表わした伝統指向型がある。

問 8
check✓
□□□

ホッブズは、『リヴァイアサン』の中で、「人間は自然状態において自由で平等であり、自己の生命を保全するために己の欲するままに自分の力を行使する自由を持つ。このような状態が人間どうしの間に相互不信や恐怖を生むため、結果として、万人の万人に対する闘争の状態となる。」とした。

問 9
check✓
□□□

ボーダンは徹底したリアリズムと目的合理主義の立場から、政治学を神学や倫理学から解放して政治学の自立化と世俗化を推し進めた。彼によれば、国家とは多数の家族とそれらに共通なものに対する主権を伴った正しい統治なのである。

問 10
check✓
□□□

ロックが想定する自然状態は平和な状態であり、安定していて将来的にも戦争状態に転落する危険性は全くなく、また自然状態では自然法が妥当しており、各人は生命・自由・財産に対する権利の主体として自由かつ平等な存在であった。

問6 × 「**社会の構成部分の相互作用**」は、「**環境の監視**」・「**社会的遺産の伝達**」とあわせて**ラスウェル**が挙げたマスメディアの3つの**顕在的機能**の1つである。**ラザースフェルド**と**R．マートン**が挙げたのは、マスメディアの**潜在的機能**であり、「**地位付与**」・「**社会的規範の強制**」・「**麻酔的逆機能**」の3つである。

問7 ○ **リースマン**の政治意識論は設問文の3つのほかに、**適応型**（各時代において主流を占める型に適応するタイプ）・**アノミー型**（同調能力を欠き、適応に失敗するタイプ）・**自立型**（適応能力を持ちながら適応するかどうかを自主的に選択するタイプ）という類型化も行っている。

問8 ○ **ホッブズ**はさらに、「このような闘争状態を脱して自己を保存するために、人間は理性をはたらかせて平和を求め、自然権を相互的、同時的に放棄することを命じている自然法を発見する。そして、正しく自然法が機能するためには、絶対的な主権を持った存在が必要で、各人は自己の自然権をこの一人の人間に委譲する契約を結ぶ。」としている。

問9 × 徹底したリアリズムと目的合理主義の立場から政治学を神学や倫理学から解放したのは**マキャヴェリ**である。なお、後半部の国家についての説明はボーダンのものである。

問10 × **ロック**のいう自然状態は一応の平和状態であるにとどまっており、不安定で潜在的に戦争状態に転落する可能性を秘めているものである。

政治　問題

以下の記述を読み、正しいものには○、誤っているものには×をつけよ。

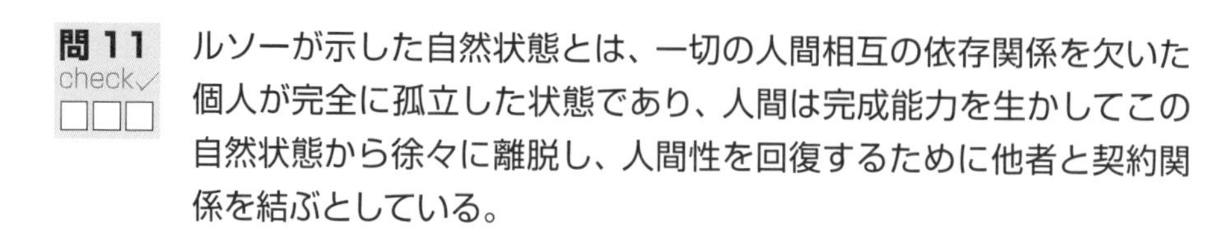

問11 check✓ □□□

ルソーが示した自然状態とは、一切の人間相互の依存関係を欠いた個人が完全に孤立した状態であり、人間は完成能力を生かしてこの自然状態から徐々に離脱し、人間性を回復するために他者と契約関係を結ぶとしている。

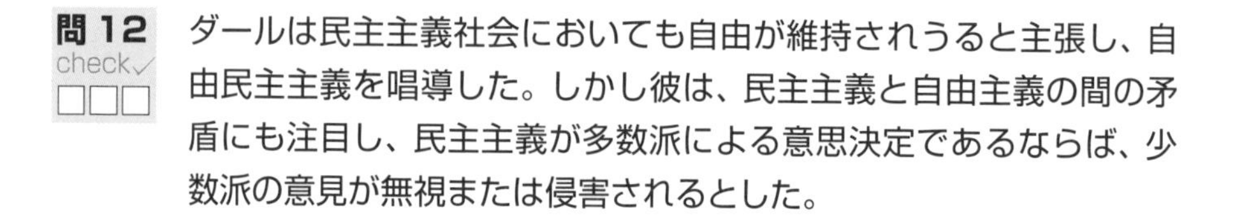

問12 check✓ □□□

ダールは民主主義社会においても自由が維持されうると主張し、自由民主主義を唱導した。しかし彼は、民主主義と自由主義の間の矛盾にも注目し、民主主義が多数派による意思決定であるならば、少数派の意見が無視または侵害されるとした。

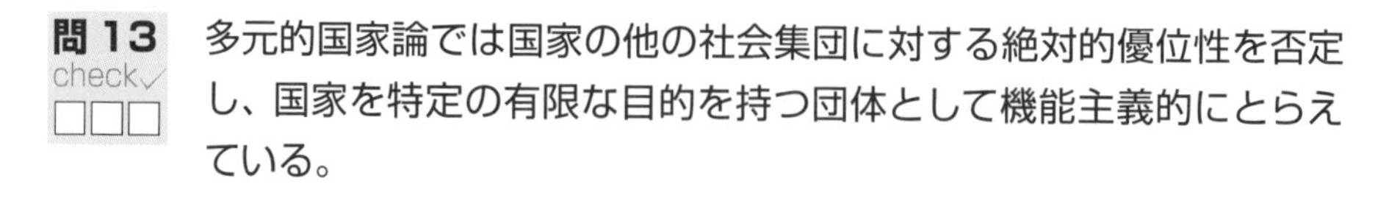

問13 check✓ □□□

多元的国家論では国家の他の社会集団に対する絶対的優位性を否定し、国家を特定の有限な目的を持つ団体として機能主義的にとらえている。

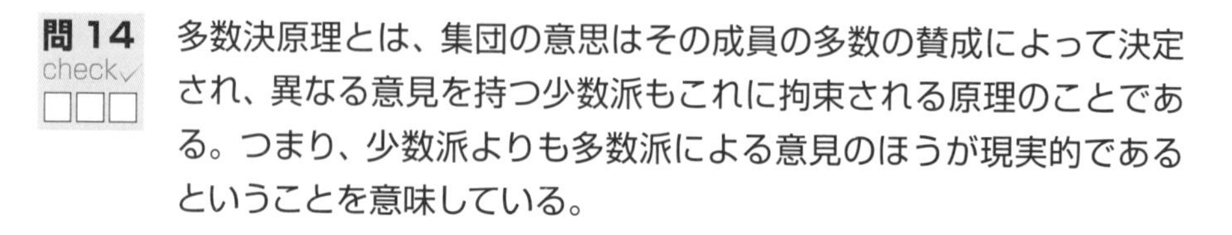

問14 check✓ □□□

多数決原理とは、集団の意思はその成員の多数の賛成によって決定され、異なる意見を持つ少数派もこれに拘束される原理のことである。つまり、少数派よりも多数派による意見のほうが現実的であるということを意味している。

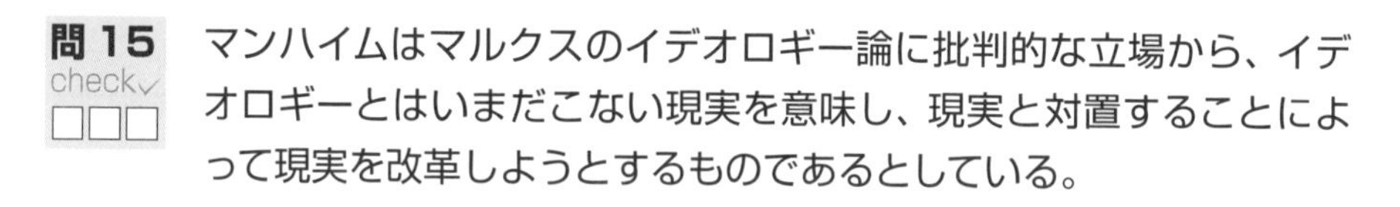

問15 check✓ □□□

マンハイムはマルクスのイデオロギー論に批判的な立場から、イデオロギーとはいまだこない現実を意味し、現実と対置することによって現実を改革しようとするものであるとしている。

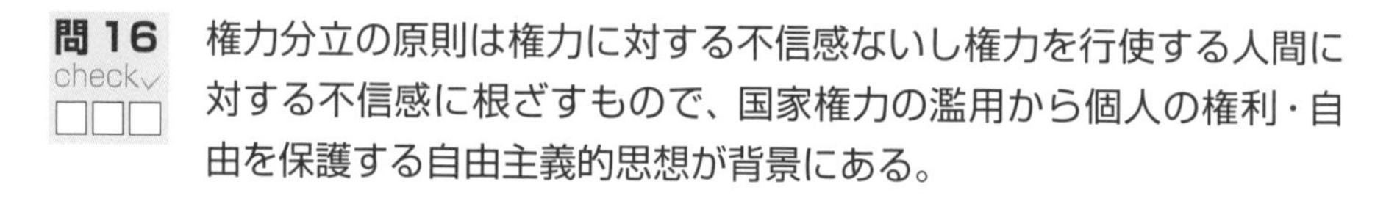

問16 check✓ □□□

権力分立の原則は権力に対する不信感ないし権力を行使する人間に対する不信感に根ざすもので、国家権力の濫用から個人の権利・自由を保護する自由主義的思想が背景にある。

問11　○　**ルソー**は**『人間不平等起源論』**のなかでこの自然状態について明らかにしている。自然状態から脱して社会を形成し始めると、自尊心が芽生えて欲望が絶え間なく増大し、これが不平等と悪徳の第一歩になるとしている。

問12　×　自由民主主義の唱導者は**トクヴィル**である。ダールは、古典的民主主義理論の「多数者の意思に基づく政治」の前提を徹底的に批判し、様々な集団が政策決定へのアクセスを求めて日常的に激しく争っている状態のことを民主主義とみなしている。また、ダールは「**ポリアーキー**」という概念を用いて民主主義をより精緻化している。

問13　○　多元的国家論の背景には、国家権力の増強に対して個人、集団の自由を擁護するという意図がある。多元的国家論の提唱者としては、**ラスキ**、**バーガー**、**マッキーバー**がいる。

問14　×　多数決原理の定義を述べている第1文は妥当である。しかし、多数派の意見が現実的であるかどうかは一概に判断できない。というのは、**多数決原理**は、**少数派と多数派の相対性**に基づいているからである。つまり、個人の事物を判断する能力は複雑かつ限られており、どれが正しい決定であるかを決める絶対的基準はなく、多数が賛成する見解をより正しいものとして認めているにすぎないからである。

問15　×　設問文前半は妥当であるが、後半は**ユートピア**に対する説明になっている。**マンハイム**はイデオロギーについて、現状維持的・保守的であるとしている。

問16　○　**権力分立**とは国家権力を機能的あるいは地域的に分立させ、分立された個々の権力を相互に抑制・均衡させることによって、国家権力の濫用を防止する理論および制度のことである。

問題

以下の記述を読み、正しいものには○、誤っているものには×をつけよ。

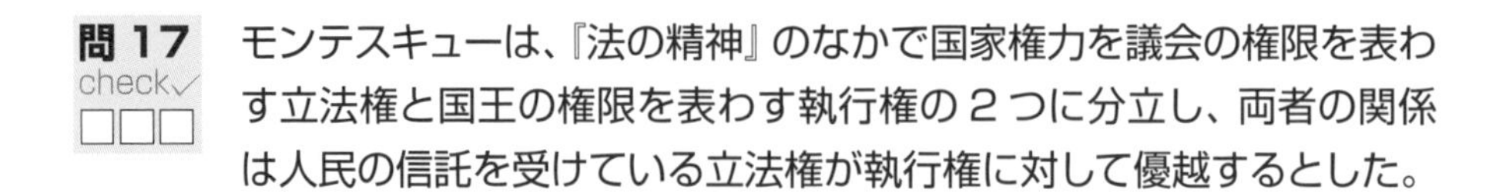

問 17 check✓ □□□

モンテスキューは、『法の精神』のなかで国家権力を議会の権限を表わす立法権と国王の権限を表わす執行権の 2 つに分立し、両者の関係は人民の信託を受けている立法権が執行権に対して優越するとした。

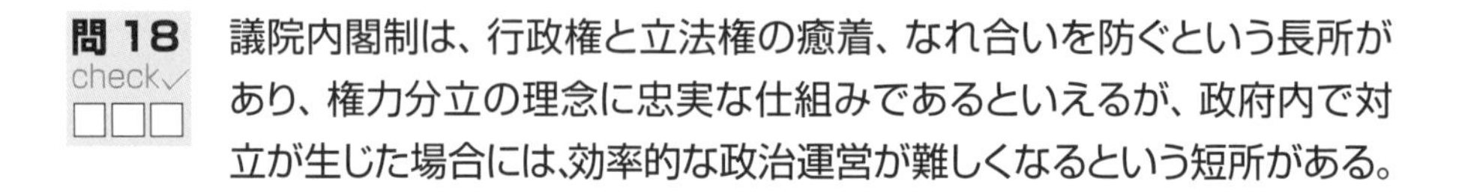

問 18 check✓ □□□

議院内閣制は、行政権と立法権の癒着、なれ合いを防ぐという長所があり、権力分立の理念に忠実な仕組みであるといえるが、政府内で対立が生じた場合には､効率的な政治運営が難しくなるという短所がある。

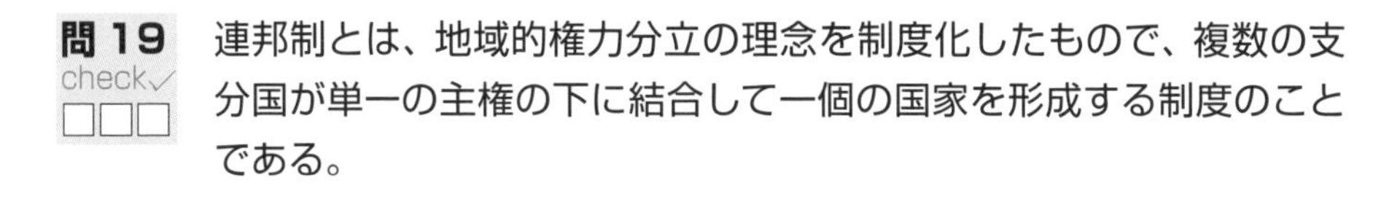

問 19 check✓ □□□

連邦制とは、地域的権力分立の理念を制度化したもので、複数の支分国が単一の主権の下に結合して一個の国家を形成する制度のことである。

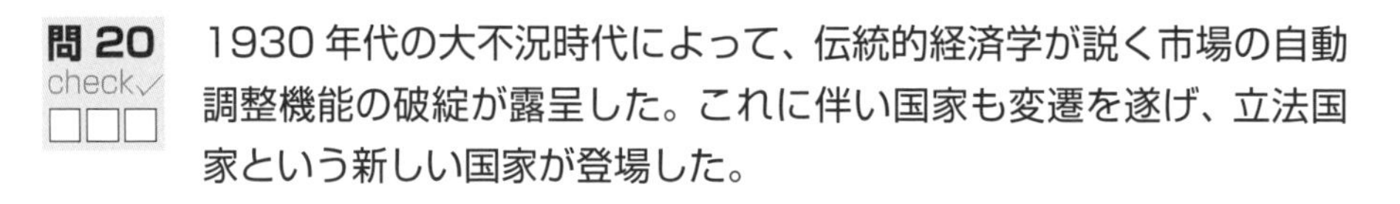

問 20 check✓ □□□

1930 年代の大不況時代によって、伝統的経済学が説く市場の自動調整機能の破綻が露呈した。これに伴い国家も変遷を遂げ、立法国家という新しい国家が登場した。

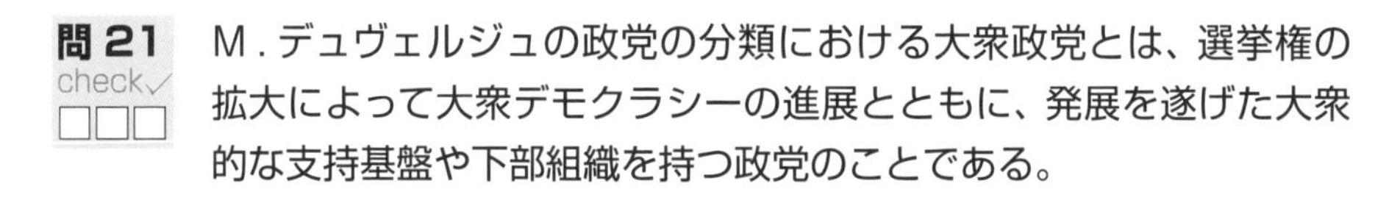

問 21 check✓ □□□

M . デュヴェルジュの政党の分類における大衆政党とは、選挙権の拡大によって大衆デモクラシーの進展とともに、発展を遂げた大衆的な支持基盤や下部組織を持つ政党のことである。

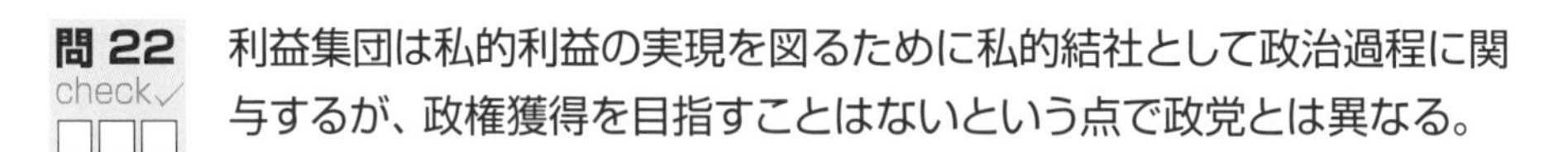

問 22 check✓ □□□

利益集団は私的利益の実現を図るために私的結社として政治過程に関与するが、政権獲得を目指すことはないという点で政党とは異なる。

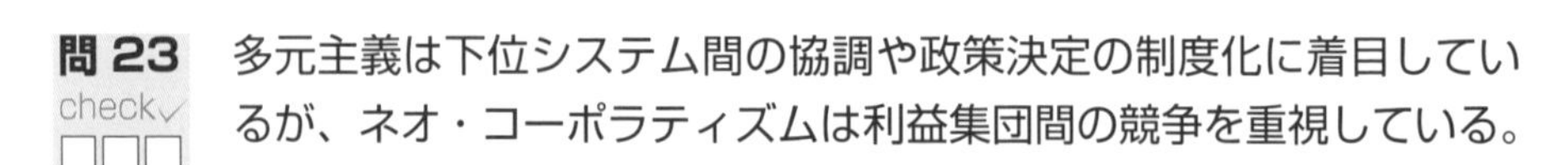

問 23 check✓ □□□

多元主義は下位システム間の協調や政策決定の制度化に着目しているが、ネオ・コーポラティズムは利益集団間の競争を重視している。

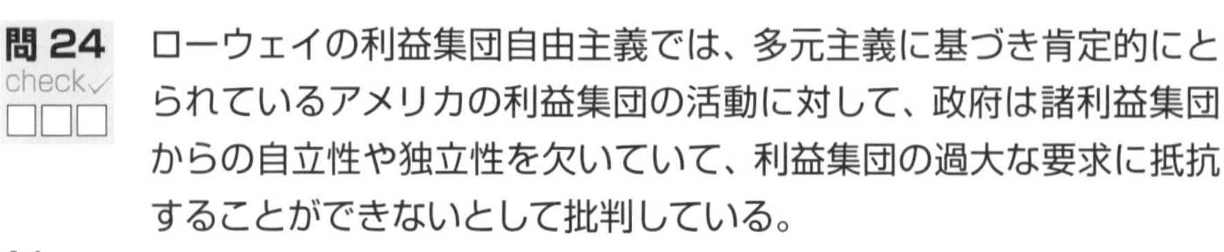

問 24 check✓ □□□

ローウェイの利益集団自由主義では、多元主義に基づき肯定的にとられているアメリカの利益集団の活動に対して、政府は諸利益集団からの自立性や独立性を欠いていて、利益集団の過大な要求に抵抗することができないとして批判している。

問 17 × 設問文は**ロックの権力分立論**である。**ロック**は『**統治論二篇**（**市民政府二論**）』のなかでこれを表わしている。一方、**モンテスキュー**は**三権分立**（国家権力を**立法権**・**行政権**・**司法権**に分ける）を主張した。これは後の近代憲法の基本原理となった。

問 18 × 設問文は**大統領制**の長所と短所である。議院内閣制の長所は、政府が議会多数派の意思に基づいて組織、維持されることを通して内閣と議会との間に融合、連携関係が成立するために、円滑な政治運営が可能となることである。これに対して短所は、行政権と立法権の相互干渉や癒着が容易に起こるため権力分立の観点から問題があるということである。

問 19 ○ **連邦制**は広大な地域にわたる国家や異質な民族からなる国家に多くみられる。

問 20 × 市場の自動調整機能の破綻により、国民福祉の増進のためには、国家の社会政策・経済政策を積極的に図ることが期待されるようになった。このときの国家を、**福祉国家**または**行政国家**と呼んでいる。

問 21 × **M．デュヴェルジュ**の分類は、**幹部政党・大衆組織政党・間接政党**の3つであり、設問文の大衆政党は**M．ウェーバー**による分類である。ただし、内容的には、大衆組織政党も大衆政党も同じである。

問 22 ○ **利益集団**とは自らが主張する特殊利益の維持、増進のために公的な政策決定過程に対して影響を及ぼそうとする集団である。

問 23 × 設問文では**多元主義**と**ネオ・コーポラティズム**の説明が逆である。

問 24 ○ 多元主義に基づくアメリカの利益集団の評価には**ローウェイ**や**アーモンド**の否定的見解の他に、均衡理論に基づいた**ベントレー**の見解がある。

政治 問題

以下の記述を読み、正しいものには○、誤っているものには×をつけよ。

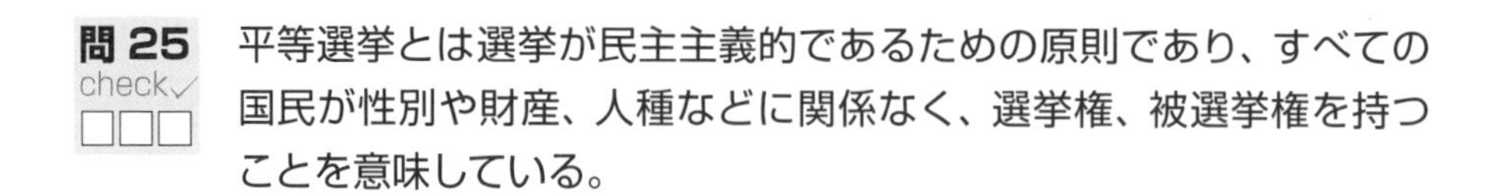

問 25 check✓ □□□

平等選挙とは選挙が民主主義的であるための原則であり、すべての国民が性別や財産、人種などに関係なく、選挙権、被選挙権を持つことを意味している。

問 26 check✓ □□□

基本的人権としての社会権の保障、男女平等の普通選挙による国民主権主義の実現、司法権の違憲立法審査による人権保障と憲法秩序維持は、日本国憲法の特徴といえる。

問 27 check✓ □□□

日本国憲法はまず国民主権を掲げ、次いで人権保障と三権分立（権力分立）主義を掲げている。基本的人権の保障の目指すところは国民主権であるという基本原理による。

問 28 check✓ □□□

非武装平和主義をうたった憲法９条は、憲法史上まれにみる規定といわれ、国家の自衛権の確保を平和的手段に求め、あらゆる軍備の存在を認めない点もまた特筆される点である。

問 29 check✓ □□□

戦争放棄と戦力の不保持をうたった憲法９条について、政府は自衛のための必要最小限度の実力の保持は、禁止されたものではないと解釈している。

問 30 check✓ □□□

憲法９条についての最高裁判決には日米安全保障条約、米軍駐留の合憲性をめぐる砂川事件上告審判決がある。これによると駐留米軍はわが国の軍隊ではなく、侵略性も一見明白ではなく、憲法の容認するところだとされた。

問 31 check✓ □□□

基本的人権は、憲法や国家権力に先行し、たとえ憲法を改正しても基本的人権の根本概念は変更できない。つまり、人間の道徳に根ざす法以上のもので、憲法は基本的人権の保障を理想として掲げている。

問 25 × 設問文は**普通選挙**に対する説明である。選挙が民主主義的であるための原則は、**普通選挙**、**平等選挙**、**直接選挙**、**秘密選挙**で、**平等選挙**とは、有権者がすべて同数の票を持つこと、その票の重みに格差がないことを表わす。

問 26 ○ **明治憲法**と**日本国憲法**の比較を通じて今日の日本国憲法の特徴を理解しておくことが重要である。

問 27 × 近代西欧型憲法が確立してきた歴史的経緯をみると、**人権保障**がまず要請されている。国民主権は**人権保障**を目的としたもので、国民主権による民主主義によって国民の意思が国家の組織や活動に反映されて基本的人権が保障されると考えている。したがって、近代の憲法では基本的人権の保障がまず掲げられる。

問 28 ○ 1791年のフランス憲法以来いくつかの憲法が戦争の放棄をうたってきたが、自衛権の確保を平和的手段に求め、あらゆる軍備の存在を認めないとしたのは**日本国憲法**が初めてである。

問 29 ○ 現在では、憲法9条は**自衛権**を否定していないという解釈が通説になっている。政府の解釈は当初、**自衛権**の発動としての戦争と交戦権を放棄しているとしていたが、東アジア情勢の推移に伴い、自衛のための必要最小限度の実力の保持は禁止されたものではないと、解釈の変更を行った。

問 30 × この判決では駐留米軍の駐留が一見侵略性が明白ではなく、違憲ではないとしながらも、**日米安全保障条約**の当否の判断は究極的には主権者たる国民の判断に委ねられるとした。

問 31 × 憲法は基本的人権を理想として規定しているのではなく、国家が基本的人権を保障することを規定しており、基本的人権は人間に固有の天賦された権利と考えられている。なお、基本的人権思想の系譜については、**ロック**、**ルソー**の近代自然法思想にさかのぼり、天賦人権思想（自然権）や社会契約説等の概念についても押さえておくこと。

政治　問題

以下の記述を読み、正しいものには○、誤っているものには×をつけよ。

問 32 check✓ □□□

日本国憲法 11 条の基本的人権の享有、12 条の自由及び権利に対する国民の責任、13 条の個人の尊重に規定された人権の享有主体は、国家の構成員として受動的な地位にある日本国民すべてであり、組織・集団、天皇・皇族・外国人は享有主体ではない。

問 33 check✓ □□□

日本国憲法には、基本的人権として自由権、社会権・参政権、その他の権利として裁判を受ける権利・賠償を受ける権利が規定されている。自由権には、精神的自由・人身の自由・経済的自由が規定されている。

問 34 check✓ □□□

憲法の基本的人権の体系には価値序列があるといわれる。精神的自由権に対する規制と経済的自由権に対する規制では、合憲審査基準が異なる。

問 35 check✓ □□□

公共の福祉は人権相互の調整原理として働いているが、基本的人権の共存を維持する消極的目的のための自由国家的公共の福祉と、人々の生活水準の向上を図る積極的目的のための社会国家的公共の福祉とに分かれる。

問 36 check✓ □□□

憲法 41 条は、国民の代表で構成される国会を選挙人団を除く統治機構のうち、国権の最高機関であり、唯一の立法機関であると位置づけている。国会は行政に対して国政調査権と内閣不信任決議権を持ち、また、司法に対しては裁判官の弾劾等の権能を持っており、その地位は司法権・行政権に対して完全に優越している。

問 37 check✓ □□□

日本の国会は衆議院と参議院の二院制をとっている。両議院の議員は法律の定める場合を除き、国会の会期中逮捕されない不逮捕特権を持っている。さらに、議院で行った演説・討論・表決について院外で責任を問われない免責特権が憲法で定められ、その権能としての発議権・質問権・質疑権・討論権・表決権も憲法に定められている。

問 32 × 憲法 11 ～ 13 条は**基本的人権**の総則規定といわれており、11 条から 13 条に規定された人権享有主体としての国民は、受動的な地位にあるすべての自然人と解釈されている。しかし、権利の性質に抵触しない限り、天皇・法人・外国人も、人権の享有主体とみなすのが通説となっている。

問 33 ○ 社会権には、**生存権・教育を受ける権利・労働者の権利**が明記されている。日本国憲法の基本的人権の体系を類型化すると、**自由権・社会権・平等権・参政権・請求権**と並んで、11 ～ 13 条・97 条に規定された人権の総則規定と、26 条 2 項・27 条 1 項・30 条に規定された義務規定がある。

問 34 ○ 精神的自由権は民主主義の根幹となる権利なので、その規制は必要最小限度であることを要する。これに対し、経済的自由権は不合理な規制であることが明白でない限り、合憲であるとする（**二重の基準**）。

問 35 ○ 公共の福祉は人権相互の調整原理として働いているが、内心の自由を除く、どの人権にも内在する制約と、生存権実現のために経済的自由権を制約する調整原理とでは、その働き方が異なる。前者は規制するにあたって、加えられる制約が「**必要最小限度**」であるのに対し、後者は「**必要な限度**」で足りる。

問 36 × 国会は法律や国家予算の制定、条約の承認といった権能を持つことから政治的に優越的地位にあるが、あらゆる意味で優越しているわけではない。憲法の基本原理である**三権分立**に則って、司法は国会に対して**違憲法令審査権**を持ち、行政（内閣）は**衆議院の解散権**を持っており、それぞれ国会を抑制している。

問 37 × **不逮捕特権**は憲法 50 条で定められており、会期前に逮捕された場合は、所属する議院の要求があれば会期中は釈放される。また、**免責特権**は憲法 51 条に定められているが、発議権・質問権・質疑権・討論権・表決権といった権能は、国会法・衆議院規則・参議院規則にそれぞれ定められている。

政治　問題

以下の記述を読み、正しいものには○、誤っているものには×をつけよ。

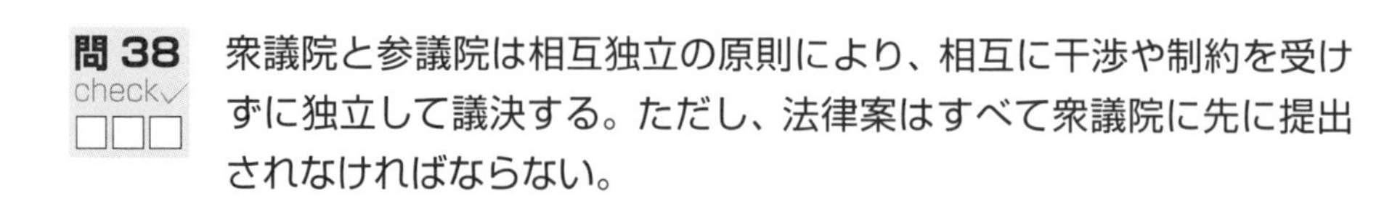

問 38 check✓ □□□

衆議院と参議院は相互独立の原則により、相互に干渉や制約を受けずに独立して議決する。ただし、法律案はすべて衆議院に先に提出されなければならない。

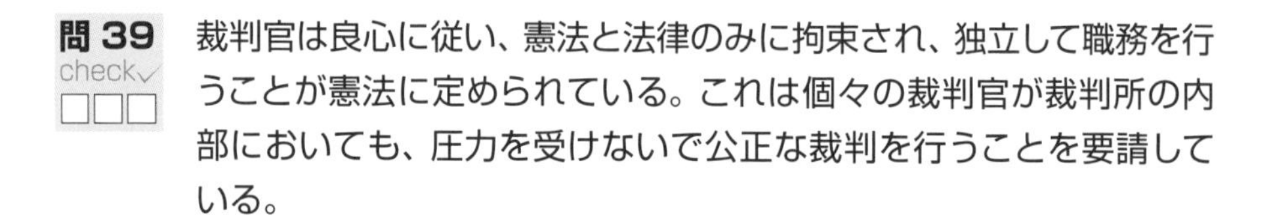

問 39 check✓ □□□

裁判官は良心に従い、憲法と法律のみに拘束され、独立して職務を行うことが憲法に定められている。これは個々の裁判官が裁判所の内部においても、圧力を受けないで公正な裁判を行うことを要請している。

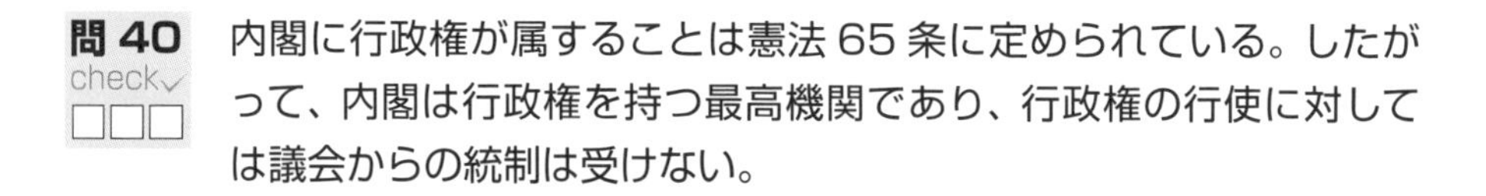

問 40 check✓ □□□

内閣に行政権が属することは憲法 65 条に定められている。したがって、内閣は行政権を持つ最高機関であり、行政権の行使に対しては議会からの統制は受けない。

問 41 check✓ □□□

内閣の国会に対する連帯責任とは、行政権の行使に違憲性や違法性がない場合でも、国会の追及を免れないという政治的責任のことである。

問 42 check✓ □□□

内閣の責任は連帯責任であり、内閣の首長である内閣総理大臣とその他の国務大臣が一体で負う。したがって、個々の大臣が単独で責任を負うことはない。

問 43 check✓ □□□

行政事件は民事事件や刑事事件と同様に司法審査の対象である。したがって、行政機関が前審として裁判を行うことは認められていない。

問 38 × 衆議院の先議が認められているのは**予算**だけである。なお、衆議院は参議院に優越しており、法律案の再議決・予算の議決・条約承認の議決・内閣総理大臣指名の議決において、両院の議決が不一致の場合に、両議院の協議会を開いてもなお意見が一致しないときは、衆議院の議決をもって国会の議決とされる。

問 39 ○ 司法権の独立というときの司法権は、個々の裁判官の職能を指している。憲法 76 条に定められている**裁判官の独立**は、裁判所が外部から圧力を受けないことはもとより、裁判所内部で個々の裁判官が圧力を受けないで裁判をすることも意味する。

問 40 × 国民主権主義の原理は内閣にも及ぶ。憲法はこの点について、違法な行政権の行使に対する司法的救済と、**議院内閣制**により具体化している。特に**議院内閣制**は、内閣が国民の意思を直接反映する国会のコントロールを受けるという点で重要である。

問 41 ○ 内閣の国会に対する連帯責任（憲法 66 条）は、民主的責任行政を果す議院内閣制の核心をなすもので、その本質は政治責任である。また、憲法 69 条は衆議院による**内閣不信任**と**内閣の総辞職**または**衆議院の解散**を定めているが、これは連帯責任の法的責任あるいは法的効果といえる。

問 42 × 内閣の責任が連帯責任であることは、統一的な国政運営が要請されるという観点に基づいている。ただし、これは個々の大臣の**単独責任**を否定するものではない。

問 43 × 行政事件は司法審査の対象となるが、前審として行政機関が裁判（行政審判）を行うことは認められている（憲法 76 条）。**行政権**の専門的・技術的な第一次的判断権を尊重することにある。

政治　問題

以下の記述を読み、正しいものには○、誤っているものには×をつけよ。

問 44

憲法 15 条は成年者による普通選挙を保障しており、過去に懲役刑に処せられたことのある者が、国会議員選挙について選挙権を有しないとするのは、憲法に違反する。

問 45

違憲法令審査権の目的は、憲法の最高法規性を確保して国民の基本的人権を保障し、憲法に抵触する法令の適用を拒否することである。

問 46

天皇は日本国、日本国民統合の象徴であり、その地位は主権者である国民の総意に基づいているので、天皇の行う国事行為は日本国民の行為とみなすことができる。

問 47

租税の賦課・徴収は、国会で制定された法律によらねばならないという租税法律主義の原則として憲法 84 条に定められている。また、地方税の賦課・徴収について定めをするには、条例によらなければならない。

問 48

憲法 92 条は、地方公共団体の組織・運営に関する事項は、地方自治の本旨に基づき法律によって定められるとしているが、この地方自治の本旨とは地方公共団体の権能の範囲を定める原理である。

問 49

憲法 94 条で定められた地方公共団体の権能として自治財政権を含めた自治行政権と、法律の定める範囲のなかで条例等を制定する自治立法権が認められている。

問 50

憲法 99 条は天皇・国務大臣・国会議員・裁判官・公務員の憲法の尊重と擁護を義務づけており、国会議員が憲法改正を主張することは許されない。

問44 ○ 何らかの刑に処せられた者に選挙権を与えないという考え方は、国民の**参政権**を大きく侵害するので違憲とするのが支配的な見解である。

問45 ○ **違憲立法審査権**は、最高裁判所に帰属することが憲法81条に定められている。

問46 × 天皇は国民を代表するものではないので、天皇の国事行為を日本国民の行為とみなすことはできない。そして天皇の国事行為は**内閣の助言と承認**を必要とし、その責任は**内閣**が負うこととされ、これにより天皇の行為を民主的コントロールのもとに置いている。

問47 ○ 地方税の賦課・徴収について定めをするには、**条例**によらなければならない(地方税法3条)。

問48 × 地方自治の本旨とは、**住民自治**と**団体自治**を尊重し民主的な地方行政の確立のための指導原理である。ここでの**住民自治**とは、地方の住民の意思で地方行政を行うことであり、**団体自治**は国家の一定地域に基礎を置く独立の地方団体がその地域の自治事務を自らの名と責任において処理することを意味している。

問49 ○ 設問文の通り。団体自治を定めている。なお「地方自治の本旨」の具体的な内容は、**地方自治法**に規定されている。

問50 × 憲法96条には、国会に**憲法改正の発議権**があることが明記されているから、国会議員が憲法改正を主張しても義務違反にはならない。しかし、96条によらない改正あるいは変更を主張するのは義務違反となる。また、裁判官は憲法改正の発議権には関係なく、憲法に準則した職務遂行が要請されており、憲法尊重・擁護の義務はより厳格と考えられる。

問 51 check✓

日本国憲法に関する以下の記述のうち、最も妥当なものはどれか。

1 内閣は法律案や予算を国会へ提出できる権能を持つが、事前に国会の承認を得なければならない。

2 衆議院で可決された法律案が参議院で否決された場合、両院協議会で必ず再検討される必要がある。

3 最高裁が示した憲法 28 条で規定する勤労者とは、賃金・給与やこれに準ずる収入で生活する者をいう。

4 天皇や皇族も、権利の性質に抵触しない限りにおいて、人権享有主体とみなされる。

5 明治憲法時代の公式法にしたがって、法令は官報によって公布されており、その時期に特別な定めはない。

問 52 check✓ □□□

日本国憲法の改正に関する以下の記述のうち、最も妥当なものはどれか。

1 憲法改正について国民の承認があった場合、天皇は内閣の助言と承認を待たずに直ちに憲法改正を公布しなければならない。

2 憲法の基本原理以外の条項を改正する場合は、憲法改正の国民投票は行わず簡便な手続きでよい。

3 改正限界論によれば、憲法改正には法理論的に限界があり、憲法制定権力と憲法改正権を区別している。

4 内閣は、各議院の総議員の 3 分の 2 以上の賛成を得たうえで、憲法改正案を発議しなければならない。

5 衆議院の解散中は、参議院が単独で改正を発議し、後になってから衆議院の同意を得ることになる。

問51　正解　4

1　×　法律案や予算を国会へ提出できる権能を持つのは**内閣総理大臣**である。事前の国会承認も必要ではない。

2　×　法律案に関しては、**衆議院**が両院協議会を任意に開くか否かを決定することができるため(59条3項)、必ず開かねばならないということはない。

3　×　設問文の記述は、判例ではなく、**労働組合法**の3条に規定されている労働者についての説明である。

4　○　天皇と皇族の**人権享有主体性**は認められる。ただし、選挙権・被選挙権・公務就任権・国籍離脱の自由・移住の自由・職業選択の自由などは、権利の性質上制限される。

5　×　公式法というような法律は制定されていない。官報による公布には明文による根拠はない。また、法令の公布時期は、国会法66条で奏上の日から30日以内と定められている。

問52　正解　3

1　×　内閣の**助言**と**承認**が必要である。

2　×　いかなる条項を改正するときでも、厳格なる**改正手続き**が必要である。

3　○　改正限界論による日本国憲法の限界として、**国民主権・平和主義・基本的人権の尊重**などが挙げられる。

4　×　**憲法改正**についてこのような規定はない。

5　×　憲法改正を**参議院**が単独で発議することはできない。

経済　問題

以下の記述を読み、正しいものには○、誤っているものには×をつけよ。

問 1
check✓
□□□

需要は当該財の価格の変化以外に、消費者の嗜好や所得によっても変化する。例えば、友人や隣人が贅沢品を所有しているのを見て、その財の価格や消費者自身の所得とは関係なくこうした財を購入してしまうデモンストレーション効果は、需要曲線を左にシフトさせる要因となる。

問 2
check✓
□□□

需要の価格弾力性は、需要量の変化率を価格の変化率で除した値のことをいう。弾力性値は1を基準にして、1より大きい場合を弾力的、1より小さい場合を非弾力的と呼んでいる。ある財が弾力的であるということは、その財の価格の変化率以上に需要量の変化率が大きいことを意味している。

問 3
check✓
□□□

完全競争市場において、X財の生産量をQ、価格をPとし、X財に対する消費者の需要量をD、生産者の供給量をSとする。このとき、需要量Dと供給量Sが等しくなる水準にX財の生産量Qが調整されることを、「市場均衡点はワルラスの意味で安定している」という。

問 4
check✓
□□□

消費者が財を購入したときに得る満足のことを効用といい、その全体効用は、財の消費量が増えるごとに増加する。しかし、財を一単位増やしたときの効用の増加分である限界効用は、財の増加とともに逓減する性質があり、これを限界効用逓減の法則と呼んでいる。

問1 ×　需要の変化についての問題である。価格以外の要因の変化によって需要が増加するとき(ここではデモンストレーション効果によって需要が増加することを表わしている)、**需要曲線**は右方向にシフトし、逆に需要が減少したときは左方向にシフトする。**需要曲線**が右にシフトした結果、価格の上昇を通じて供給量も上昇する。

問2 ○　弾力性の特徴についての問題である。需要の部分を供給に置き換えても同じことがいえる。すなわち、供給の**価格弾力性**とは、供給量の変化率を価格の変化率で除したもので表わすことができ、一般に需要の**価格弾力性**が高い財には贅沢品等や代替品が、需要の**価格弾力性**が低い財には生活必需品等がそれぞれ挙げられる。

問3 ×　市場均衡の安定性を問う問題である。市場の安定性には**ワルラス安定性**と**マーシャル安定性**の2つがあり、**ワルラス安定性**は価格調整に、**マーシャル安定性**は数量調整にそれぞれの特徴がある。設問文に応じて**ワルラス**の価格調整を表わすと、「X財の価格Pは需要量Dと供給量Sが等しくなる水準に調整される」となる。**ワルラス**の安定条件は、①財の価格が高すぎる場合、超過供給(D＜S)が生じて価格が低下すること、②財の価格が低すぎる場合、超過需要(D＞S)が生じて価格が上昇することになる。設問文は**マーシャル**の数量調整について述べているので誤りとなる。また、**マーシャル**の数量調整の特殊ケースとして「**くもの巣調整**」がある。これは、財の生産に時間がかかる場合、過去の価格水準に従い生産量が決まることを表わしている。

問4 ○　「限界(Marginal)」という言葉は、「一単位当たり」という意味で使われている。

問題

以下の記述を読み、正しいものには○、誤っているものには×をつけよ。

問５ check✓ □□□

無差別曲線とは、ある２財について同じ効用水準を得ることができる消費の組合せを表わしたもので、無差別曲線の傾きは限界代替率に等しくなる。限界代替率は同じ効用水準を保つための両財の交換比率を表わしており、一般に逓減する性質がある。限界代替率逓減の法則は無差別曲線が右下がりになる性質と同じ意味である。

問６ check✓ □□□

ある２財に対して、消費者は持っている予算（所得）のすべてを用いて、効用が最大になるような財の組合せを選択する。２財の価格比と限界代替率とが等しくなるとき、消費者の効用は最大化された状態にあるといえる。

問７ check✓ □□□

ある財の価格が下落したとき財の消費が増加するという需要法則に反して、ある財の価格が下落するとその財の需要量が減少するような財を独立財といい、独立財の需要曲線は右上がりとなる。

問８ check✓ □□□

ある２財、X財とY財があり、X財は上級財であるとする。このときX財の価格が下落した場合、代替効果はX財の消費を増加させるが、所得効果ではX財の消費量を減少させる。よって全体効果は、代替効果>所得効果であるならば、X財の消費量は増えるためプラスになる。

問5 × **限界代替率逓減**の法則は、無差別曲線が右下がりになる性質と同じ意味ではなく、無差別曲線が原点に対して凸になる性質と同じ意味である。無差別曲線が原点に対して凸となるのは、**限界代替率**が右に行くほど小さくなるため(**限界代替率の逓減**)である。以下、無差別曲線の持つ性質について整理しておく。①右下がりである②原点に対して凸である③右上方ほど効用が高い④無差別曲線どうしは交わらない⑤序数的効用(効用水準の大小だけに意味を持ち、数値で測定できないとするもの)を仮定する。

問6 ○ 消費者の最適消費計画の問題である。その条件は、予算線の傾き(2財の価格比)と無差別曲線の傾き(限界代替率)が接する状態である。また効用最大化条件から**加重限界効用**均等の法則を導くことができる。**加重限界効用**とは、「限界効用をその財の価格で割ったもので、消費者が1円で購入できる効用の大きさ」のことである。

問7 × 需要法則とこれに反する財に関する問題である。前半部は妥当であるが、設問文の後半は独立財ではなく**ギッフェン財**の説明である。独立財とは、ある2財があって、一方の価格が下落してその財の消費が増えたとき、他方の財の消費が変化しない場合をいう。例えば、ジュースの消費が増えたとき衣服の消費は変化しないと考えられるためジュースと衣服は独立財であるといえる。

問8 × 財の種類による**代替効果**、**所得効果**、**全部効果**の関係をみる問題である。設問文の記述は、X財が下級財である場合のものである。X財が上級財であるならば、**代替効果**、**所得効果**ともにプラス(消費量を増やす)方向にはたらくため、**全部効果**は当然プラスになる。財の種類について整理すると、財は上級財、下級財、中級財に分類され、上級財はさらに奢侈品と必需品に分けられる。所得の増加により、上級財は消費が増え、下級財では消費が減少し、中級財では消費は変わらない。

代替効果とは、「効用を一定に維持するとき、財の価格変化により、財の消費量がどう変化するか」を示す。**所得効果**は、「価格の変化による消費全体の変化から代替効果を取り除いたもの」をいう。

以下の記述を読み、正しいものには○、誤っているものには×をつけよ。

問 9 check✓ □□□

企業の生産活動にかかる費用には、生産量に関係なく一定の固定費用と生産量とともに増加していく可変費用があり、これらを合せたものが総費用となる。財の生産を 1 単位増加したときの総費用の増加分を限界費用と呼び、限界費用曲線は平均可変費用曲線と平均費用曲線の最低点で下から交差する性質を持つ。

問 10 check✓ □□□

完全競争における企業の最適生産は、財の価格と限界費用が等しくなる点の生産量において利潤が最大となる。財の価格と限界費用が等しい状態に加えて平均費用も等しくなる場合、この状態を損益分岐点と呼び利潤が全く得られない生産水準を表わしている。企業の供給曲線は、この損益分岐点より上部の限界費用曲線に等しくなる。

問 11 check✓ □□□

企業は長期的には生産費用を最小化するように財を生産している。その費用最小化条件は、等生産量曲線の傾きである技術的限界代替率と等費用線の傾きである生産要素の価格比が等しくなる状態である。

問 12

パレート最適とは、他人の効用を減らすことなくある人の効用を高めることができない状態と定義され、社会厚生を最大化するための必要条件である。パレート最適では所得分配が最適化され、パレート最適となる条件は個人の無差別曲線が接する点で表わされる。

問9 ○ **平均費用**とは総費用を生産量で割ったもので、財1個当たりの平均値を表わす。**限界費用**と**平均費用**の数値は異なり、**限界費用**は財1個当たりの生産費用を表わしている。また平均可変費用は、可変費用の財1個当たりの平均値を表わしている。

問10 × 企業の**最適生産**と**供給曲線**に関する問題である。第1文は妥当で、誤りは第 2、3 文である。企業の**供給曲線**は、**損益分岐点**ではなく、**操業停止点**より上部の限界費用曲線に等しくなる。**操業停止点**では、財の価格＝限界費用＝平均可変費用となっており、企業が財の生産を停止する点を表わしている。というのは、財の価格が平均可変費用を下回ると、固定費用すら払えない状態になるため、生産活動を続けることから発生する赤字と生産活動をやめたときの赤字(固定費用分)が等しくなり、生産する意味がなくなってしまうからである。

つまり、**損益分岐点**を超えて財の価格が平均費用よりも低い水準になったとしても、企業はすぐに生産活動をやめることはない。それは、生産を続けていれば、赤字にはなっても生産をやめてしまったときの赤字分である固定費用分はまだ払うことができるからである。

問11 ○ **等生産量曲線**とは、同じ生産を達成する資本と労働の組合せを示した線で、その線の傾きである**技術的限界代替率**は、同じ生産を維持するための労働と資本の交換比率を表わしている。同様に、**等費用線**は同じ生産費用となる資本と労働の組合せを示す線で、その傾きは、生産要素である資本と労働の価格比、すなわち賃金と資本価格の比になる。

問12 × **パレート最適**とは社会厚生が最大化され、適切な資源配分がなされている状態をいう。また、**パレート最適**である点の軌跡を契約曲線と呼んでいる。なお、完全競争市場では、**パレート最適**となり、資源の効率的配分が達成されることになるが、これを厚生経済学の第一定理という。

問題

以下の記述を読み、正しいものには○、誤っているものには×をつけよ。

問 13 check✓ □□□

不完全競争市場とは、生産者が自社製品の価格を操作して決定することができる市場のことをいうが、その中でも市場内に 1 社しか存在しない独占企業の利潤最大化条件は、限界収入と限界費用とが等しくなるように生産量を決定する。

問 14 check✓ □□□

電力、ガス、水道のようなサービスの供給に巨大な生産設備を必要とする産業では、サービス供給の規模が大きくなると限界費用が逓減を続ける。このような産業を費用逓減産業といい、1 社が大量に生産したほうがより費用が安く済むため、自然独占が生じる。このような状況下ではパレート最適は成立しない。

問 15 check✓ □□□

外部効果とは、ある個人や企業の行動が他の個人や企業の活動に無償で有利な効果や不利な効果を与えることをいい、有利な効果を外部経済、不利な効果を外部不経済と呼ぶ。市場に外部不経済が発生している場合、パレート最適を成立させるためには政府の政策的干渉が必要である。

問 16 check✓ □□□

公共財における排除不可能性とは、ある人が公共財を消費しても、同時にほかの人もその公共財を一緒に消費することができる性質を意味する。排除不可能性の性質から、公共財の等量消費という特徴が導き出される。

問 17 check✓ □□□

逆選択とは、買い手が本来は良品を選択したいのに不良品を選択してしまうことである。つまり、買い手が財に対する情報を全く持っていない場合、売り手は品質に関わりなく同じ価格で販売することができるため、安いコストで粗悪な商品だけを多く提供することになり、良品が市場から駆逐されてしまうことである。

問13 ○ 不完全競争では完全競争のときのように**限界収入**と価格が等しくならない。それは不完全競争市場では、価格も生産量の関数になっているからである。

問14 × **費用逓減産業**では、サービスの供給規模が拡大すると、平均総費用が逓減する。つまり、**費用逓減産業**では、生産量が平均総費用の最低点にまで達していないということである。

問15 ○ **外部不経済**とは、企業が負担する私的限界費用と社会全体が負担する社会的限界費用を比べたとき、社会的限界費用のほうが高い状態をいう。社会的限界費用と私的限界費用の差を**外部限界費用**と呼ぶが、これを埋めるためには、政府による課税政策が有効となる。一方、**外部経済**は私的限界費用が社会的限界費用よりも大きい状態である。その差分は**外部限界利益**と呼んでいる。その差分を埋めてパレート最適を成立させるためには、政府による補助金政策が有効である。

問16 × 設問文は公共財における非競合性の性質についての記述である。公共財の排除不可能性とは、支払いをしない人を公共財の消費から排除できないということである。公共財とは、公務員の仕事、一般道路などのことをいい、原則としてその予算は国民の税金で賄われ、国民は税金を支払うことで公共財に対する支払いを行い、その結果として公共財を利用する権利を獲得する。排除不可能性からは、**フリー・ライダー**の問題が発生する。

問17 ○ 逆選択の好例として有名なのが**アカロフ**のレモンの原理である。**アカロフ**は中古車市場で品質の悪い車(lemons)が横行している現象を説明した。このほかにも「悪貨が良貨を駆逐する」という**グレシャム**の法則がある。

経済　問題

以下の記述を読み、正しいものには○、誤っているものには×をつけよ。

問 18 複占市場におけるシュタッケルベルク均衡とは、2 つの企業のうち一方の企業を先導者、他方の企業を追随者とし、先導者は相手企業の生産量を一定として利潤を最大化するが、追随者は先導者の生産量を考慮して利潤を最大化するというものである。

問 19 check✓ □□□

ナッシュ均衡とは、ある行動主体が、他の行動主体の選択肢を一つに決まっているものとしたうえで自分の利益を最大化するように自分の選択肢を決めるとしたとき、それぞれの行動主体とも、相手の選択肢を変えない限り自分も選択肢を変更する要因がないという状態のことをいう。

問 20 check✓ □□□

エンゲル曲線とは所得と財の消費量の関係を示したものであるが、X財が必需品であるとき、所得の増加により消費量は増加するため、エンゲル曲線は右上がりになる。

問 21 check✓ □□□

国内総生産（GDP）は 1 年間に国内の各産業の総生産額から中間生産物の額を差し引いた付加価値額の合計のことで、GDPから固定資本減耗を差し引いたものが国内純生産（NDP）である。

問 22 check✓ □□□

国民所得は総需要と総供給が一致するところで決定され、この均衡国民所得の水準では貯蓄と投資は一致している。このとき、投資のなかには意図せざる投資が含まれていない。

問18 × 正しくは**先導者**は追随者の生産量を考慮して利潤を最大化するが、**追随者**は相手企業の生産量を一定として利潤を最大化する。

問19 ○ **ナッシュ均衡**とは、ある行動主体が相手の行動に対する予想と自分の行動の選択肢の変更のどちらも行う動機がなくなる状態のことで、いわば、最適行動の到達点を表わしていることにもなる。

問20 × エンゲル曲線の変化から財の性質をみる問題である。設問文のようにエンゲル曲線が右上がりになるのは**上級財**のときで、必需品のエンゲル曲線は所得軸に対して逓減的になる。また、奢侈品のエンゲル曲線は所得軸に対して逓増的に、**下級財**のときは右下がりに、中級財のときは財の軸に対して垂直になる。

問21 ○ **国民総所得（GNI）**という概念もある。GDPは国内で生産された付加価値の合計で国内にいる外国人も含まれるが**GNI**は外国にいる人・企業を含め日本人が生産した付加価値の合計である。日本の場合、両者の値に大きな違いはない。

問22 × 意図せざる投資は含まれている。総需要は消費（C）＋投資（I）、総供給は消費(C)＋貯蓄(S)と定義される。したがって**均衡所得水準**ではC＋I＝C＋Sが成り立ち、I＝Sが導出される。ところでこの投資（I）には、定義により予測に反した在庫の増減が含まれる。例えば総需要が総供給を下回る場合には売れ残りなどにより、在庫が積み上がり、意図せざる在庫の増加が生まれる。逆に総需要が上回る場合には予測以上に在庫が減り、意図せざる在庫の減少が生まれる。国民経済計算ではこの意図せざる在庫を投資とみなすことで事後恒等的にI＝Sが成立する。

問題

以下の記述を読み、正しいものには○、誤っているものには×をつけよ。

問 23 check✓ □□□

ある均衡国民所得水準Y＝C＋Iという状態から投資が増加すると所得も増加し、国民所得は新しい均衡水準に向かう。新しい均衡水準での所得の増分⊿Yは投資の増分⊿Iに等しい。

問 24 check✓ □□□

消費関数には絶対所得仮説に基づくケインズ型消費関数、消費水準は現在だけではなく過去の所得水準にも依存しており短期的な所得の下落があっても消費水準は低下しないという相対所得仮説に基づく消費関数、一時的に入ってくる変動所得ではなく恒常的な所得に基づいて消費水準を決定するという恒常所得仮説に基づく消費関数の３つがある。

問 25 check✓ □□□

資本財への投資はその資本財の予想収益の割引現在価値と購入価格の割引現在価値を比較して決定される。利子率≦資本限界効率という関係のとき、予想収益の割引現在価値≧購入価格の割引現在価値という関係が成り立ち、投資が実行される。

問 26 check✓ □□□

貨幣需要（流動性選好関数）は、取引動機と予備的動機による取引貨幣需要と、投機的動機による投機的貨幣需要とからなる。また均衡利子率は貨幣需要量と中央銀行が供給する貨幣供給量が一致する点で決まる。利子率がある水準に低下すると流動性の罠に陥り、貨幣需要は無限大になるが、これは利子率の減少関数である取引貨幣需要の増大によるものである。

問23 × 投資が増えたとすると所得は投資の増分⊿Ｉの乗数倍増加する。国民所得が$Y=C+I$で均衡している場合、消費（C）は生活のために最低限必要な**基礎的消費額**$\overline{C}$と所得の増加に応じて所得の一定割合を支出するcYから成り（cは限界消費性向といい、$0<c<1$という性質がある）、$C=\overline{C}+cY$という式が成り立つ。$Y=C+I$にこれを代入すると$Y=\overline{C}+cY+I$、したがって$Y=(1/1-c)(\overline{C}+I)$となる。ここで投資が⊿Ｉだけ増えたときの所得の増分⊿Ｙは（1／1－c）⊿Ｉによって計算できるから、所得は投資の増分⊿Ｉの（1／1－c）倍増えることになる。この（1／1－c）を乗数と呼ぶ。

問24 ○ **ケインズ型消費関数**はマクロ経済学を学ぶ際に基本となるもので、所得をY、基礎的消費額を$\overline{C}$、限界消費性向をcとすると$C=\overline{C}+cY$と定式化される。

設問文にある消費関数のほか、現在の保有している資産の額と将来にわたって稼げると予測される所得額との合計である生涯所得によって消費水準が決まるとする**ライフ・サイクル仮説**に基づく消費関数も重要である。

問25 ○ 資本財の耐用年数をｎ年、毎年の予想収益をQ1、Q2、…Qnとすると、予想収益の割引現在価値は毎年の予想収益を現行の利子率ｉで割り引いた額の合計となる。つまりQ1／（1＋i）＋Q2／（1＋i）2＋…＋Qn／（1＋i）nとなり、購入価格の**割引現在価値**は資本の限界効率ｍで割り引いた価格となる。

問26 × 前半の記述は正しいが、**流動性の罠**は利子率の減少関数である投機的貨幣需要によるものである。債券価格の上昇→利子率の低下、債券価格の下落→利子率の上昇という関係があるが、利子率が低く、将来、債券価格の下落が予測されるときは債券を手放して貨幣を保有したほうが有利となる。これを投機的貨幣需要といい、この投機的貨幣需要が無限大になった状態を**流動性の罠**という。

問題

以下の記述を読み、正しいものには○、誤っているものには×をつけよ。

問 27 check✓ □□□

利子率が低下するほど投資は増大するので、貯蓄と投資が均衡する国民所得も大きくなる。国民所得が大きくなるほど取引貨幣需要が増大し、貨幣供給量が一定だとすると投機的貨幣需要に廻る貨幣量は少なくなり貨幣供給と貨幣需要が均衡する利子率は高くなる。このような関係のなかで財市場と貨幣需要が同時に均衡する国民所得と利子率の組合せが存在する。

問 28 check✓ □□□

政府支出が増大すると国民所得は政府支出の増分の乗数倍増大することが期待される。しかし、政府支出の増大は財市場と貨幣市場の同時均衡を達成する利子率水準を上昇させて投資を抑制するため、国民所得増大効果も当初の期待よりも小さくなる。これをクラウディング・アウト効果という。

問 29 check✓ □□□

金融政策は貨幣供給量や利子率を操作して完全雇用や物価の安定等を達成することを目標としている。中央銀行が金融緩和政策をとり貨幣供給量が増えた場合、LM曲線がシフトするために、財市場と貨幣市場の均衡を同時達成する国民所得は増加し利子率は低下する。

問 30 check✓ □□□

実質国民所得が完全雇用を維持する水準にあるとき、株や土地などの資産価格が上昇した場合には実質国民所得、物価ともに上昇する。

問 27 ○　**IS曲線**と**LM曲線**が交わる点に対応した国民所得と利子率のもとで、財市場と貨幣市場の均衡が同時に達成する。**IS曲線**は財市場が均衡する利子率と国民所得の組合せで、財市場を均衡させる国民所得は利子率の減少関数であることを示している。また、**LM曲線**は貨幣市場が均衡する利子率と国民所得の組合せで、貨幣市場が均衡する国民所得は利子率の増加関数であることを示している。

問 28 ○　IS曲線は投資関数、消費関数、政府支出といった総需要を変化させる要因が変わるとシフトする。問題文の場合では、政府支出が増大したので、それぞれの利子率に対応する**均衡所得水準**は大きくなるため、右方にシフトする。その結果、LM曲線と交わる点は右上方にシフトし、財市場と貨幣市場が同時に均衡する利子率は上昇して、投資が抑制されることになる。

問 29 ○　LM曲線は貨幣供給量、流動性選好（貨幣需要）が変化するとシフトする。問題文の場合には貨幣供給量の増加によって、貨幣市場が均衡する利子率はそれぞれの国民所得の水準に対して低くなるので右方にシフトする。したがって、**貨幣供給**の増加→**利子率**の低下→**投資**の増加→**国民所得**の増加という経路が考えられる。

問 30 ×　**総需要‒総供給曲線**分析を用いた問題である。**総供給曲線**は経済全体の産出量と物価水準の関係を示す。産出量は物価水準の増加関数で、完全雇用の水準に至ると産出量はそれ以上に増加しないので供給曲線は垂直になる。物価水準と実質国民所得の関係を示した**総需要曲線**は消費支出や投資支出、政府支出が変化するとシフトする。この問題では資産価格の上昇による資産効果により消費支出が増加して、それぞれの物価水準に対応する実質国民所得水準が増加する方向にシフトするが、**総供給曲線**が垂直な範囲なので物価水準は上昇するが、実質国民所得は増加しない。

経済　問題

以下の記述を読み、正しいものには○、誤っているものには×をつけよ。

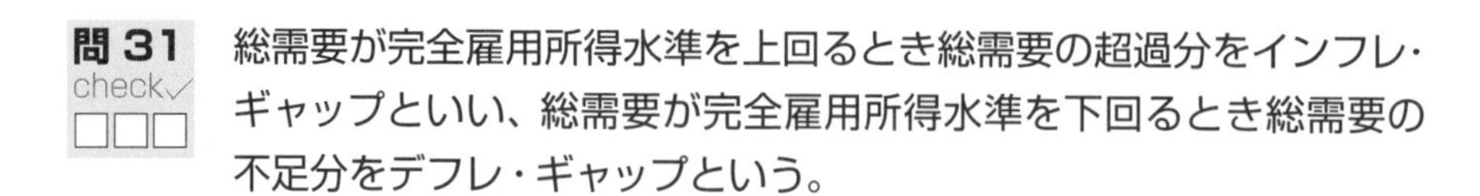

問 31 check✓ □□□

総需要が完全雇用所得水準を上回るとき総需要の超過分をインフレ・ギャップといい、総需要が完全雇用所得水準を下回るとき総需要の不足分をデフレ・ギャップという。

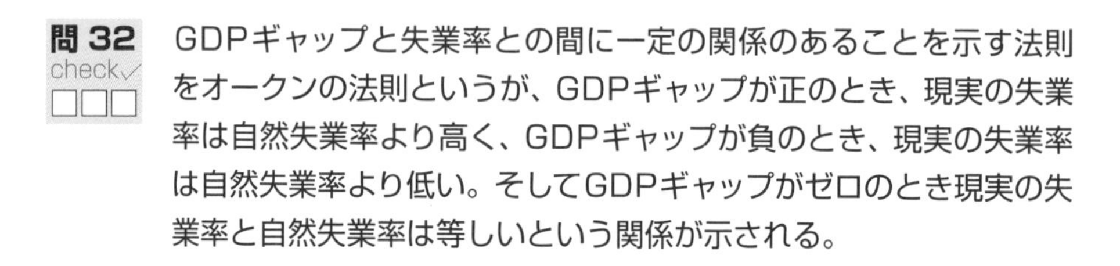

問 32 check✓ □□□

GDPギャップと失業率との間に一定の関係のあることを示す法則をオークンの法則というが、GDPギャップが正のとき、現実の失業率は自然失業率より高く、GDPギャップが負のとき、現実の失業率は自然失業率より低い。そしてGDPギャップがゼロのとき現実の失業率と自然失業率は等しいという関係が示される。

問 33 check✓ □□□

経済成長を長期的にみた場合、自然成長率が保証成長率を上回っている状態では供給が過剰で経済は停滞して失業が発生する。

問 34 check✓ □□□

経済成長の要因分析に際して、中間投入を含めた経済成長の要因分析を行う方法を全要素生産性分析という。

問 35 check✓ □□□

景気循環には 50 ～ 60 年を周期とする長期波動のコンドラチェフ波、企業の設備投資に起因する 9 ～ 10 年周期のキチン波、在庫投資に起因する 40 ヶ月程度の周期のジュグラー波がある。

問 36 check✓ □□□

限界革命は、古典派経済学の労働価値説や費用価値説に替わって、限界効用、限界生産力といった限界概念を駆使し需要や効用を強調した経済理論を打ち立てたが、担い手の1人であるワルラスは、古典派が経済諸量の間の因果関係に注目したのに対して相互依存関係に注目して一般均衡理論を展開した。

問 31 ○ **インフレ・ギャップ**が存在するとき物価は上昇し、**デフレ・ギャップ**が存在すると失業が生まれるので、政府は経済に介入して総需要の水準が完全雇用所得水準と一致するように調整する。これを**総需要管理政策**という。

問 32 ○ GDPギャップとは潜在的実質GDPと実質GDPの差で、現実のGDPと最大限に産出可能なGDP水準との乖離を示している。つまりGDPギャップが大きいほど経済活動は低迷しており、失業率も高くなる。**オークンの法則**はこの関係を示した法則で、現実の失業率と自然失業率の差に一定の正の係数を乗じた値とGDPギャップが等しいという関係式で表わせる。

問 33 × 設問文は**保証成長率**が**自然成長率**を上回っているときに起こる状態についての記述である。**保証成長率**は企業の主に投資行動によって決まる成長率で、**自然成長率**は人口成長率と技術進歩率によって決まる成長率であり、経済成長の上限を決めるものである。投資には有効需要創出と同時に供給能力増大効果もあるが、**保証成長率**が**自然成長率**を上回っているということは、人口増大等によって需要が創出される以上に供給能力が増大して供給過剰になり、経済が停滞する。

問 34 × 設問文は**総生産性分析**の説明である。投入は生産要素投入のみとして分析する方法を**全要素生産性分析**という。

問 35 × 9～10 年周期が**ジュグラー波**、40 ヶ月程度の周期が**キチン波**で、いずれも発見者の名前が付けられている。

問 36 ○ 限界革命の担い手は**ワルラス**(ローザンヌ学派)、**メンガー**(オーストリア学派)、**ジェボンズ**の3人だといわれている。**メンガー**は効用価値に大きな意義をおき、費用は失われた効用と考える機会費用の概念を説いている。

以下の記述を読み、正しいものには○、誤っているものには×をつけよ。

問 37 check✓ □□□

それまでの経済学が価格変動を重視したのに対して量的変動を強調し、不況の原因はマクロの有効需要の不足によるものだとしたケインズ経済学は、その雇用理論においても古典派の雇用理論を遍く否定している。

問 38 check✓ □□□

1970 年代に起こったスタグフレーション現象はケインズ的総需要政策への批判を生むことになったが、フリードマンを中心としたマネタリストがこのとき展開した貨幣数量説の特徴は、予想しなかった貨幣供給の変化の産出量、雇用量への短期的な影響に関した理論を展開したことである。

問 39 check✓ □□□

古典派経済学が資本主義経済を絶対視したのに対してマルクス経済学は唯物史観に基づいて資本主義経済は過渡的、歴史的なものとみる。このようなマルクス経済学の源流はドイツ古典哲学、フランス社会主義、アメリカ制度学派といわれている。

問 40 check✓ □□□

古典派経済学は、貿易収支の均衡による貿易利益を比較生産費説により説き、輸出超過による正の貿易差額を目的にする重商主義貿易論を批判した。比較生産費説によれば、農産物と工業品の 2 つの財を生産する 2 つの国があり貿易をしているとして、農産物の生産費の最も安い国が農産物を全て生産し、工業品の最も安い国が工業品を全て生産することが全体の生産量を増大させるのである。

問 37 × **ケインズ**経済学の雇用理論は**古典派**の第一公準、第二公準に基づいているところがある。意味はそれぞれ次のとおりである。

第一公準：実質賃金率と労働の**限界生産力は等しい**。

第二公準：実質賃金率と総雇用量の**限界不効用は等しい**。

賃金の下方硬直性と非自発的失業の存在を主張した**ケインズ**の雇用理論は、完全雇用が達成されるまでは雇用量に関りなく実質賃金率は一定だが、完全雇用水準を超えると雇用量の増加とともに実質賃金率も上昇すると考えた。

問 38 ○ 古典派の貨幣数量説（MV＝PY）によれば、貨幣の所得流通速度（V）は短期的には一定であり、実質GDP（Y）の大きさは労働力、資本ストックの成長率に依存するので、貨幣（M）の増大は物価水準（P）を上昇させるだけである。これに対して現代のマネタリストは、**総需要政策**による物価上昇率が予想以上であると、企業も労働者も実質市場価格、実質賃金の上昇と錯覚するために、短期的には雇用が増大すると主張した。しかし、この錯覚が消えると雇用量は元の水準に戻りインフレ率が高まるだけとも主張し、ケインズ政策を批判した。

問 39 × アメリカの制度学派は、**マルクス**の『資本論』出版の後に形成された学派である。**マルクス**はイギリス古典派経済学の**労働価値説**を発展させて等価交換における**搾取**の構造を明らかにしたといわれ、イギリス古典派経済学も**マルクス**経済学の源流の１つと考えられている。前半の記述は正しい。

問 40 × 設問文にしたがって比較優位を考えると、２つの国の生産要素が同質で価格が等しいとして、その国のなかで１単位当たりの産出に必要な生産要素投入が相対的に少ない方の財に対して比較優位があるという。**比較生産費説**は設問文にあるような絶対優位を持つ財の産出に特化するのではなく、国内において比較優位を持つ財の産出に特化せよと説いている。

問 41 次の経済学者の経済理論に関する記述のうち、最も妥当なものはどれか。

check✓ □□□

1 重農主義の先駆者であるカンティヨンは、原表と範式からなる『経済表』を発明し、後のスミスやマルクスの経済学に影響を与えた。
2 ジェボンズは、ワルラスやメンガーらとともに、経済理論に限界革命を導入し、古典派経済学に対する新しい理論体系を展開した。
3 マーシャルの経済理論は部分均衡理論といわれており、彼は財を所与として生産活動のない架空の世界を想定して交換経済の論理を追究した。
4 シュンペーターは景気循環について、周期が約 8 年から 10 年の設備投資循環を主張した。
5 フリードマンは有効需要の原理を主張し、総需要管理政策によって完全雇用国民所得の実現を図った。

問 42 次の戦後の日本経済の特徴に関する記述のうち、ほかと時期が異なるものはどれか。

check✓ □□□

1 石炭産業や鉄鋼業が基幹産業となり、これらの分野に輸入した重油を傾斜して投入するようになった。
2 国民の生活様式は急激に西欧化し、白黒テレビ、電気冷蔵庫、電気洗濯機の普及率が急上昇した。
3 GNP に対する非製造業の比重が 50%を超え、経済全体に占めるサービスの増加が明らかとなった。
4 生活水準の向上と完全雇用を目的とする国民所得倍増計画が発表され、実際には 10%を超える経済成長率を実現した。
5 経済発展によって日本の国際的地位は変化し、米ドル換算で世界第 3 位の GNP 大国となった。

問 41 正解 2

1 × 『経済表』を発明したのは**重農主義**を代表する論客である**ケネー**である。**カンティヨン**は『商業一般の性質に関する論考』で、土地一元論を展開した。

2 ○ 彼の**限界効用理論**とともに近代経済学は生まれた。

3 × 前半部は妥当であるが、後半部の交換経済の模型を展開したのは**ワルラス**である。

4 × 設備投資循環は**ジュグラー**の景気循環論である。

5 × フリードマンは**マネタリスト**を代表する経済学者で、ケインズ経済学を批判し、マネーサプライの調整による短期的金融政策を主張した。

問 42 正解 1

1 戦後復興期における傾斜生産方式なので **1940** 年代後半のことである。

2 1960 年代の**国民生活**の変化である。

3 1965 年に GNP に占める**非製造業**の割合が 50%を超えたので、これも 60 年代の特徴。

4 国民所得倍増計画は**池田**内閣のものであり、これも 60 年代の日本経済の特徴。

5 GNP が世界第 3 位になったのは 1968 年であり、米国、ソ連、日本の順になっている。これも 60 年代の特徴。

以上により、**1** のみが 1940 年代についての記述で、その他は 1960 年代の記述である。

社会　問題

以下の記述のうち、正しいものには○、誤っているものには×をつけよ。

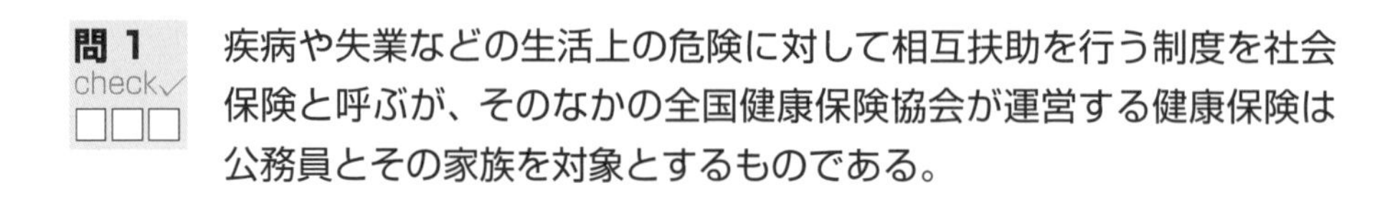

問1 check✓ □□□
疾病や失業などの生活上の危険に対して相互扶助を行う制度を社会保険と呼ぶが、そのなかの全国健康保険協会が運営する健康保険は公務員とその家族を対象とするものである。

問2 check✓ □□□
公的扶助とは生活保護法に基づいて、国が生活困難者に対して生活、教育、住宅、医療、出産などに関する援助を公費で行い最低限の生活保障と自立を助長する制度である。

問3 check✓ □□□
保健所が中心となって生活環境を整備し、児童、老人、身体障害者、母子家庭などの社会的弱者の保護と自立のための助力を行う制度を社会福祉と呼んでいる。

問4 check✓ □□□
健康保険の窓口負担率は、原則として6歳以上70歳未満が3割、70歳以上75歳未満が2割、75歳以上は1割（一定以上の所得がある場合は2割）となっている。

問5 check✓ □□□
要介護状態にある50歳の人は、どのような原因で要介護状態になっても第2号被保険者の受給資格を得ることができる。

問6 check✓ □□□
介護保険の保険料は第2号被保険者の場合、医療保険の保険料と併せて年金から天引きで特別徴収される。

問7 check✓ □□□
2021年に成立した年金制度改正法により、短時間労働者を被用者保険の適用対象とすべき事業所の企業規模要件が、現行の500人超から50人超へと段階的に引き下げられることとなった。

問1 × 全国健康保険協会が運営する健康保険は、主に中小企業の勤労者が対象である。公務員を対象とするのは**共済組合**である。

問2 ○ 生活保護法は1946年に制定されたもので(1950年に全面改正)、憲法25条に規定する理念に基づいている。公的扶助には設問にある5つの他に、**生業**と**葬祭**がある。

問3 × 保健所が中心となって生活環境を整備するのは**公衆衛生**であり、国民の健康の保持・増進を図る制度である。児童以下の記述は正しい。

問4 ○ なお、6歳未満は**2割**、70歳以上の現役並所得者は**3割**負担である。また、2022年10月から、単身世帯で年収200万円以上、複数世帯で年収320万円以上の75歳以上の負担率は、**2割**に引き上げられた。

問5 × 第2号被保険者の受給資格は**40歳以上から65歳未満**であるが、要介護状態になるに至った原因は**特定疾病**に限られている。

問6 × 年金から天引きされるのは**第1号被保険者**の場合である。

問7 ○ 短時間労働者を被用者保険の適用対象とすべき事業所の企業規模要件は、2022年10月に**100人超規模**、2024年10月に**50人超規模**へと段階的に引き下げられることとなっている。

社会　問題

以下の記述のうち、正しいものには○、誤っているものには×をつけよ。

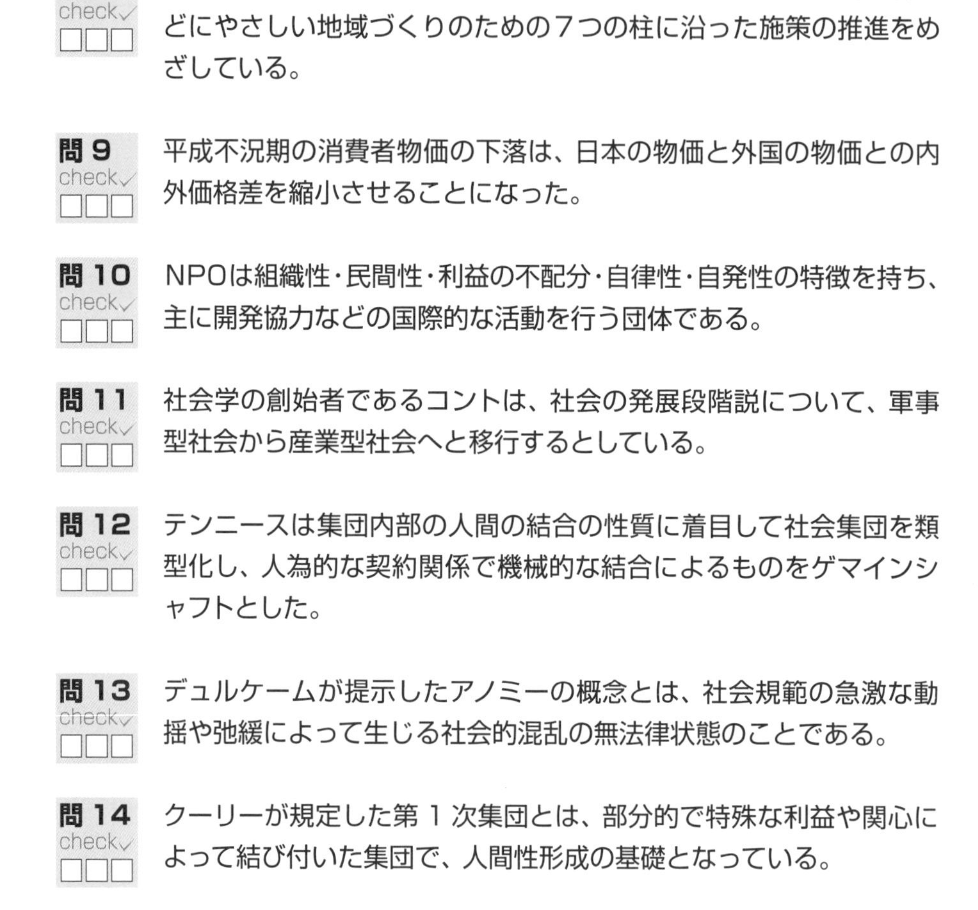

問 8 check✓ □□□

2019 年に策定された認知症施策推進大綱では、認知症の高齢者などにやさしい地域づくりのための７つの柱に沿った施策の推進をめざしている。

問 9 check✓ □□□

平成不況期の消費者物価の下落は、日本の物価と外国の物価との内外価格差を縮小させることになった。

問 10 check✓ □□□

NPOは組織性・民間性・利益の不配分・自律性・自発性の特徴を持ち、主に開発協力などの国際的な活動を行う団体である。

問 11 check✓ □□□

社会学の創始者であるコントは、社会の発展段階説について、軍事型社会から産業型社会へと移行するとしている。

問 12 check✓ □□□

テンニースは集団内部の人間の結合の性質に着目して社会集団を類型化し、人為的な契約関係で機械的な結合によるものをゲマインシャフトとした。

問 13 check✓ □□□

デュルケームが提示したアノミーの概念とは、社会規範の急激な動揺や弛緩によって生じる社会的混乱の無法律状態のことである。

問 14 check✓ □□□

クーリーが規定した第 1 次集団とは、部分的で特殊な利益や関心によって結び付いた集団で、人間性形成の基礎となっている。

問 15 check✓ □□□

防衛機能の一種である反動形成とは、満たされない欲求や不安のもとになる記憶や観念を排除することである。

問8 × 設問文の内容は、2015年策定の**新オレンジプラン**についての記述である。**認知症施策推進大綱**は、認知症の人が、尊厳と希望を持って認知症とともに生きる「**共生**」と、認知症の発症を遅らせたり、認知症の進行を緩やかにしたりする「**予防**」の2つを車輪とした施策の推進をめざしている。

問9 ○ **消費者物価**の下落には、衣類や家電製品の値下げなどが寄与した。しかし、いくら縮小したとはいえ、依然として割高であったことは事実である。

問10 × **NPO**は地域社会で福祉やまちづくり活動を行う団体として、位置づけられている。開発協力などの国際的な活動を行うのは、**NGO（非政府組織）**である。

問11 × **コント**の発展段階説は、人間の進化過程を神学的、形而上学的、実証的とした。これに対応する形で、社会も軍事的、法律的、産業的の段階を経るとしている。設問文は**コント**を受け継いだ**スペンサー**の説である。

問12 × 人為的な利害による契約関係で機械的に結び付く社会集団は、**ゲゼルシャフト**である。**ゲマインシャフト**は、愛情や親しみなど自然的・有機的な結合による社会集団のことである。

問13 ○ **デュルケーム**は、『社会分業論』および『自殺論』の中で**アノミー**を提示している。**アノミー**は発達した産業化社会で、個人の自殺の原因になるものである。

問14 × **第1次集団**とは互いに顔を合わせている親しい結び付きと協力による家族、村落、近隣などの社会集団である。

問15 × **反動形成**とは、満たされない欲求や自分が抱いている感情と正反対の行動や発言をすることである。設問文は**抑圧**についての説明である。

問題

以下の記述のうち、正しいものには○、誤っているものには×をつけよ。

問 16 check✓ □□□
マイクロエレクトロニクス革命によってOAが進展し、VANやINSなどの新しい通信手段が登場した。

問 17 check✓ □□□
ダニエル・ベルの脱工業化社会では、生産者と消費者を融合させたプロシューマーの出現について言及している。

問 18 check✓ □□□
家族の形態についてマードックは夫婦を中心にして核家族、拡大家族、複婚家族に分類している。

問 19 check✓ □□□
現代人の心理を表わしたシゾイド人間とは、人との深い関わりを嫌い定住をせずに逃走と放浪を繰り返す人間のことである。

問 20 check✓ □□□
2022 年に成人年齢は 18 歳に引き下げられ、少年法の適用は 17 歳までとなった。

問 21 check✓ □□□
国連人口基金によると､2024 年の世界人口は 81 億 1900 万人で、前年に比べ 7400 万人増加した。

問 22 check✓ □□□
厚生労働省の人口動態統計によれば、2023 年のわが国の出生率は 6.0 で、前年よりも低下している。

問 23 check✓ □□□
ラムサール条約は水鳥の生息地として重要な湿地の保全を目的としており、条約加入国には湿地の賢明な利用を通じた保護が義務づけられる。

問 16 ○ OA はオフィスオートメーション、VANは付加価値通信網、INSは高度情報通信システムの略である。

問 17 × プロシューマーの出現について言及したのは**トフラー**である。**ベル**は教育、レクリエーション、芸術などのサービスの充実、科学の政治化と技術者の組織化などについて言及している。

問 18 ○ **拡大家族**とは親子関係を中心に縦に結合した家族のことである。**複婚家族**とは夫婦の一方を中心に横に結合した家族のことである。

問 19 × 定住をせずに逃走と放浪を繰り返すのは、分裂型の**スキゾ人間**である。**シゾイド人間**は深い親密な関係を持たず、自己中心的な特徴を持っている人間である。

問 20 × 2022 年 4 月 1 日に成人年齢は 18 歳に引き下げられたが、18・19 歳も**特定少年**として引き続き少年法が適用される。

問 21 ○ 国連人口基金『世界人口白書 2024』による。2024 年の日本の総人口は 1 億 2260 万人で、前年に比べて 70 万人**減少**している。

問 22 ○ 2023 年のわが国の出生率（人口千対）は 6.0 で、前年の 6.3 より**低下**した。合計特殊出生率も 1.20 で、前年の 1.26 より**低下**した。

問 23 ○ **ラムサール条約**は地球環境保護に関連した条約で、水鳥の生息に重要性の高い湿地を登録し、その登録湿地の保護が義務づけられる。日本では 2021 年 11 月に 1 ヵ所が新たに登録され、釧路湿原やクッチャロ湖など 53 ヵ所が指定を受け登録されている。

社会　問題

以下の記述のうち、正しいものには○、誤っているものには×をつけよ。

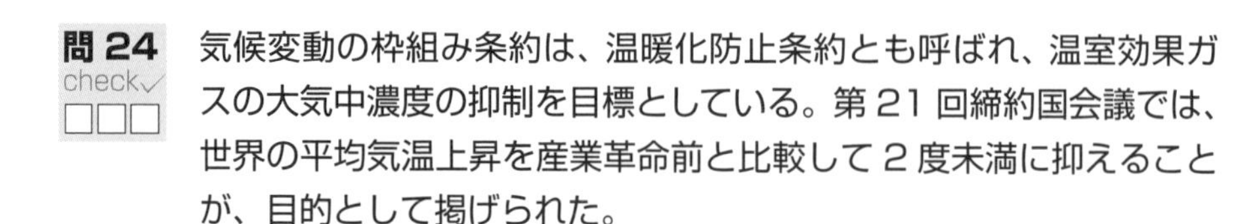

問 24 check✓ □□□

気候変動の枠組み条約は、温暖化防止条約とも呼ばれ、温室効果ガスの大気中濃度の抑制を目標としている。第 21 回締約国会議では、世界の平均気温上昇を産業革命前と比較して 2 度未満に抑えることが、目的として掲げられた。

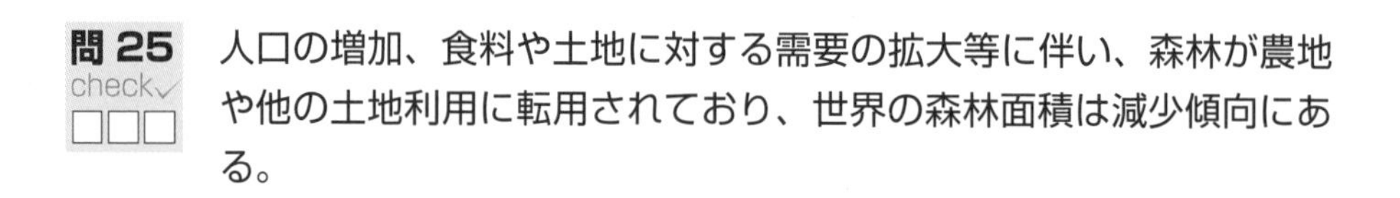

問 25 check✓ □□□

人口の増加、食料や土地に対する需要の拡大等に伴い、森林が農地や他の土地利用に転用されており、世界の森林面積は減少傾向にある。

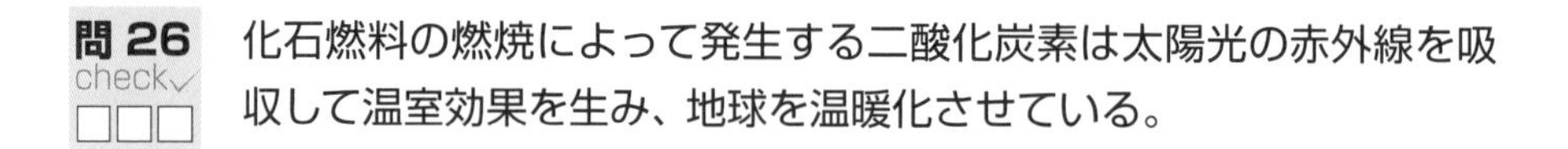

問 26 check✓ □□□

化石燃料の燃焼によって発生する二酸化炭素は太陽光の赤外線を吸収して温室効果を生み、地球を温暖化させている。

問 27 check✓ □□□

容器包装リサイクル法は、ごみ資源のリサイクル促進を目的に制定された。対象品目はガラスびん 3 品目とペットボトル 4 品目で、段ボール、飲料用を除く紙容器、プラスチック容器は対象になっていない。

問 28 check✓ □□□

1992 年に調印されたマーストリヒト条約が 93 年に発効し、ヨーロッパ経済共同体、ヨーロッパ石炭鉄鋼共同体、ヨーロッパ原子力共同体で構成されたEC（ヨーロッパ共同体）は外交･安全保障の共通化、EUROへの通貨統合、市民権の共通化、欧州議会の権限拡大等を含むEU（欧州連合）へと統合が進み、発効当時の加盟国は 15 ヵ国であった。

問 24 ○ 気候変動の枠組み条約は、1992 年に締結、94 年発効。2015 年 12 月に第 21 回締約国会議（COP21）で採択された**パリ協定**では、世界の平均気温上昇を **2** 度未満に抑えることを目的とし、また、**1.5** 度以内に抑えることの必要性にも言及した。

問 25 ○ 国連食糧農業機関の「世界森林資源評価 2020」によると、1990 年以降、世界の森林は 1 億 7800 万 ha **減少**した。2010 年から 2020 年においては、森林が純減する速度が最も高い地域は**アフリカ**であり、次いで**南米**である。

問 26 ○ 石油や石炭等の化石燃料を燃焼させると、二酸化炭素のほか、硫黄酸化物や窒素酸化物も生み、これらは**酸性雨**の原因になる。環境汚染については フロンガスが分解された塩素原子による**オゾン層**の破壊もポイントになる。

問 27 × **容器包装リサイクル法**は、1995 年に制定され 97 年に施行されたが、2000 年に段ボール、飲料用を除く紙容器、プラスチック容器が対象品目に追加された。また、消費者、企業、行政それぞれの責任と役割分担を規定している。リサイクルに関する法律はこのほか、**資源有効利用促進法**、**家電リサイクル法**などがある。

問 28 × マーストリヒト条約発効当時の **EU** 加盟国はベルギー、フランス、ドイツ、イタリア、ルクセンブルク、オランダ、イギリス、デンマーク、アイルランド、ギリシャ、スペイン、ポルトガルの **12ヵ国**。その後、加盟国の拡大が続いたが、2020 年 1 月にイギリスが正式に**離脱**し、現在は **27 ヵ国**からなる国家連合体となっている。

社会　問題

以下の記述のうち、正しいものには○、誤っているものには×をつけよ。

問 29 check✓ □□□

わが国の国際協力の基本方針は、平和と繁栄への貢献、新しい時代の「人間の安全保障」、開発途上国との対話と協働を通じた社会的価値の共創の３本である。

問 30 check✓ □□□

国際法のうち国際慣習法といわれるものには、公海自由の原則、外交官の任地の国においては、外交官についての裁判権が制限される外交特権などがある。

問 31 check✓ □□□

国際連合には総会、安全保障理事会、経済社会理事会、信託統治理事会、国際司法裁判所の５つの主要機関が置かれている。

問 32 check✓ □□□

国連の総会が採択した「平和のための結集」決議は、安全保障理事会で拒否権が発動され、機能が停止したときに総会が多数決により平和維持のための措置を勧告できるようにした決議であるが、これまでに行使されたことはない。

問 33 check✓ □□□

低緯度地帯および南半球に位置する開発途上国と北半球に位置する先進工業国との経済格差が拡大し、1960 年頃から南北問題として認識されてきたが、現在では開発途上国のなかでも資源保有国や工業化を進めた国々とそうではない国々との間の経済格差の問題が南南問題として認識されている。

問 34 check✓ □□□

女性労働者の大部分は企業などに雇用されており、縦軸に労働力率、横軸に年齢をとって女性の年齢階級別労働力率のグラフを描くと、30 歳代を底にしたM字型の曲線が描かれる。

問 29 × 政府開発援助（ODA）大綱は2023年に改定され、基本方針として、問題文にある3項目と、「包摂性、透明性及び公正性に基づく**国際的なルール・指針**の普及と実践の主導」が掲げられた。

問 30 ○ 国際法は**国際慣習法**と**条約**で成り立っている。**国際慣習法**は大多数の国家で繰り返し行われる一般的な慣行であり、設問文に挙げられているものが代表的である。**条約**は国家間の合意事項を明文化したもので、一般には議会が承認し、政府が批准して成立する。

問 31 × 事務局を加えた**6**つの主要機関がある。また、主要機関の下には多数の委員会や専門機関が置かれている。

問 32 × 「平和のための結集」決議はこれまで10回以上発動されている。1956年の**スエズ動乱**の際に派遣された**国連緊急軍**はこの決議によるもので、このとき立てられた、関係国の同意による行動、中立性の保持、自衛以外の武力の非行使、という3原則は現在の**PKO**の行動原則にもなっている。

問 33 ○ 石油輸出国機構に加盟する資源保有国、先進諸国の直接投資をテコに経済発展を遂げている新興工業国群、ASEAN、中国などとそれ以外の開発途上国との間の経済格差が現れている。これとともに開発途上国相互の経済格差を解消するために開発途上国間の**経済協力**や**援助**が進められており、南南協力といわれている。

問 34 ○ 女性の就業形態は大部分が企業などに雇用されており、修学後、就職するが、結婚や出産の後離職し、子供が成長して手が離れると再び就職するため**M字型**の曲線になると一般にはいわれている。なお、**労働力率**とは**15歳以上**の人口に占める労働力人口の割合のことである。

社会　問題

以下の記述のうち、正しいものには○、誤っているものには×をつけよ。

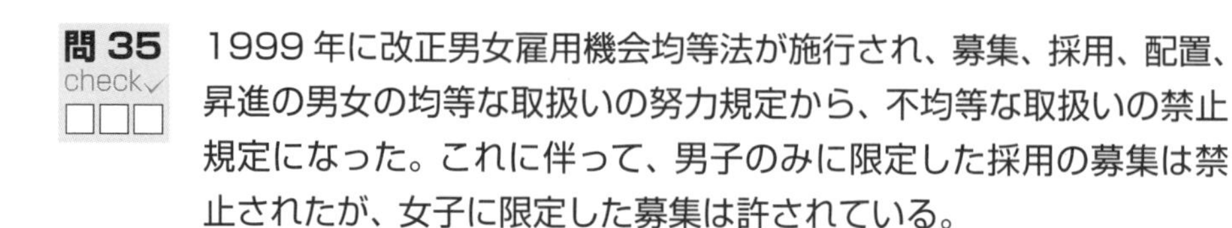

問 35 check✓ □□□

1999 年に改正男女雇用機会均等法が施行され、募集、採用、配置、昇進の男女の均等な取扱いの努力規定から、不均等な取扱いの禁止規定になった。これに伴って、男子のみに限定した採用の募集は禁止されたが、女子に限定した募集は許されている。

問 36 check✓ □□□

日本国憲法は勤労の権利（27 条）と労働三権（28 条）を保障しているが、労働三権とは団結権、団体交渉権、団体行動権のことで、民間企業の被雇用者、公務員ともに認められている。

問 37 check✓ □□□

わが国は企業別労働組合が多いが、企業別労働組合の場合には組合の結成や運営を企業が支援したり、財政的な援助をすることは不当労働行為には当たらない。

問 38 check✓ □□□

わが国の雇用調整は雇用者数の調整よりも労働時間の調整によるものが多かったが、近年、雇用者数の削減が目立っている。

問 39 check✓ □□□

厚生労働省の「毎月勤労統計調査」令和５年分結果確報（事業所規模５人以上）によれば、前年に比べて現金給与総額が減少し、一般労働者の給与も、パートタイム労働者の給与も減少した。

問 40 check✓ □□□

2020 年４月施行の労働者派遣法改正では、「働き方改革を推進するための関係法律の整備に関する法律」の成立に伴い、同一労働同一賃金の実現のため、派遣元事業主が、派遣労働者に対して、派遣先の通常の労働者との均等・均衡待遇、または一定の要件を満たす労使協定による待遇を確保することを義務化した。

問 35 × 女子のみに限定した募集も原則禁止である。法律は女子の優遇が主旨ではなく、**男女雇用機会均等法**の改正とともに労働基準法の女子時間外労働規制、休日労働禁止、深夜労働禁止の女子保護規定が撤廃された。

問 36 × 公務員のうち一般職には**団結権**が認められているが、**団体交渉権**は協約締結権がないとされ、争議権は認められていない。また、警察と消防は三権とも認められていない。なお、この労働基本権を保障するため、**労働組合法**、**労働関係調整法**、**労働基準法**の労働三法が制定されている。

問 37 × 不当労働行為は憲法で保障された**団結権**の実効性を高めるため、使用者による労働組合への妨害行為を禁止したもので、労働組合法７条に定められている。**不当労働行為**として禁止されている行為には、組合員であることを理由に解雇その他の不利益な扱いをすること、正当な理由なく団体交渉を拒否すること、労働組合の運営等への支配介入および経費援助、労働委員会への申し立て等を理由とする不利益な扱い、の４点である。わが国では企業別労働組合が多いが、組合員の構成等に関りなく、不当労働行為は禁止される。

問 38 ○ 終身雇用を雇用慣行に持つわが国では、従来、**雇用調整**は所定労働時間の調整で行われてきたが、高率の経済成長が望めなくなった近年では、早期退職や解雇等による雇用者数の削減が増えている。

問 39 × 厚生労働省の「毎月勤労統計調査」によれば、規模５人以上の事業所では、現金給与総額は前年比 1.2% **増**、うち一般労働者は 1.8% **増**、パートタイム労働者は 2.4% **増**となり、いずれも**増加**した。

問 40 ○ 2020年4月施行の法改正で、派遣元事業主が、派遣労働者に対して、派遣先の通常労働者との均等・均衡の待遇とする「派遣先**均等・均衡**方式」または、一定の要件を満たす労使協定による待遇とする「**労使協定方式**」のいずれかを確保することが、**義務**になった。

問 41　**近年の科学技術について、最も妥当なものはどれか。**

1　2023 年に広島で開催された G7 首脳会合では、生成 AI に関する国際的な管理基準について合意を見た。

2　ヒトの胚性幹細胞（ES 細胞）の研究は、ヒトになりうる受精卵の破壊やクローン人間が作製できることに対する倫理的問題から、日本では公的研究費を認めてない。

3　臓器移植法の施行により、脳死状態の人間の身体から内臓を移植することができるようになったが、いまだ国内ではこの法律に基づいた移植手術は行われていない。

4　今日、ヒトの DNA 配列情報はデータベースに蓄積され、インターネットを介して誰でも利用するこができるようになった。

5　食品に遺伝子組み換え作物を使用しても、その有無に関する表示は義務づけられていない。

問 42　**以下の環境、資源問題に関する記述のうち、最も妥当なものはどれか。**

1　ワシントン条約は水鳥の生息地として国際的に重要な湿地に関する条約であり、日本では釧路湿原が登録されている。

2　環境ホルモンはきわめて毒性が強い有機塩素化合物で、微量でも摂取すると人体に大きな影響を与える。

3　酸性雨とは硫酸や硝酸を含んだ強い酸性の雨や雪、霧のことであり、これに対する国際的な取組みとして京都議定書が採択された。

4　オゾン層の破壊は皮膚がんや白内障などの健康被害をもたらし、主に二酸化炭素が原因物質となっている。

5　現在では、消費者はエアコン、テレビ、冷蔵庫、洗濯機を勝手に廃棄してはならない。

問 41　正解　4

1　×　2023年5月に広島市で開催されたG7首脳会合では、AIガバナンスに関する国際的な議論とAIガバナンスの相互運用性の重要性等の認識が共有され、生成AIについて議論する**広島AIプロセス**を年内に創設すること等が合意されたのみで、国際的な管理基準についての合意は見ていない。生成AIの取扱い等については、2024年5月に、生成AIを含む包括的なAIの規制のための「**欧州（EU）AI規正法**」が成立したばかりである。

2　×　ヒト**ES細胞**の研究は、生命倫理的な観点から公的研究費を認めてない国とパーキンソン病、脳梗塞、糖尿病など根治が困難な疾患を将来的に治療できる可能性から、公的研究費を認める国など対応が分かれている。日本ではクローン個体を作製しないという限定条件下にて、難病治療目的でのクローン**ES細胞**の研究は認められている。

3　×　1997年10月に**臓器移植法**が施行され、その約2年後の1999年2月にこの法律に基づいた移植手術が行われている。

4　○　**ヒトゲノム計画**は2003年に完了し、**ヒトゲノム**（人間の持つ遺伝子情報の総体）の塩基配列はすべて解読された。これによって、遺伝病やがんなどの診断・治療に利用できるようになった。

5　×　2001年4月から**JAS法**により、使用の有無を表示することが義務づけられている。

問 42　正解　5

1　×　設問文の内容は**ラムサール条約**である。**ワシントン条約**は絶滅のおそれのある野生動植物の種の国際取引に関する条約である。

2　×　設問文の内容は**ダイオキシン**の説明である。

3　×　前半部は妥当であるが、京都議定書は**地球温暖化**に対する取組みである。

4　×　オゾン層の破壊の原因物質はCFCという**フロン**の一種、四塩化炭素、ハロン、臭化メチルなどである。

5　○　2001年4月に施行された**家電リサイクル法**による。

問題

以下の記述のうち、正しいものには○、誤っているものには×をつけよ。

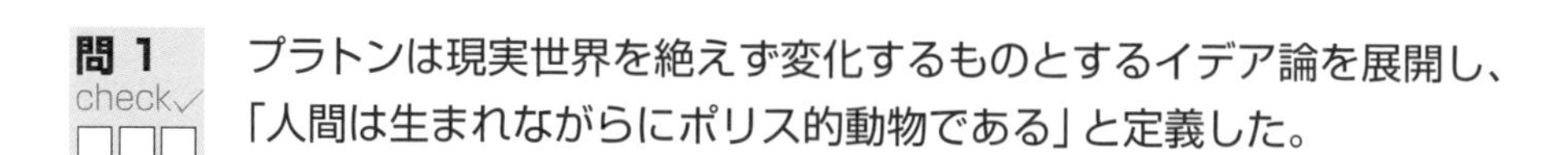

問1 check✓ □□□

プラトンは現実世界を絶えず変化するものとするイデア論を展開し、「人間は生まれながらにポリス的動物である」と定義した。

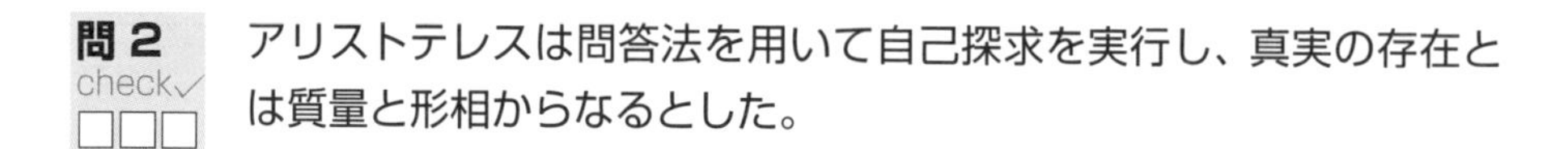

問2 check✓ □□□

アリストテレスは問答法を用いて自己探求を実行し、真実の存在とは質量と形相からなるとした。

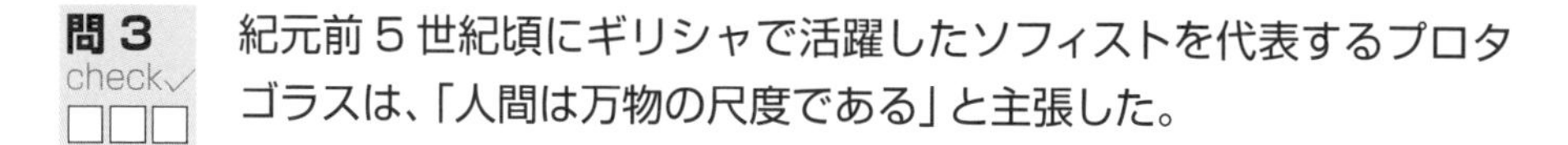

問3 check✓ □□□

紀元前5世紀頃にギリシャで活躍したソフィストを代表するプロタゴラスは、「人間は万物の尺度である」と主張した。

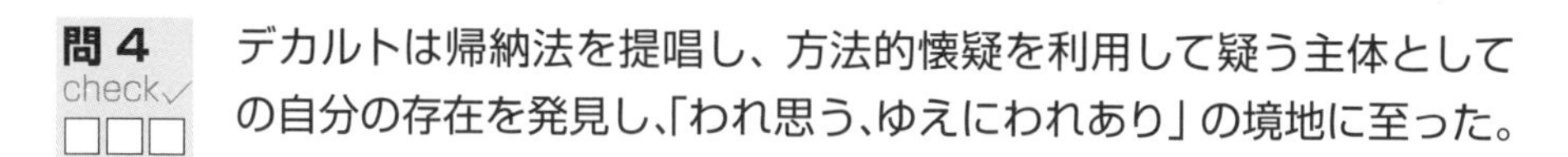

問4 check✓ □□□

デカルトは帰納法を提唱し、方法的懐疑を利用して疑う主体としての自分の存在を発見し、「われ思う、ゆえにわれあり」の境地に至った。

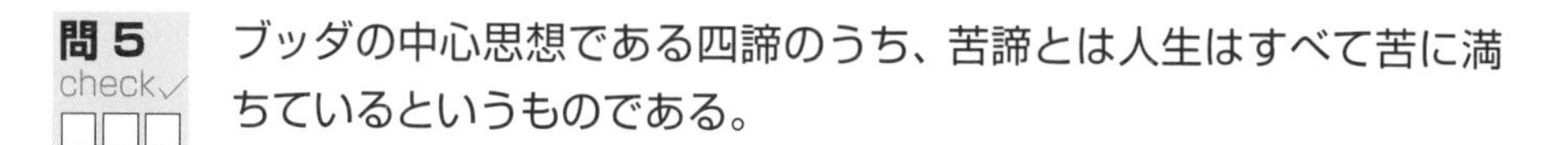

問5 check✓ □□□

ブッダの中心思想である四諦のうち、苦諦とは人生はすべて苦に満ちているというものである。

問6 check✓ □□□

ルターは、人間を救うことができるのは神の恩寵によって可能となった信仰のみであり、人間は神の恩寵を信じて生きていかねばならないとする信仰義認説を主張した。

問7 check✓ □□□

ドイツ観念論の代表的存在であるカントとヘーゲルは、ともに自由の実現は理性によるものとし、自由の内容についても同様の見解を持っていた。

問8 check✓ □□□

「最大多数の最大幸福」と表現されるベンサムの功利主義では、快楽の量は可測的で、快苦の強さや持続性などを基準として比較し計算する快楽計算が可能だと主張された。

問1 × 設問文の前半は妥当であるが、「人間は生まれながらにポリス的動物である」としたのは**アリストテレス**である。

問2 × 問答法を用いたのは**ソクラテス**である。アリストテレスは**プラトン**のイデア論を批判し、普遍的なイデアはなく経験を重んじ観察を積み重ねることで真の実在を認識できるとした。

問3 ○ **ソフィスト**は国家に有為な市民になるための知識と技術を教えると主張している。

問4 × 帰納法を提唱したのは**ベーコン**である。**デカルト**が確立したのは演繹法で、理性の推理によって確実な認識を進めていく方法である。「われ思う、ゆえにわれあり」の名言は**デカルト**のものである点は正しい。

問5 ○ **苦諦**とは人生はすべて苦であるとするものである。**集諦**、**滅諦**、**道諦**で四諦である。

問6 ○ ルネッサンス期の宗教改革の支柱となった考え方である。ルターはまた信仰のより所は**聖書**であり、信仰する者はだれでも司祭である、という**万人司祭説**も主張した。

問7 × **カント**のいう自由は、人間が従うべき道徳法則に主体的に従う自律的なもので人間の内面で実現されるとしたが、**ヘーゲル**は法や社会制度等の客観的なものとして具体的に実現されるべきとした。

問8 ○ 設問文のようなベンサムの主張に対して**J.S.ミル**は精神世界の必要性を主張し、幸福には質的に異なり量を計算できない精神的な幸福というものがあるとした。したがって幸福は可測的ではないと主張している。

倫理　問題

以下の記述のうち、正しいものには○、誤っているものには×をつけよ。

問 9
check✓ □□□

プラグマティズムの大成者といわれるデューイは、知性は社会や生活の問題を解決する道具であり、真理探究の手段ではないとした。

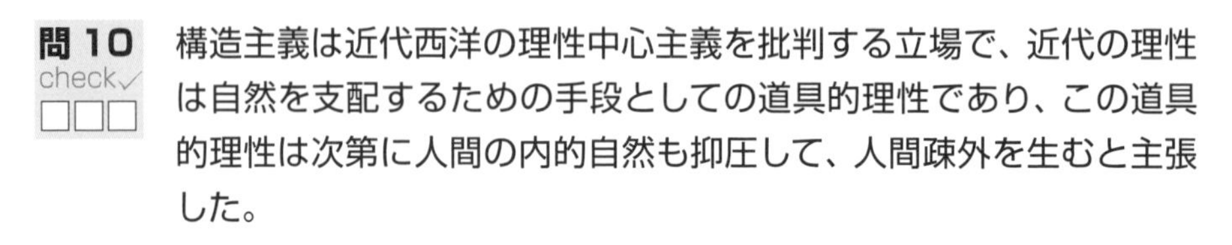

問 10
check✓ □□□

構造主義は近代西洋の理性中心主義を批判する立場で、近代の理性は自然を支配するための手段としての道具的理性であり、この道具的理性は次第に人間の内的自然も抑圧して、人間疎外を生むと主張した。

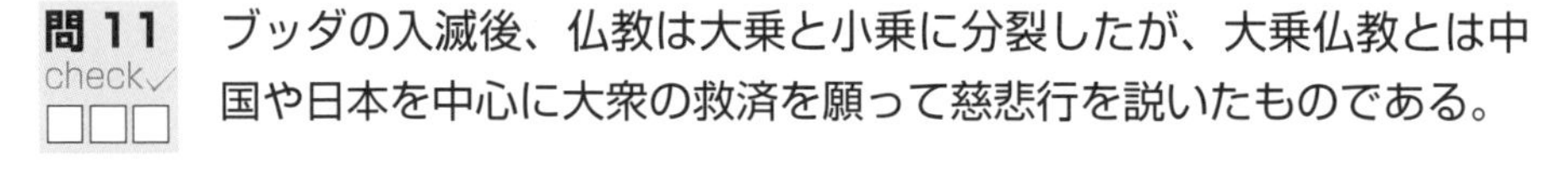

問 11
check✓ □□□

ブッダの入滅後、仏教は大乗と小乗に分裂したが、大乗仏教とは中国や日本を中心に大衆の救済を願って慈悲行を説いたものである。

問 12
check✓ □□□

孔子を祖とする儒家の一人である孟子は、性悪説を主張し基本的な人間関係を五倫の教えで示した。

問 13
check✓ □□□

老子は仁を重んじる儒家に反対して、世間人の理解を超越した万物の根源である道に任せ、無為自然に生きることを主張した。

問 14
check✓ □□□

法治主義を主張して社会秩序の規範を君主が定める法に求めて、これに従って賞罰を厳格に行っていくことが大事としたのは墨家である。

問 15
check✓ □□□

浄土真宗を開いた親鸞は悪人正機説を説き、善業に努力せず悪事をはたらいた者も罪悪の深さに気づき、自力を捨て他力に専念すれば極楽へと導かれるとした。

問9 ○ デューイは、精神活動は試行錯誤から目的を見つけ解決策を見つけるとした。そして知性による理論や概念は精神活動を支える道具にすぎないとした。

問10 × 設問文の説明は**フランクフルト学派**のものである。**構造主義**は社会を構造としてとらえる点に特徴があるが、創唱者である**レヴィ・ストロース**は原始的とされる未開社会がそこに最も適した、規則性のある構造によって営まれているとして、人間中心、理性中心の西洋哲学を批判した。

問11 ○ **大乗仏教**は北伝仏教ともいわれている。これに対して**小乗仏教**は世人よりも当人個人の救済を目的としたもので、東南アジアのほうに広がっていった。

問12 × 性悪説を主張したのは**荀子**である。**孟子**が主張したのは性善説で、**孟子**のいう五倫とは、父子、君臣、夫婦、長幼、朋友の人間関係を示した親、義、別、序、信のことである。

問13 ○ 老子と荘子に代表されるのが**道家**である。老子にとっての道とは無為にして為さざる無きものである。

問14 × 法治主義を主張したのは韓非子らによる**法家**である。墨家は無差別、平等の博愛による**兼愛交利**を説いた。

問15 ○ 親鸞の主著に『教行信証』と『歎異抄』があり、彼は専修念仏を徹底させた**絶対他力救済**と**悪人正機説**を説いた。

以下の記述のうち、正しいものには○、誤っているものには×をつけよ。

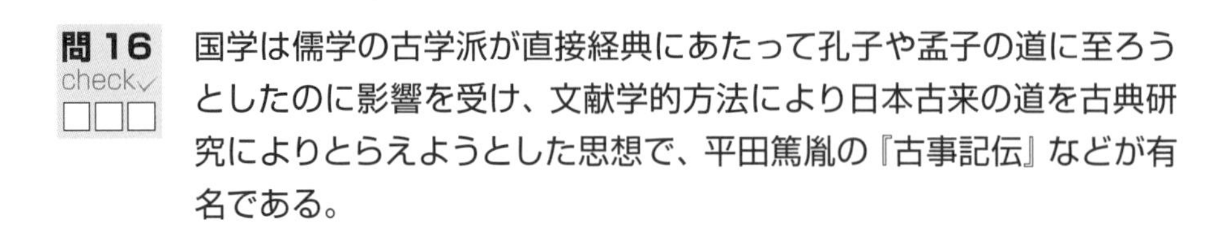

問 16 check✓ □□□

国学は儒学の古学派が直接経典にあたって孔子や孟子の道に至ろうとしたのに影響を受け、文献学的方法により日本古来の道を古典研究によりとらえようとした思想で、平田篤胤の『古事記伝』などが有名である。

問 17 check✓ □□□

江戸期､町民に｢石門心学｣の講釈をした石田梅岩は､商人の営利を｢天理｣であるとし、武士の俸禄と同じと説き、そのはたらきは天下安定の役割を果たしていると主張した。

問 18 check✓ □□□

福沢諭吉は独立自尊の精神と天賦人権論を説き、平等主義を主張したが、それが実現するには個人の自覚と東洋思想を発展させた合理的な実学が必要だとした。

問 19 check✓ □□□

西田幾太郎は、西洋哲学に特徴的な人間経験の根本は主客未分の純粋経験とする考え方を否定し、主観と客観を対立的にとらえることを主張した。

問 20 check✓ □□□

日本の歴史哲学の草分けである三木清は、この世界が主体と客体、ロゴスとパトスの弁証法的統一の過程であることを明らかにしようとした。

問 21 check✓ □□□

ユダヤ教は唯一神ヤハウェを信じる一神教で、神から与えられた律法（トーラー）を守ることで神からの祝福を得られるとする契約の思想に基づいている。

問 22 check✓ □□□

イスラームは唯一神アッラーを信じる一神教で、開祖ムハンマドは、旧約聖書に預言されたメシア（救世主）と信じられた。

問16 × 『古事記伝』は**本居宣長**が著した「古事記」の解説書である。**平田篤胤**は**本居宣長**没後の国学者で復古神道を大成し、幕末の尊皇攘夷運動に影響を及ぼした。

問17 ○ **石田梅岩**は神道、仏教、儒教など、教えは様々だが、いずれもわが心を磨く教えとして石門心学を唱えた。このなかで町民の社会的役割や意義に加え、正直、倹約、勤勉などの商人道徳も説いている。

問18 × **福沢諭吉**が実学としたものは、西洋の学問で、日常の役に立つものである。

問19 × **西田幾太郎**は西洋の唯物論と観念論の二元的思考の限界を知り、東洋思想の伝統の上に立って独自の体系（**西田哲学**）を樹立し、主客未分の純粋経験が根本的経験であると主張した。**『善の研究』**が代表的著作。

問20 ○ **三木清**は人間学の立場からマルクス思想に接近し解釈した。このほかディルタイ、ハイデガー、西田幾太郎などの影響を受けていたといわれる。

問21 ○ ユダヤ教は、ヤハウェを唯一の神とする**一神教**で、**モーセの十戒**をはじめとする律法守ることで神の祝福が得られるとする、神との**契約**（シナイ契約）に基づく宗教である。

問22 × イスラームは唯一神アッラーを信じる一神教で、ムハンマドを開祖とする。旧約聖書に預言されたメシア（救世主）と信じられたのは、**イエス＝キリスト**である。

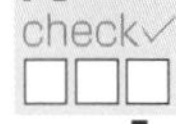

問 23 西洋現代思想に関する記述のうち、最も妥当なものはどれか。

check✓ □□□

1 構造主義におけるフーコーは、記号学の分野でレトリックや物語を分析した。

2 生の哲学を代表する思想家であるベルグソンは、生の創造的進化を主張した。

3 ポスト構造主義におけるデリダは、模像の世界を思考し、リゾーム、遊牧民などの概念を誕生させた。

4 フッサールはハイデガーの影響を受け、事象そのものへ回帰し、心理学主義や自然主義的な考え方を批判した。

5 実存主義を代表するキルケゴールは「神は死んだ」と宣言し、伝統的な文化や教養の崩壊を主張した。

問 24 日本思想に関する記述のうち、最も妥当なものはどれか。

check✓ □□□

1 伊藤仁斎は孔子、孟子の原典研究を重視した古文辞学を確立し、仁、愛、誠などの感情を重視した。

2 柳田国男は常民の生活文化を研究し、常民の生き方の中に本来の日本人のあり方を探った。

3 佐久間象山は封建的身分社会を否定し、万人が農耕する自然世の状態が理想であるとした。

4 三木清はヨーロッパに留学しハイデガーの影響を受けたが、日本思想に深い関心を持ち倫理学を確立した。

5 福沢諭吉が実学と呼んだのは、日常生活に必要な知識の習得ができるもので、儒学や漢学を指す。

問 23 正解　2

1　×　**フーコー**は精神史の分野で活躍し、「性」や「狂気」の研究で名声を確立した。

2　○　**ベルグソン**は、さらに自然発生的な閉じた社会から生の創造的進化に基づく開いた社会への飛躍を主張した。

3　×　設問文の内容は**ドゥルーズ**についての記述である。

4　×　**ハイデガー**は**フッサール**の影響を受けたのであって、**ハイデガー**と**フッサール**を入れ替えると正しい記述となる。

5　×　設問文の内容は**ニーチェ**に関するものである。**キルケゴール**は絶対的超越者である神の前に人間は単独者として立っていると主張した。

問 24 正解　2

1　×　古文辞学とは**荻生徂徠**による古代の言葉の研究を意味する。孔子、孟子の原典研究は古義学という。

2　○　**常民**とは、近代的、都会的、外来的文化の中心地から離れたところで、伝統的、村落的、土着的文化を固守する人々のことをいう。

3　×　設問文の内容は**安藤昌益**に関するものである。**佐久間象山**は技術、物質面で西洋文明の導入を主張した。

4　×　設問文は**和辻哲郎**に関する記述である。

5　×　**福沢諭吉**にとっての実学は西洋の学問である。

◆憲法重要条文をまるごと暗記しよう！

第13条　すべて国民は、個人として尊重される。生命、自由及び幸福追求に対する国民の権利については、公共の福祉に反しない限り、立法その他の国政の上で、最大の尊重を必要とする。

第14条　すべて国民は、法の下に平等であって、人種、身上、性別、社会的身分又は門地により、政治的、経済的又は社会的関係において、差別されない。

第20条　信教の自由は、何人に対してもこれを保障する。いかなる宗教団体も、国から特権を受け、又は政治上の権力を行使してはならない。

2　何人も、宗教上の行為、祝典、儀式又は行事に参加することを強制されない。

3　国及びその機関は、宗教教育その他いかなる宗教的活動もしてはならない。

第21条第1項　集会、結社及び言論、出版その他一切の表現の自由は、これを保障する。

第25条　すべて国民は、健康で文化的な最低限度の生活を営む権利を有する。

2　国は、すべての生活部面について、社会福祉、社会保障及び公衆衛生の向上及び増進に努めなければならない。

第26条　すべて国民は、法律の定めるところにより、その能力に応じて、ひとしく教育を受ける権利を有する。

2　すべて国民は、法律の定めるところにより、その保護する子女に普通教育を受けさせる義務を負ふ。義務教育は、これを無償とする。

第76条第1項　すべて司法権は、最高裁判所及び法律の定めるところにより設置する下級裁判所に属する。

◆略称に強くなろう！

EU――欧州連合
WTO――世界貿易機関
APEC――アジア太平洋経済協力
ASEAN――東南アジア諸国連合
OECD――経済協力開発機構
ASEM――アジア欧州会合
OSCE――欧州安全保障協力機構
OPEC――石油輸出国機構
IMF――国際通貨基金
FAO――国連食糧農業機関
WFP――国連世界食糧計画
WIPO――世界知的所有権機関
CTBT――包括的核実験禁止条約
NPT――核拡散防止条約（核不拡散条約）
ICPO――国際刑事警察機構
ODA――政府開発援助
NPO――特定非営利組織
NGO――非政府組織
GDP――国内総生産
ISO――国際標準化機構
IRA――アイルランド共和軍
ROE――株主資本利益率
TPP――環太平洋戦略的経済連携協定

第2章

日本史

世界史

地理

日本史　問題

以下の記述を読み、正しいものには○、誤っているものには×をつけよ。

佐賀県の三内丸山遺跡は、内外二重の環濠を巡らした大規模な集落遺跡であり、内濠の張り出し部には、望楼と思われる掘立柱の建物跡が発見されている。

問 2 check□□□

1 世紀の中頃から 2 世紀にかけて九州北部の小国の王が、後漢に朝貢して金印を授けられた。

問 3 check□□□

5 世紀から 6 世紀にかけて、倭国と朝鮮諸国との交流が盛んになると、朝鮮半島から渡来する人々も倍増した。硬質で灰色の須恵器は、朝鮮半島から伝えられた技術を用いて作られたものである。

問 4 check□□□

日本の古代国家の形成には朝鮮半島との関係が大きく影響している。8 世紀には高麗との外交関係はたびたび緊張したが、一方渤海との間で使節の交換が始まった。

問 5 check□□□

律令制度は、中国の宋で採用されていた制度で、大化の改新後、日本がとり入れた制度である。

問 6 check□□□

奈良時代に律令制度を支えた土地所有の原則は公地公民制である。全国で班田収授法が施行され、戸籍に基づいて 6 歳以上の男女に口分田が与えられた。

問１ × 文章中の三内丸山遺跡を「**吉野ヶ里遺跡**」に直せば正しい文章になる。三内丸山遺跡は、青森県で発見された青森県郊外の縄文中期の集落遺跡であり、多数の建物・住居が存在し、最盛期には500人近い住民が存在していたと推定されている。

問２ ○ 「**漢委奴国王**」金印は、1784年に福岡市志賀島で発見された。中国の歴史書『後漢書』東夷伝の中に、このことが記されている。

問３ ○ **須恵器**は5世紀後半以降、朝鮮伝来の新技術（のぼり窯）で作られ、陶部にまとめられていた。中期以降の古墳副葬品として多くみられ、陶邑の窯跡が発掘されている。

問４ × 文章中の高麗を「**新羅**」に直せば正しい文章になる。8世紀、奈良時代に外交関係を持ったのは**唐**と**新羅**、**渤海**である。663年の**白村江の戦い**以来、対等の外交を求める新羅と、新羅を従属視する日本との間で緊張関係が続いた。

問５ × 律令制度とは中国の**唐**時代に整備された法典であり、**律・令・格・式**の4つから成り立っている。**律**とは現在の刑法、**令**は現在の行政法ないしは民法、**格**は**律**と**令**の補充改正の規定、**式**は施行細則を指す。

問６ ○ 645年の**大化の改新**を受け、646年に4か条からなる改新の詔が発布された。内容は①**公地公民制**、②地方行政区画と地方官制、③戸籍・計帳の作成、**班田収授法**の施行、④新しい統一的な税制の施行というものであった。従来の皇族や豪族による土地・人民の個別支配をやめて、すべてを国家所有のものとするのが**公地公民制**で、律令制度の根幹をなしていた。また**班田収授法**はその理想を実現させるための法であった。

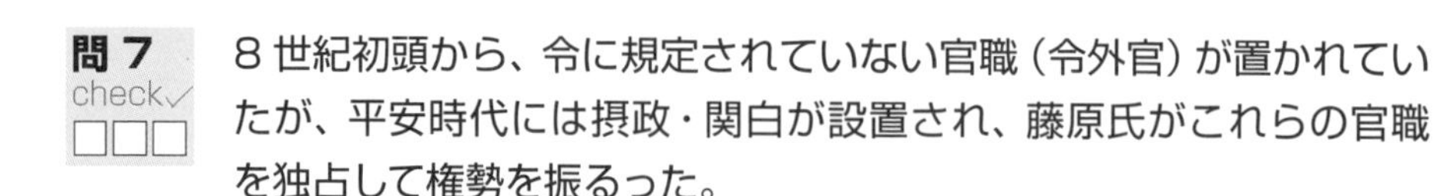

問 7 check✓ □□□

8 世紀初頭から、令に規定されていない官職（令外官）が置かれていたが、平安時代には摂政・関白が設置され、藤原氏がこれらの官職を独占して権勢を振るった。

問 8 check✓ □□□

伝教大師と称した空海は、中国留学から帰国後、比叡山に延暦寺を開き、仏教教学の中心となった。

問 9 check✓ □□□

鎌倉時代以降、封建制度が国家的制度として成立したが、これは鎌倉時代に成立した貞永式目に始まるとされている。

問 10 check✓ □□□

鎌倉幕府は、鎌倉に軍事・警察・御家人統制を行う役所として侍所を置き、京都には朝廷対策のために政所を設置した。

問 11 check✓ □□□

北条義時が執権の時代に、京都の警備・朝廷の交渉に当たる役所として、京都守護にかえて六波羅探題が設置された。

問 12 check✓ □□□

鎌倉時代に誕生した新仏教の一つに、親鸞が創始した浄土真宗がある。親鸞はその教えのなかで、ひたすら阿弥陀仏にすがることにより救われるという他力本願の教えを説いた。

問7 ○ 令に規定のない**令外官**として、すでに8世紀初頭に中納言・参議などが設置され、平安初期に鎮守府将軍・征夷大将軍、按察使・押領使や勘解由使、摂政・関白などが設置された。

問8 × 文章中の**空海**を「**最澄**」に変えると正しい文章になる。**空海**は弘法大師と称され、嵯峨天皇から京都の真言宗寺院となる、教王護国寺を賜った。

問9 × 封建制度の成立は、**守護・地頭**の設置(1185年)から始まるとされている。**守護**と**地頭**は将軍と主従関係を結んだ御家人から任命されたが、御家人は将軍から与えられる**本領安堵**(先祖伝来の所領の支配の保障)、**新恩給与**(新しい所領の支給)などの**御恩**に対して**奉公**を行った。この**御恩**と**奉公**の関係が封建制度である。貞永式目(御成敗式目)は、1232年第3代執権の北条泰時によって制定された武家法で、**守護**や**地頭**の職務や所領相続に関する規定を定めたものである。

問10 × 侍所(1180年設置)の記述は正しいが、**政所**の記述が誤り。**政所**は、鎌倉に置かれた政務機関であり、1184年に公文所として設置され、1191年に**政所**と改称された。

問11 ○ 北条義時が執権の時代に起こった**承久の乱**(1221年)の後に、六波羅探題と改称された。**承久の乱**の鎮圧にあたった北条泰時、時房はそのまま京都の六波羅探題に留まって朝廷の監視と尾張(後に三河)以西の御家人の統括に当たった。それまでの京都守護は、「在京御家人と洛中の警備・裁判、朝廷と幕府の交渉」が任務であったので、六波羅探題になって権限や職責は大きくなった。

問12 ○ 親鸞は**悪人正機説**(煩悩の深い人間＜悪人＞こそが、阿弥陀仏の救おうとする相手である)を説いた。そして救われるか否かは、自分で厳しい修行を克服する、といった自力ではなく、阿弥陀仏の慈悲心という**他力**によるというのが他力本願の考え方であり、農民や地方武士の間に普及した。

日本史　問題

以下の記述を読み、正しいものには○、誤っているものには×をつけよ。

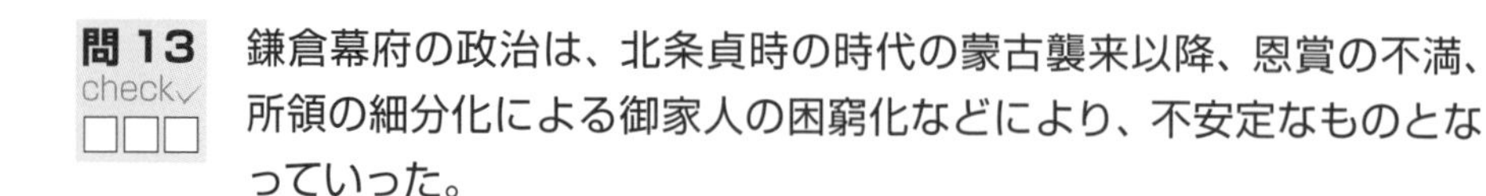

問 13 check✓ □□□
鎌倉幕府の政治は、北条貞時の時代の蒙古襲来以降、恩賞の不満、所領の細分化による御家人の困窮化などにより、不安定なものとなっていった。

問 14 check✓ □□□
鎌倉幕府崩壊後、後醍醐天皇が行ったのが建武の新政である。後醍醐天皇は武士の土地所有権に関する慣習を無視したため、武士が反発し、建武の新政は崩壊を招くことになった。

問 15 check✓ □□□
室町幕府の第 3 代将軍足利義満は、太政大臣に昇進して公家と武家の実権を握った。彼は日明貿易においても、明に対して優越した態度を示すため、朝廷の権威を借りて日本国王としての形式を整えた。

問 16 check✓ □□□
室町時代には中国から輸入された貨幣が大量に流通したが、明銭の永楽通宝はその代表例である。

問 17 check✓ □□□
応仁の乱は、11 年にわたって京都を戦火でおおった大乱であり、将軍継嗣争いを機に幕府の実権を握ろうとした守護大名細川勝元と山名持豊の対立が中心となった。

問 18 check✓ □□□
室町時代の文化は、日本文化のルネサンスという見方があるほど新鮮で現実的な文化であり、従来の文化と異なり仏教色を払拭し、豪壮華麗な世俗文化を生み出した点が特徴である。

問13　×　**蒙古襲来（元寇）**は、**文永の役**（1274年）、**弘安の役**（1281年）の2度。どちらも北条時宗が執権の時代に発生した。最大の国難を乗り切った鎌倉幕府であったが、御家人に充分な恩賞を与えることができず、幕府不信と御家人体制の弱体化が、幕府衰退の原因となった。北条貞時の時代に制定された永仁の徳政令（1297年）は、御家人の窮乏救済のために実施された対策の一つである。

問14　○　天皇親政を目指した**建武の新政**は、公家を重視し、幕府打倒に尽力した武士たちを軽視したため、武士たちの不満が高まったが、不満の最たる原因は貞永式目によって定められていた武家社会の慣習を無視した土地保障の方法であった。

問15　×　**足利義満**は1392年に南朝の天皇が北朝の後小松天皇に位を譲る、という形をとって南北朝合一を実現し、公武一元の統一政権を実現したが、日明貿易については、明の皇帝（第2代恵帝）から「日本国王源道義」あての国書を受けて以来「日本国王臣源」と署名して国書を送る従属形式で日明貿易を行った。

問16　○　室町（足利義満の）時代に開始された**勘合貿易**（日明貿易）によって輸入された明銭のうち、洪武通宝・永楽通宝・宣徳通宝の3種が主に普及した。その中で永楽通宝は明の永楽帝時代（1402～24年）に鋳造され、日本に輸入された明銭のうち最も普及した。

問17　○　1467年から始まる**応仁の乱**は、室町幕府8代将軍**足利義政**の弟**義視**と子の**義尚**との家督争いに守護大名（**畠山・斯波家**）の家督相続争いが絡んで起こった。鎌倉末期から室町時代にかけて武士の相続制度が分割相続から単独相続に変化し、一族内の対立が激化していたことが、時代背景として挙げられる。

問18　×　設問文は**桃山文化**についての記述である。室町文化は政治・経済的に公家を圧倒した武家が担い手となり、**禅宗**の影響を強く受けた文化であった。また、伝統文化と日明貿易などによって輸入された大陸文化が融合した中から形成された日本固有の文化であった。

以下の記述を読み、正しいものには○、誤っているものには×をつけよ。

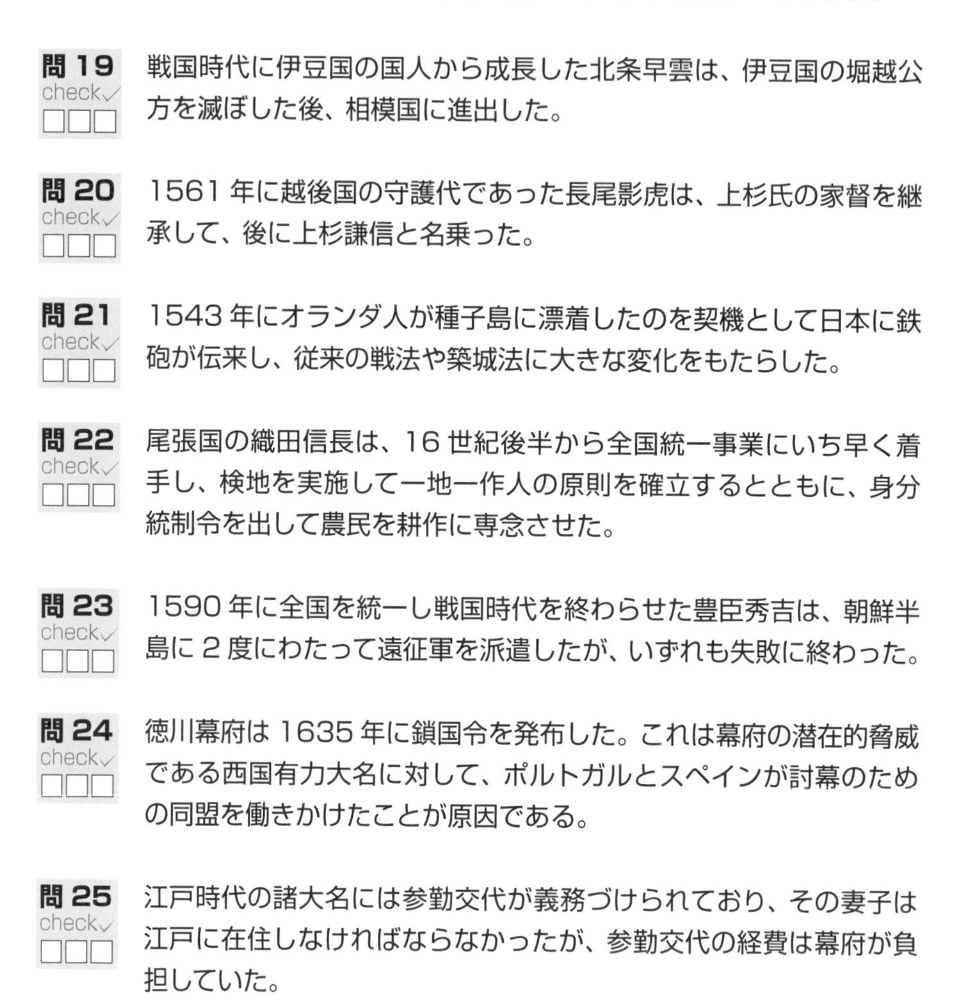

問 19 check✓ □□□

戦国時代に伊豆国の国人から成長した北条早雲は、伊豆国の堀越公方を滅ぼした後、相模国に進出した。

問 20 check✓ □□□

1561 年に越後国の守護代であった長尾影虎は、上杉氏の家督を継承して、後に上杉謙信と名乗った。

問 21 check✓ □□□

1543 年にオランダ人が種子島に漂着したのを契機として日本に鉄砲が伝来し、従来の戦法や築城法に大きな変化をもたらした。

問 22 check✓ □□□

尾張国の織田信長は、16 世紀後半から全国統一事業にいち早く着手し、検地を実施して一地一作人の原則を確立するとともに、身分統制令を出して農民を耕作に専念させた。

問 23 check✓ □□□

1590 年に全国を統一し戦国時代を終わらせた豊臣秀吉は、朝鮮半島に 2 度にわたって遠征軍を派遣したが、いずれも失敗に終わった。

問 24 check✓ □□□

徳川幕府は 1635 年に鎖国令を発布した。これは幕府の潜在的脅威である西国有力大名に対して、ポルトガルとスペインが討幕のための同盟を働きかけたことが原因である。

問 25 check✓ □□□

江戸時代の諸大名には参勤交代が義務づけられており、その妻子は江戸に在住しなければならなかったが、参勤交代の経費は幕府が負担していた。

問 19 × **北条早雲**は伊豆国の出身ではない。室町幕府の政所執事伊勢氏の一族といわれ、伊勢新九郎長氏と称していた。駿河国に下って今川氏の食客となり、1493年堀越公方足利茶々丸を滅ぼして伊豆を奪い、ついで相模国に進出して小田原城を本拠地とした。

問 20 ○ 越後の守護代の家から出た長尾影虎は、1561年に関東管領職と上杉姓を獲得した。甲斐国の武田信玄と信濃国**川中島**で5度に渡って対戦するなど、関東・信濃の制圧を目指したが、実現しなかった。

問 21 × 1543年に「ポルトガル人」が**種子島**に漂着し、島主の種子島時尭が**鉄砲**を購入したことが、**鉄砲**の伝来・使用の端緒であるとされている。

問 22 × 兵農分離は織田信長の時代から進められていたが、一地一作人の原則を確立し、身分統制令を発したのは**豊臣秀吉**である。

問 23 ○ **文禄の役**(1592年～93年)と**慶長の役**(1597年～98年)のこと。本陣として肥前国に名護屋城を築いたが、**李舜臣**率いる朝鮮水軍や人民の抵抗、明の援軍派遣などによって遠征は失敗した。

問 24 × このような事実はない。しかし、鎖国の背景の1つとして海外との貿易で利益を上げる西国大名を牽制する目的があったことも確かであり、1633年には朱印状のほかに老中奉書を携えた奉書船以外の海外渡航を禁止し、海外貿易を幕府の厳重な統制下に置いて管理した。

問 25 × 参勤交代は3代将軍**家光**の時代の**武家諸法度**(1635年、寛永令)で義務・制度化された。大名の正式の妻子は定府(江戸在住)を義務づけられたという記述は正しい。参勤交代の経費と江戸屋敷での経常費は幕府ではなく各藩の負担であった。このことが藩財政を大きく圧迫していた。

以下の記述を読み、正しいものには○、誤っているものには×をつけよ。

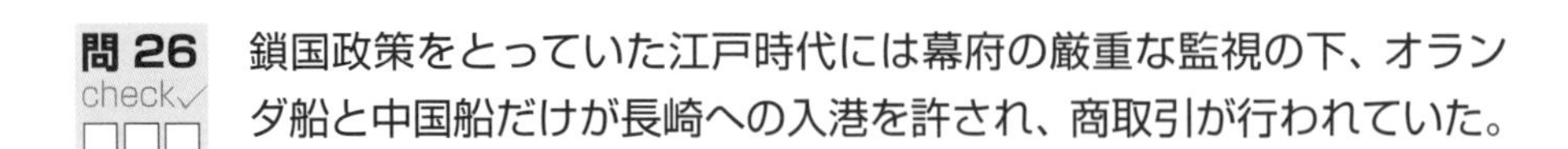

問 26 check✓ □□□

鎖国政策をとっていた江戸時代には幕府の厳重な監視の下、オランダ船と中国船だけが長崎への入港を許され、商取引が行われていた。

問 27 check✓ □□□

江戸幕府と琉球王国の間には対等な外交関係が維持され、琉球王国を通じてアジアの産物が日本本土に輸入されていた。

問 28 check✓ □□□

江戸幕府の第 5 代将軍綱吉の時代に花開いた元禄文化の特徴は、現実的で華やかであったという点である。

問 29 check✓ □□□

元禄時代には、都市の商業が盛んになり、諸藩は大坂などに蔵屋敷を置き、蔵物の保管と売却には掛屋が、売却代金の保管と送金には蔵元が当たっていた。

問 30 check✓ □□□

江戸時代には国内の水上交通が発展した。西廻り航路の港となった長崎は、国内の水運と海外貿易の接点として重要な商業地となった。

問 31 check✓ □□□

江戸幕府の第 8 代将軍徳川吉宗は、寛政の改革と呼ばれる幕政改革の一環として、武士・庶民の贅沢を禁止する倹約令を発布した。

問 32 check✓ □□□

江戸幕府の第 10 代将軍徳川家治の時代に権力を握った田沼意次は、物価均衡を図るために、株仲間などの経済組織を強固にした。

問 26 ○ オランダ船は**出島**で管理され、中国船は 1689 年以降、長崎郊外に設けられた唐人屋敷で管理されていた。

問 27 × 現在の沖縄本島を中心とした琉球王国との関係は対等ではなかった。琉球王国は**薩摩藩**に従属する形をとり、将軍家に謝恩使・慶賀使の派遣を命じられた。また、後半の記述は正しく、琉球王国は清朝とも交易を行い、清朝との間で**冊封使・進貢船**が行われていた。

問 28 ○ **元禄文化**は、都市文化の発達や大商人の登場という時代を反映し、上方（京都・大坂）の町人を中心に花開いた文化であり、現実の世の中を「浮き世」ととらえる現実主義的な傾向がみられた。

問 29 × **掛屋**と**蔵元**を逆にすると正しい文章になる。大坂は全国の物資の集散地となり、各藩の蔵屋敷が集中し**掛屋**と**蔵元**による「蔵物販売」が行われ、「天下の台所」と称された。

問 30 × **西廻り航路**は「日本海沿岸～下関～大坂・江戸」を廻るルートで、長崎は西廻り航路と接続しない。「長崎～瀬戸内海～大坂」のルートは**西海路**と呼ばれた。また、「東北地方の日本海沿岸～津軽海峡～太平洋沿岸～銚子・下田～江戸」を廻るルートが**東廻り航路**である。

問 31 × 徳川吉宗の行った改革は「**享保の改革**」である。また、倹約令は、**享保の改革**（徳川吉宗）だけでなく**寛政の改革**（松平定信）・**天保の改革**（水野忠邦）まで続く江戸時代の三大改革のすべてに共通する施策である。

問 32 ○ **田沼意次**は、幕府の財政難を克服するために商人の財力を利用し、改革を行ったが、一方で賄賂が横行していたことも**田沼**時代の特徴である。

日本史　問題

以下の記述を読み、正しいものには○、誤っているものには×をつけよ。

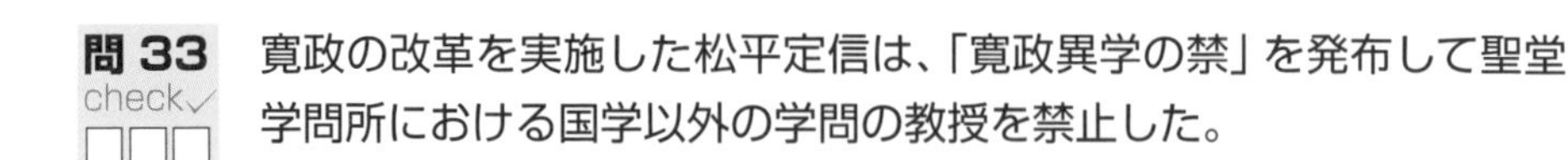

問 33 check✓ □□□
寛政の改革を実施した松平定信は、「寛政異学の禁」を発布して聖堂学問所における国学以外の学問の教授を禁止した。

問 34 check✓ □□□
水野忠邦は、天保の改革で飢饉にあえぐ農村の荒廃を防ぐため、農民の江戸流入を禁止する政策をとった。

問 35 check✓ □□□
水野忠邦は天保の改革を実施したが、「上知令」実施の成功は彼の権力基盤を安定させる重大な要因となった。

問 36 check✓ □□□
19 世紀の前半には、諸藩においても積極的に藩政改革が行われたが、薩摩藩では村田清風を中心として、多額の借財を整理し、紙・蠟の専売制を改革し、下関に越荷方を置き、資金貸付や商品の委託販売で収益を上げた。

問 37 check✓ □□□
19 世紀前半、ドイツ人医師シーボルトが最新の日本地図を国外に持ち出そうとした事件を「シーボルト事件」といい、シーボルトは国外追放となり、地図を渡した幕府の役人高橋景保も処罰された。

問 38 check✓ □□□
本居宣長は、長年にわたって『古事記』を研究した成果を『大日本史』としてまとめ、世間に発表した。

問33 ×　松平定信の発布した「寛政異学の禁」では**朱子学**以外の学問の教授が禁止された。**朱子学**とは12世紀に中国（南宋）の朱熹が大成した儒学の一派であり、格物致知・理気二元論を説き、身分秩序を重視した。日本では鎌倉時代に伝来し、江戸幕府では体制維持のための御用学問となった。国学は儒学全般を否定し、日本古来の古典を研究する学問である。

問34 ○　「**人返しの法**」のことである。**天保の大飢饉**が起こり、収穫が平年の半分に減少した影響から、江戸の人口を減らし、農村の人口をいかに増やすかということが課題となったことがこの政策の背景である。

問35 ×　**上知令（上地令）**は天保の改革の施策の1つであり、江戸・大坂周辺の裕福な大名や旗本の領地を幕府の直轄地にするものであったが、大名たちの激しい反発を受け、実施できずに終わった。そしてこれが水野忠邦失脚の要因となった。

問36 ×　説問文は**長州藩**の藩政改革について述べたもの。**薩摩藩**は、**調所広郷**が改革の中心となった。商人からの借財を事実上踏み倒し、奄美三島特産の黒砂糖の専売を強化、琉球との貿易を増やしたことなどが、改革の特徴として挙げられる。

問37 ○　**シーボルト事件**は1828年に発生した。天文方役人**高橋景保**から贈られた**伊能忠敬**の「大日本沿海輿地全図」の写しを海外に持ち出そうとした事件である。**シーボルト**は、1824年に長崎に**鳴滝塾**（蘭学の塾）を開校したことでも有名で、伊東玄朴・高野長英などの蘭学者を育てた。

問38 ×　本居宣長が古事記の研究により著したのは、『**古事記伝**』である（1798年完成）。『大日本史』編纂は、**水戸光圀**に始まる水戸藩彰考館（江戸藩邸）における修史事業である。

日本史　問題

以下の記述を読み、正しいものには○、誤っているものには×をつけよ。

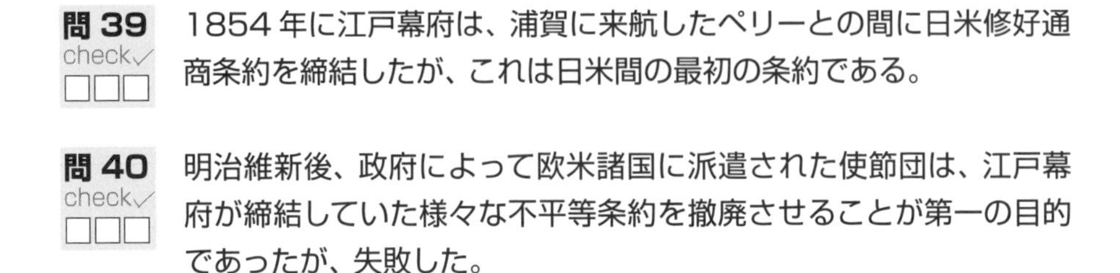

問 39 check✓ □□□

1854 年に江戸幕府は、浦賀に来航したペリーとの間に日米修好通商条約を締結したが、これは日米間の最初の条約である。

問 40 check✓ □□□

明治維新後、政府によって欧米諸国に派遣された使節団は、江戸幕府が締結していた様々な不平等条約を撤廃させることが第一の目的であったが、失敗した。

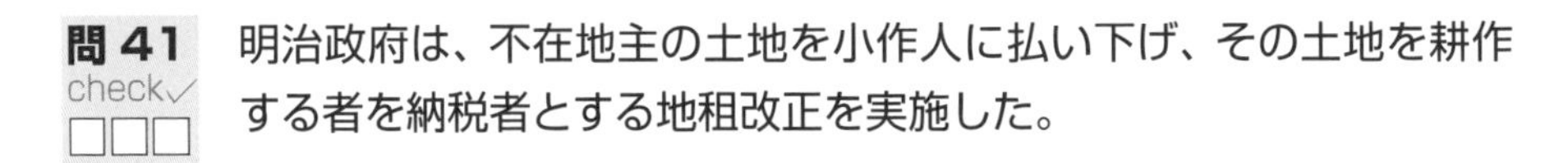

問 41 check✓ □□□

明治政府は、不在地主の土地を小作人に払い下げ、その土地を耕作する者を納税者とする地租改正を実施した。

問 42 check✓ □□□

明治政府は 1871 年に廃藩置県を実施したが、藩の廃止に伴って、士族階級への秩禄支給も停止された。

問 43 check✓ □□□

明治前期の 1870 ～ 80 年代に、板垣退助や後藤象二郎らによって指導されたのが自由民権運動である。彼らは藩閥政治を批判し、速やかに民撰議会を開設し、国民を政治に参加させるべきだとする民撰議会設立建白書を政府に提出した。

問 44 check✓ □□□

明治政府は 1876 年に朝鮮（李氏朝鮮）との間に「日朝修好条規」を締結した。これは日本と朝鮮を対等な立場とする条約である。

問 39　×　江戸幕府が 1854 年にペリーとの間に結んだ最初の条約は**日米和親条約**で、**下田**、**箱館**の2港を開くことなどを内容としていた。日米修好通商条約は**井伊直弼**が 1858 年に調印したもので、領事裁判権と関税自主権の喪失を含んだ日米間の不平等条約であった。

問 40　○　**岩倉具視**を団長とする使節団が派遣されたのは 1871 年（明治4年）であるが、西欧文明の視察は達成したものの、条約改正は実現しなかった。関税自主権を完全に回復し、対等な条約が締結されたのは、1911 年（明治 44 年）の**小村寿太郎**外相のときである。

問 41　×　**地租改正**は 1873 年（明治6年）に実施されたが、地価の3％の税を土地所有者が金納することを定めたものである。不在地主の土地を小作人に払い下げたのは、第二次世界大戦後に行われた農地改革でのことである。

問 42　×　1871 年の**廃藩置県**により藩が廃止され、中央集権化が進んだが、特権的身分としての士族はまだ秩禄を受け取っており、政府の支出の大きな部分を占めていた。華族と士族への秩禄が全面的に廃止されるのは 1876 年のことである。

問 43　○　**薩摩**や**長州**を中心とする**藩閥政治**に不満を高めた人々により、国会開設・憲法制定などの民主主義的政策を要求する政治運動が起こった。これを**自由民権運動**という。

問 44　×　**日朝修好条規**は、1875 年の**江華島事件**を契機として日本が朝鮮に締結させた不平等条約である。朝鮮半島の釜山と他 2 港の開港と日本人の領事裁判権が認められた。その後、1880 年に元山、1882 年に仁川の開港が決まった。

問題

以下の記述を読み、正しいものには○、誤っているものには×をつけよ。

問 45 check✓ □□□

日清戦争の勝利により、日本は清と下関条約を締結したが、これにより、日本は遼東半島・台湾・澎湖諸島を清から獲得した。

問 46 check✓ □□□

清国の義和団が勢力を増して北京の列国公使館を包囲し、清国政府も列国に宣戦を布告したため、日本とロシアを中心とする 8 ヶ国は連合軍を派遣し、清国を降伏させ、1901 年に北京議定書を締結した。

問 47 check✓ □□□

ロシアとの間で懸案になっていた樺太の帰属について、明治政府は 1875 年に樺太・千島交換条約を締結した。日本は樺太に有している権利をロシアに譲り、ロシアが保有していた択捉島・国後島・色丹島・歯舞諸島を領有した。

問 48 check✓ □□□

日清戦争後、日本は貨幣制度を従来の金本位制から、欧米同様に銀本位制に改めた。

問 49 check✓ □□□

1905 年に日露戦争に勝利した後、アメリカ大統領セオドア＝ローズベルトの仲介によって結ばれたのがポーツマス条約である。日本はこの条約でロシアに、韓国に対する指導権を認めさせ、旅順・大連の租借権や北緯 50 度以南の樺太などを譲り受けたほかに、多額の賠償金を獲得した。

問 50 check✓ □□□

大正時代に勃発した第一次世界大戦により、空前の好景気にわきかえった日本経済は、戦後一転して深刻な不況にみまわれた。それに追い打ちをかけたのが関東大震災の発生であった。

問45 ○ 下関条約は1895年に清の**李鴻章**と日本の**陸奥宗光**外相の交渉によって締結された。日本は清から領土を割譲され、大陸に植民地を得ることができたが、その後**ロシア・ドイツ・フランス**の「三国干渉」によって遼東半島を清に返還させられた。

問46 ○ 設問文の内容を**北清事変（義和団事件）**という。1901年に締結された北京議定書は、清と参戦国を中心とする11ヶ国との間で締結された協約で、清国に多額の賠償金と外国軍隊の北京公使館における駐兵権を承認させた。

問47 × **樺太・千島交換条約**の内容は、樺太全土をロシアに譲り、千島全島を日本領と定めたもの。択捉島・国後島・色丹島・歯舞諸島のいわゆる北方四島は、当時の日本の領土であったため、条約の内容には入っていない。

問48 × 欧米の貨幣制度は**金本位制**である。日本も日清戦争後の1897年発布の貨幣法により、**金本位制**を導入した。これにより日露戦争の戦費調達や、1901年（明治34年）の八幡製鉄所の開業に始まる産業の工業化に重要な外資の導入が容易になった。

問49 × ポーツマス条約には、当時の帝国主義諸国間では常識であった戦勝国への賠償金についての規定がなかった。これに不満を抱いた民衆が、ポーツマス条約締結の日に起こしたのが、**日比谷焼き打ち事件**である。

問50 ○ 第一次世界大戦も**関東大震災**も大正時代に起きている。第一次世界大戦後、ヨーロッパ列国の経済が回復すると、日本の海外市場と海外需要は大幅に縮小し、生産が過剰となって不景気が到来した。それに拍車をかけたのが1923年（大正12年）に発生した**関東大震災**である。死者・行方不明者は10万人を超え、被災者が340万人に達したこの災害は、不景気と社会不安をさらに増大させた。

日本史　問題

以下の記述を読み、正しいものには○、誤っているものには×をつけよ。

問 51 check✓ □□□
初の本格的政党内閣として発足した原敬内閣は、パリ講和会議に西園寺公望らを送り、旧ドイツ領の赤道以北の南洋諸島における委任統治権を得て、植民地化した。

問 52 check✓ □□□
アメリカ大統領ウィルソンの提唱によって設立された国際連合は、国際平和を維持する機関であり、日本も常任理事国の一つとなっていた。

問 53 check✓ □□□
満州事変の発端となったのが盧溝橋事件であり、これを機に日本は全満州を占領した。

問 54 check✓ □□□
第二次世界大戦における敗戦が決定的となったため、日本の東条英機内閣はポツダム宣言を受諾し、日本の無条件降伏が決定した。

問 55 check✓ □□□
第二次世界大戦後、GHQ（連合国軍最高司令官総司令部）は日本の民主化を進めるにあたり、財閥解体、農地改革、労働三法の制定を行い、普通選挙法を成立させた。

問 56 check✓ □□□
サンフランシスコ平和条約の調印後、朝鮮戦争が勃発し、日本ではGHQ の指令により、警察予備隊が新設された。

問 51 ○ 原敬内閣は、陸海軍大臣と外務大臣を除いて閣僚に政友会の党員を充てて発足した初の本格的政党内閣であり、原敬は「平民宰相」と称された。パリ講和会議においてヴェルサイユ条約に調印した日本は、中国・山東半島における旧ドイツ利権を獲得している。

問 52 × 国際連盟が正しい。国際連盟はアメリカ大統領ウィルソンの提唱によって 1920 年に成立した史上初の国際平和機構で、スイスのジュネーヴに事務局を置き、日本のほかにイギリス、フランス、イタリアが常任理事国を務めた。

問 53 × 盧溝橋事件は 1937 年7月に北京郊外の盧溝橋で起こった日本軍と中国軍との衝突事件であり、日中戦争の発端となった。満州事変の発端となったのは 1931 年9月の柳条湖事件(南満州鉄道爆破事件)である。この後、日本軍は満州を武力占領し、1932 年に満州国として独立させた。

問 54 × ポツダム宣言を受諾したのは鈴木貫太郎内閣 (1945 年4月～8月)で、主戦派を抑えてポツダム宣言を受諾し終戦とともに総辞職した。東条英機内閣(1941 年 10 月～ 44 年7月)は、太平洋戦争に突入した時期の内閣であるが、サイパン島陥落の責任をとって総辞職している。

問 55 × 普通選挙法は、1925 年 (大正 14 年) に、加藤高明内閣によって制定され、満 25 歳以上の男性が衆議院議員の選挙権をもつことになった。GHQ は、1945 年 (昭和 20 年) に衆議院議員選挙法を改正し、満 20 歳以上の男女に選挙権を認めた。

問 56 × 朝鮮戦争は、サンフランシスコ平和条約調印 (1951 年 9 月)前の 1950 年 6 月に始まり、在日アメリカ軍の朝鮮動員による軍事的空白を埋めるために、GHQ の指令により警察予備隊が新設された。

問 57 check✓ □□□

化政文化について述べた次の 1 ～ 5 のうち、正しいものを一つ選べ。

1 歴史や伝説を題材として、勧善懲悪を痛快に描いた滑稽本の作者として、十返舎一九や式亭三馬などがあらわれた。

2 江戸時代の後期には、巡礼など社寺参拝が盛んになったが、幕末になると突如として群衆が善光寺参拝におしかける「お蔭参り」も起こった。

3 江戸時代後期になると、浮世絵の作家として、役者絵を得意とする喜多川歌麿、美人の顔面描写を得意とする東州斎写楽があらわれて、浮世絵は全盛期を迎えた。

4 江戸時代後期の演劇では、幕府の風俗取締りの対象となったため歌舞伎が衰え、それに代わって人形浄瑠璃が盛んになった。

5 江戸時代の後期には、旅への関心と結びついて、錦絵の風景画が歓迎された。歌川（安藤）広重や葛飾北斎らの作品が有名である。

問 58 check✓ □□□

日清戦争や日露戦争は思想・文学に様々な影響を与えたが、当時の思想・文学に関して述べた次の 1 ～ 5 のうち、正しいものを一つ選べ。

1 『みだれ髪』で知られるロマン主義の歌人与謝野晶子は、日露戦争の勝利を情熱的に歌い上げた。

2 高山樗牛は、日清戦争をきっかけとする国家主義的風潮にのって、日本主義を唱えた。

3 堺利彦・内村鑑三らは、キリスト教徒の立場から日露戦争反対を唱えた。

4 平民主義を唱えていた徳富蘆花は、日清戦争を機に国権論に転じた。

5 高浜虚子は、『歌よみに与ふる書』を発表し、万葉調を称え古今調を否定して和歌革新に乗り出した。

問 57 正解 5

1 × 滑稽本とは、庶民生活の滑稽や笑い話を会話中心に書かれた小説。代表的作者には「東海道中膝栗毛」の**十返舎一九**や「浮世風呂」「浮世床」の**式亭三馬**が挙げられる。

2 ×「お蔭参り」は江戸時代後期に流行した**伊勢神宮**への集団参拝のことをいう。

3 × **喜多川歌麿**は「婦女人相十品」・「高名美人六歌撰」など美人画、**東州斎写楽**は大首絵の手法を駆使して役者絵・相撲絵を得意としていた。

4 × 江戸時代後期、歌舞伎は弾圧を受けたが盛んであった。**鶴屋南北**や**河竹黙阿弥**が名作を残している。

5 ○ 浮世絵の風景画としては**葛飾北斎**が「富嶽三十六景」を描いた。また、**歌川(安藤)広重**は「東海道五十三次」「江戸名所百景」などを描いている。

問 58 正解 2

1 × 1904 年、ロマン主義の歌人**与謝野晶子**は雑誌「**明星**」に「君死にたまふことなかれ」と題する詩を発表し、反戦の心情を歌い上げた。

2 ○ **高山樗牛**は 1895 年に雑誌「**太陽**」を発刊して日本主義を唱え国粋主義的な主張を展開した。

3 × **内村鑑三**はキリスト教徒の立場から日露戦争に対する反戦論(非戦論)を唱えたが、**堺利彦**は幸徳秋水とともに「平民新聞」を発行して、社会主義者の立場から反戦論を展開した。

4 × 設問文は徳富蘆花ではなく、**徳富蘇峰**についての記述である。**徳富蘇峰**は 1887 年に**民友社**を設立して雑誌『国民之友』を発行し、平民主義を唱えたが、日清戦争後の三国干渉を機に国家主義に転向した。徳富蘆花は、**蘇峰**の弟で『不如帰』の作者として知られる小説家であり、キリスト教的人道主義の立場に立ち、大逆事件で**幸徳秋水**らが処刑されると、第一高等学校で「謀反論」と題する演説を行い、政府による弾圧を激しく非難した。

5 ×「歌よみに与ふる書」は、高浜虚子ではなく**正岡子規**が 1898 年に発表した短歌の理論書である。**正岡子規**は万葉調を称え、古今調を否定して和歌革新に乗り出した。高浜虚子は、**子規**の弟子であり、**子規**を継いで俳句雑誌「**ホトトギス**」を主宰した。

世界史　問題

以下の記述を読み、正しいものには○、誤っているものには×をつけよ。

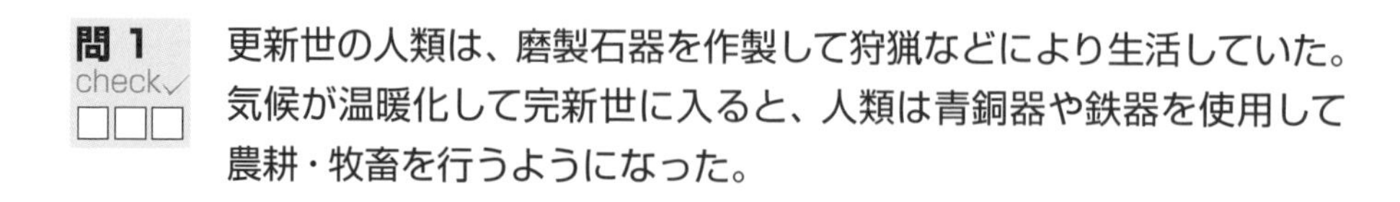

問 1 check✓ □□□

更新世の人類は、磨製石器を作製して狩猟などにより生活していた。気候が温暖化して完新世に入ると、人類は青銅器や鉄器を使用して農耕・牧畜を行うようになった。

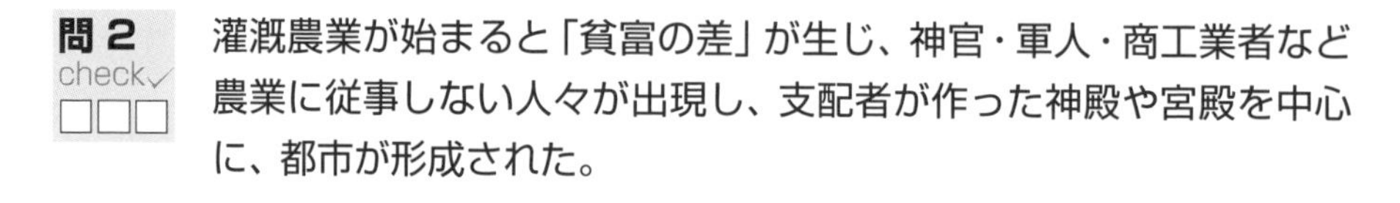

問 2 check✓ □□□

灌漑農業が始まると「貧富の差」が生じ、神官・軍人・商工業者など農業に従事しない人々が出現し、支配者が作った神殿や宮殿を中心に、都市が形成された。

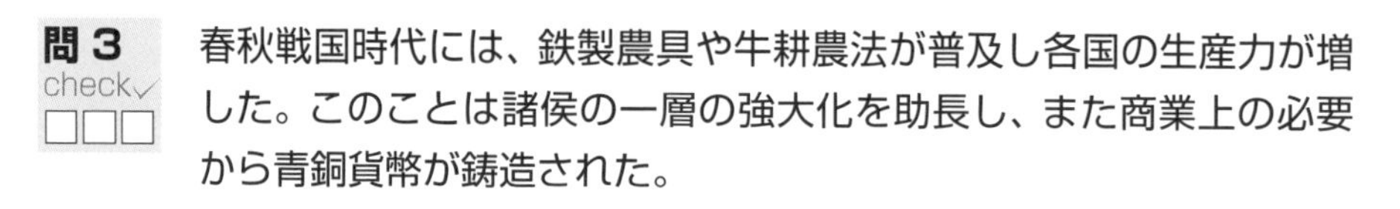

問 3 check✓ □□□

春秋戦国時代には、鉄製農具や牛耕農法が普及し各国の生産力が増した。このことは諸侯の一層の強大化を助長し、また商業上の必要から青銅貨幣が鋳造された。

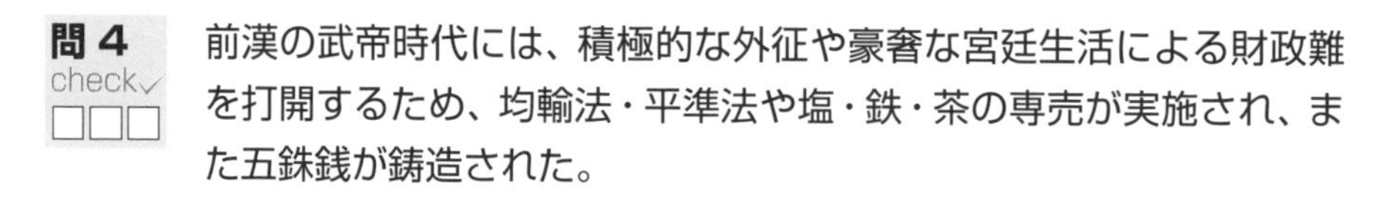

問 4 check✓ □□□

前漢の武帝時代には、積極的な外征や豪奢な宮廷生活による財政難を打開するため、均輸法・平準法や塩・鉄・茶の専売が実施され、また五銖銭が鋳造された。

問 5 check✓ □□□

漢代の官吏登用法の弊害を除くため、魏は九品官人法を導入した。これにより貴族勢力の専横は押さえられ、官僚層を基盤とする皇帝独裁体制が確立した。

問1 ×　「磨製石器→**打製石器**」「青銅器や鉄器→**磨製石器**」と直す。今から約1万年前に更新世（洪積世）から完新世（沖積世）に替わるが、この時期に人類は打製石器を用いて狩猟・漁撈・採集などを行う獲得経済の時代（旧石器時代）から、磨製石器を用いて農耕・牧畜を行う生産経済の時代（新石器時代）となる。この獲得経済から生産経済への大変化を、食料生産革命（新石器革命）という。

問2 ○　青銅器時代に入ると農業技術が発達し、余剰生産物（食料余剰）が発生した上に、家族単位の労働が可能となったことから、余剰生産物を独占する「私有」観念が発達して「**貧富の差**」が生じた。さらに余剰生産物は農業に従事しない人々（社会余剰）の存在を可能とし、治水・灌漑など共同作業の必要から生まれた支配者が、権力の証として建設した宮殿・神殿を中心に、都市が形成された。

問3 ○　晋が分裂して**韓**・**魏**・**趙**が分立し（前453・451）、これら3国を周王が諸侯として追認した（前403）時期が、**春秋時代**から**戦国時代**の転換点である。**戦国時代**に入ると諸侯はますます強大化するが、この背景にあるのが諸侯の経済力の増大であった。そして従来の貝貨（ばいか）に代わり刀銭・布銭・環銭（円銭）・蟻鼻銭（ぎびせん）などの青銅貨幣が用いられたことは、一層の商業の発達をもたらすことになる。

問4 ×　「茶→酒」と直す。**武帝**時代には、**張騫**が大月氏国に派遣されたほか、衛青・霍去病（かくきょへい）が**匈奴**討伐を行い、**楽浪郡**（朝鮮）や**日南郡（ヴェトナム中部）**を設置するなど積極的な対外政策が続き、財政難が深刻化した。茶は唐中期に課税対象となり、北宋の時代に全国的な専売制度が設けられた。

問5 ×　設問文の後半の記述が誤っている。**九品官人法（九品中正）**では、中正官による人材評価が、就任するべき官職と就任後の出世までも厳格に規制した。ところが中正官の下す評価は有力豪族を優遇したもので、結果的に有力豪族の子弟が高位高官を独占し「豪族の貴族化」が進む。ここに形成された貴族社会は、科挙導入にもかかわらず唐末まで続く。なお、皇帝独裁体制が形成されるのは北宋の時代である（明代に完成）。

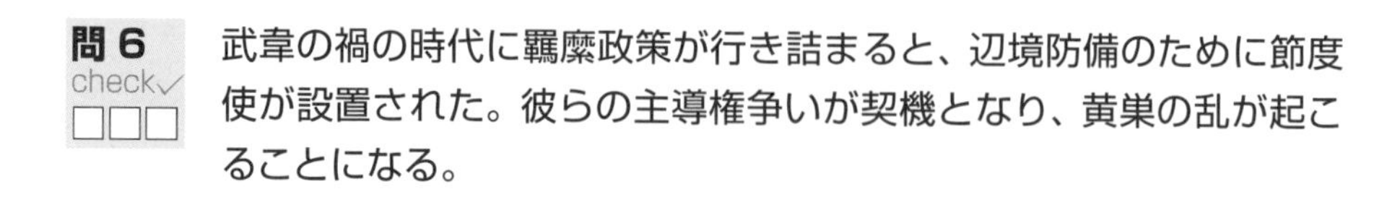

世界史　問題

以下の記述を読み、正しいものには○、誤っているものには×をつけよ。

問 6 check✓ □□□

武韋の禍の時代に羈縻政策が行き詰まると、辺境防備のために節度使が設置された。彼らの主導権争いが契機となり、黄巣の乱が起こることになる。

問 7 check✓ □□□

朱全忠による後梁建国に始まる混乱期を五代十国時代という。この時期に北宋を建国した趙匡胤は、地主層出身の官僚を重用する文治主義政策をとった。

問 8 check✓ □□□

テムジンは、クリルタイによって推戴され大ハンの位についた後、大規模な西征を行い、ワールシュタットの戦いではドイツ・ポーランド連合軍を撃破した。

問 9 check✓ □□□

鄭和は、永楽帝の命により数次にわたる南海遠征を行った。その分遣隊は、ヴァスコ＝ダ＝ガマが喜望峰を回る半世紀以上も前に、アフリカ東海岸に達している。

問 10 check✓ □□□

明清時代には、干ばつに強い占城稲が導入されたほか、長江デルタ地帯で干拓が進んで新田が開発され、江南は穀倉地帯となって「江浙熟すれば天下足る」といわれた。

問6 ×　「黄巣の乱→**安史の乱**」と直す。黄巣は塩の密売商人で、黄巣の乱は節度使の台頭とは無関係である。**安禄山**は、**玄宗・楊貴妃**に取り入り平盧（へいろ）・范陽（はんよう）・河東3節度使を兼任したが、宰相の楊国忠と対立して挙兵した。唐は、反乱をウイグルの援軍を得てようやく鎮圧したが、この後に節度使は数も増加して内地にも設置されるようになり、次第に半独立化していく(このような地方軍閥を藩鎮と呼ぶ)。

問7 ○　藩鎮たちが分立した唐末～五代十国の混乱期は、没落した貴族に代わり武人たちが武断政治を展開した時代であった。武人勢力の弱体化を図った**趙匡胤**（ちょうきょういん）は、皇帝に忠誠を誓う官僚層を基盤として皇帝権力の確立を図った。**殿試**を設けるなど科挙を整備し、合格すれば官僚となる道を開いたのも、その一環であった(唐代の科挙は資格試験で、合格後も採用試験が別にあり貴族に有利であった)。

問8 ×　ワールシュタットの戦い（リーグニッツの戦い）が行われた1241年は、第2代**オゴタイ=ハン**の晩年である。勝利を収めたバトゥは、**オゴタイ=ハン**が没したとの報せを受けて帰途につくが、途中でヴォルガ川河畔のサライを都に**キプチャク=ハン国**を建設し、この地に留まった。

問9 ○　朝貢貿易の促進を狙いとした**鄭和**の南海遠征は、1405～33年にかけて計7回行われ(1431～33年の第7回は永楽帝没後)、分遣隊はメッカに参拝したほか、ケニアのマリンディを訪問している(さらに南下したという説もある)。一方、ヴァスコ=ダ=ガマがインドのカリカットに達するのは、1498年である。

問10 ×　「明清時代→**宋代**」と直す。明清時代の江南では、絹織物業・綿織物業など農村家内工業が発達し(一部専業化)、穀物栽培に代わり桑栽培(養蚕の飼料とする)綿花栽培などが広まった。このため穀倉地帯は長江中流域に移り、「**湖広**熟すれば天下足る」といわれるようになる(**湖広**とは湖北省・湖南省を中心とする地域)。

世界史　問題

以下の記述を読み、正しいものには○、誤っているものには×をつけよ。

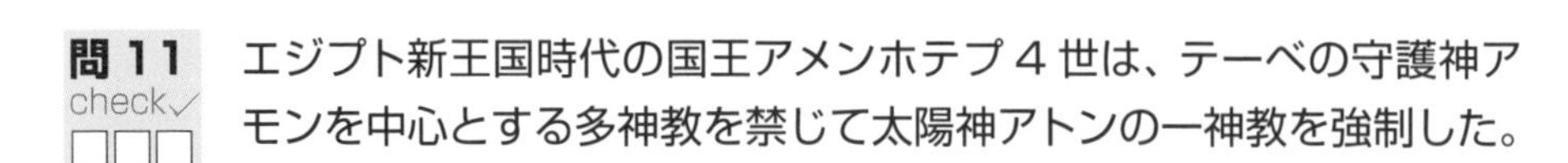

問 11 check✓ □□□

エジプト新王国時代の国王アメンホテプ４世は、テーベの守護神アモンを中心とする多神教を禁じて太陽神アトンの一神教を強制した。

問 12 check✓ □□□

モーセ（モーゼ）に率いられて「出エジプト」を行ったヘブライ人は、『十戒』を授けられてユダヤ教を創始したが、後に新バビロニア王国に敗れて「バビロン捕囚」を経験した。

問 13 check✓ □□□

イスラムとは「神へ帰依する」という意味で、７世紀にメッカでイスラム教を創始したムハンマドは、「最高にして唯一の預言者」とされた。

問 14 check✓ □□□

中央アジアに興ったイスラム教シーア派のセルジューク朝はバグダードを占領し、君主トゥグリル＝ベクはアッバース朝カリフからスルタンの称号を授与された。

問 15 check✓ □□□

西チャガタイ＝ハン国から興ったティムール朝は、サマルカンドやヘラートを首都に東西交易で繁栄したが、トルコ系ウズベク族の侵入で 15 世紀末～ 16 世紀初頭に滅亡した。

問11 ○ 都テーベのアモン神（アメン神）を祭る神官団の専横を嫌った**アメンホテプ4世**は、太陽神アトン（アテン）の一神教を創始したほか、名前もアメンホテプ（アモン神は満足なさる）から**イクナートン**（アクエンアテン、アテン神に有用な者）に変え、**アマルナ**に遷都しアケタトン（アケトアテン、アテン神の地平線）と改称した。

問12 × 出エジプト（前13世紀）直後にユダヤ教を創始したのではない。「**バビロン捕囚**」（前586）されていたヘブライ人たちは、**アケメネス朝**が**新バビロニア王国（カルディア王国）**を滅ぼした際に、解放された（前538）。ユダヤ教は、彼らが**パレスティナ**に帰国後、前5世紀になって創り上げた宗教である。

問13 × 「最高にして唯一の**預言者**→最後の最も優れた**預言者**」と直す。**預言者**とは神の啓示を人々に伝える者のこと。イスラム教では、アダム・ノア・アブラハム・モーセ・ダヴィデ・ソロモン・ムハンマドなど、合計25名を**預言者**として認めている。ただし**預言者**には神性がなく、ムハンマドも「市場を歩くただの商人」とされた。

問14 × 「シーア派→**スンナ派**」と直す。セルジューク朝の創始者**トゥグリル＝ベク**は、バグダートを占領していたブワイフ朝（シーア派）を滅ぼし、アッバース朝カリフ（スンナ派）よりスルタンの称号を与えられる。ここに、ブワイフ朝時代に始まったイスラム世界の政教分離が確立することになる。

問15 ○ **サマルカンド**はブハラと並ぶソグディアナの中心都市、**ヘラート**はアフガニスタン北西部の重要都市である。**ティムール**は、チンギス＝ハン家の血統をひく人物を‘ハン’として、自らはハン家出身の娘を妻に迎えてイラン風のアミール（総督）の地位に留まりながら帝国を支配した。また、遊牧民の出身であったが都市定住民の経済力を認識し、各地の都市や市場を整備して、通商の拡大に努めた。

以下の記述を読み、正しいものには○、誤っているものには×をつけよ。

問 16 check✓ □□□

オスマン帝国最盛期を築いたスレイマン１世は、コンスタンティノープルを 1453 年に征服してビザンツ帝国を滅ぼしたほか、ハンガリーからオーストリアにも侵入した。

問 17 check✓ □□□

インダス文明の滅亡後、カイバル峠（ハイバル峠）を経てタミル地方に侵入したアーリヤ人たちは、ガンジス川流域に進出する過程で、青銅器に代わり鉄器を用いるようになっていった。

問 18 check✓ □□□

第３代ムガル皇帝のアクバルは、ジズヤを廃止してヒンドゥー教徒などの非ムスリムの懐柔に努めたほか、都をデリーからアグラに移してタージ=マハルを建設した。

問 19 check✓ □□□

ペルシア戦争はアテネの一大国難であったが、ペリクレスの率いる海軍の活躍により、アテネはサラミス海戦でペルシア軍の撃退に成功した。

問 16 × 「コンスタンティノープルを…滅ぼした」のは、第7代**メフメト2世**。彼は、この都市(現在のイスタンブル)をブルサ・エディルネ(ビザンツ帝国時代の名称はアドリアノープル)に続く新しい首都と定め、トプカプ宮殿の造営などを始めた。その後、第10代**スレイマン1世**（大帝）はハンガリーを経てウィーンまで親征し(1529)、また**プレヴェザ海戦**(38)で地中海の制海権を確保したのであった。

問 17 × 「タミル地方→**パンジャーブ地方**」と直す。彼らは、中央アジアからアフガニスタンに入り**カイバル峠**を経て(峠の東側にあたるガンダーラ地方の中心地ペシャワールは、クシャーナ朝の首都プルシャプラとして有名)、数次にわたり**パンジャーブ地方**に侵入した。なお、以前は侵入したアーリヤ人がインダス文明を滅ぼしたと考えれられていたが、現在ではこの説は否定されている(インダス文明の滅亡は前1800年頃、アーリヤ人の侵入は前1500年頃)。

問 18 × 「タージ=マハル」は、ムガル帝国の最盛期に当たる第5代皇帝**シャー=ジャハン**がアグラ東方のジャムナ河畔に建立させたもの。彼の時代に首都はアグラから**デリー**に戻されている。また彼は宗教的には非寛容政策に転じ、キリスト教を禁止しヒンドゥー教に圧迫を加えた。この方針は、第6代**アウラングゼーブ**に受け継がれて**ジズヤ**が復活され、各地で非ムスリムの反乱が続発することになる。

問 19 × 「ペリクレス→**テミストクレス**」と直す。ペリクレスは前495年の生まれで、前480年のサラミス海戦の時には未成年である。サラミス海戦は、アテネの外港ピレウスとサラミス島との狭い海峡で行われた海戦。当時のアテネ市はすでにペルシア軍に占拠されており、市民たちはサラミス島に避難していた。なお勝利に貢献した**テミストクレス**は、戦後その人気ゆえに**陶片追放**に遭ってペルシア側に寝返り、小アジアの一地方総督となっている。

以下の記述を読み、正しいものには○、誤っているものには×をつけよ。

問 20 check✓ □□□
オクタヴィアヌスは、アクティウム海戦でアントニウスとクレオパトラの連合軍を打ち破り、元老院よりアウグストゥスの称号を与えられた。ここに五賢帝時代が始まる。

問 21 check✓ □□□
ヴェネチアやジェノヴァなどのイタリア諸都市は都市共和国を形成し、主に香料などのアジアの奢侈品を輸入するレヴァント貿易（東方貿易）で繁栄した。

問 22 check✓ □□□
ローマ教皇の権威は 13 世紀初頭に最も強まり、教皇インノケンティウス 3 世は英王ジョン・仏王フィリップ 2 世を屈服させ、教皇権の権威を誇示した。

問 23 check✓ □□□
カルヴァンは『キリスト者の自由』をバーゼルで出版して自説を主張した。その後、ジュネーヴに招かれてカルヴィニズムに基づく神政政治を行った。

問 20 × 「五賢帝時代→**元首政**」と直す。**オクタヴィアヌス**がアウグストゥスの称号を得るのは紀元前 27 年。ここに、元老院との共同統治の'形式'をとる**元首政(プリンキパトゥス)**が始まる。**元首(プリンケプス)**は「第一の市民」とされた。この元首政は、五賢帝時代・軍人皇帝時代を経て、284 年に専制君主政(ドミナートゥス)が**ディオクレティアヌス帝**によって始められるまで続く。

問 21 ○ **レヴァント**地方とは'日の昇る地方'という意味で、地中海東部～東岸地帯を指す。イタリアの海港都市は、**アウグスブルク**を集積地とする南ドイツの銀を筆頭に、**フランドル**や**フィレンツェ**の毛織物(13 世紀以降)、さらに金・銅・オリーヴ油などを輸出し、香料・染料・絹・綿・象牙・熱帯果実などを輸入した。**レヴァント**貿易は、特に十字軍時代以降に盛んとなり、ヨーロッパの「商業ルネサンス」を支えたほか、イタリアールネサンスの経済的基礎となる。その後、大航海時代に入り喜望峰を回るインド航路が開拓されると、**レヴァント**貿易やイタリア諸都市は衰退し、それに伴ってイタリアールネサンスも終焉を迎えることになる。

問 22 ○ 英王**ジョン**はカンタベリー大司教の任命問題で、仏王**フィリップ2世**は離婚問題で、教皇権に屈服した。**インノケンティウス3世**の「教皇権は太陽であり皇帝権は月である」という言葉は有名。さらに彼は、**第4回十字軍**(教皇の制止を聞かず**コンスタンティノープル**を占領して**ラテン帝国**その他を建設)や**アルビジョワ十字軍**などを提唱したことでも知られる。

問 23 × 「『キリスト者の自由』→**『キリスト教綱要』**」と直す。前者の書物は、**ルター**の著作。彼が宗教改革を始めたとされるが、その改革はあくまで内面のものであった。一方**カルヴァン**は、働くこと自体が祈りであり職業は神が与え賜うた「天職」であると考え、禁欲的に勤労するべきだという職業倫理を強調し、営利活動や結果としての**蓄財**をも肯定した。この教説は新興市民層や富農層に強く支持され、資本主義精神へと繋がっていく。この点を解明したのが、**マックス＝ヴェーバー**の『プロテスタンティズムの倫理と資本主義の精神』(1905) であった。

以下の記述を読み、正しいものには○、誤っているものには×をつけよ。

問 24 check✓ □□□

スペインの王家がハプスブルク家からブルボン家に代わると、スペイン継承戦争が始まった。この講和条約であるユトレヒト条約で、ジブラルタルはイギリスに割譲された。

問 25 check✓ □□□

バスティーユ牢獄の襲撃事件をもってフランス革命が始まった。この後、パリ市民たちは国民議会を開設しルイ 16 世を処刑した。

問 26 check✓ □□□

プロイセン首相となったビスマルクは鉄血政策を提唱し、デンマーク戦争・普墺戦争・普仏戦争に勝利を収めて、ドイツ帝国の建国に成功した。

問 27 check✓ □□□

メコン川河口付近に 1 世紀頃に建設された林邑は、東南アジア最初の本格的国家とされる。この国は季節風貿易で栄え、古代インドの文化が伝播した。

問 24 ○　スペイン王カルロス1世(神聖ローマ皇帝カール5世)は、スペイン王位を息子**フェリペ2世**に、オーストリアなどの支配権を弟フェルディナント1世に、それぞれ譲り引退した。ここにハプスブルク家はスペイン系とオーストリア系に分かれる。その後、前者が4代で断絶しルイ 14 世の孫がフェリペ5世として即位すると、各国が反発してスペイン継承戦争(1701 ～ 13)が始まる。なお現在でも、ジブラルタルは英領のままで、スペインでは紆余曲折をへてブルボン家が続いている。

問 25 ×　「国民議会→国民公会」と直す。**三部会**から第三身分が分離して国民議会を開設し(1789.6.17)、「**球戯場の誓い**」で憲法制定を求めた(6.20)後、**バスティーユ牢獄の襲撃事件**(7.14)が起こる。**ルイ 16 世**の処刑決定は、立憲君主制の「革命の第一憲法」(91.9.14)に基づく立法議会(91.10 ～ 92.9)が八月十日事件で崩壊し、国民公会(92.9 ～ 95.10)が開かれた直後である(処刑実施は 93年1月)。

問 26 ○　1862 年にプロイセン首相となった**ビスマルク**は、議会を無視して軍拡を強行し、参謀総長(大)モルトケの協力の下に、デンマーク・オーストリア・フランスを打ち破った。普仏戦争末期の 1871 年1月 18 日、ヴェルサイユ宮殿で**ヴィルヘルム1世**がドイツ皇帝に推戴されたが(ドイツ帝国が正式に成立したのは帝国憲法が発効した 1 月 1 日)、フランスが降伏するのは、その 10 日後のことであった。

問 27 ×　「林邑→**扶南**(ふなん)」と直す。当時、ベンガル湾の沿岸部を回りマレー半島に達したインド商人たちは、半島基部を横断して南シナ海に入り、メコン河口のデルタ地帯に至った。それゆえ,ここにインド文化を基底とする**扶南**(1～7世紀)が栄え、その外港オケオからは古代ローマの金貨も出土している。その後、航海術の発達と船舶の大型化によりマラッカ海峡を抜けるルートが活発化すると**扶南**は衰退し、代わって海峡出口を押えた**シュリーヴィジャヤ王国**(7～ 14 世紀)が、スマトラ島を中心に繁栄するようになる。

世界史　問題

以下の記述を読み、正しいものには○、誤っているものには×をつけよ。

問 28 check✓ □□□

ビルマ族が 11 世紀に建設したパガン朝では、セイロン島より高僧が招かれて仏教が繁栄し、ここから大乗仏教がジャワ島のボロブドゥールなどに広まっていった。

問 29 check✓ □□□

コンゴ川流域には、ガーナ・マリ・ソンガイの各王国が、ギニア山地でとれる砂金とサハラ砂漠の岩塩との交易で栄え、トンブクトゥは「黄金の都」といわれた。

問 30 check✓ □□□

中南米の古代文明はトウモロコシ栽培を基礎とするもので、鉄器や車輪は用いられなかった。マヤ文明では文字が用いられたが、インカ文明では文字もなかった。

問 31 check✓ □□□

ビスマルク時代のドイツは、欧州中心の外交を展開しイギリス包囲網の形成を進めた。一方、1890 年から親政を始めたヴィルヘルム 2 世は積極的な海外進出政策をとった。

問 28 × **パガン朝**がセイロン島より導入した仏教は「**上座（部）仏教**」で、これが東南アジア諸地域に大乗仏教に代わって**上座（部）仏教**が広まっていく契機となる。また、ボロブドゥール遺跡（大乗仏教）を建設した**シャイレーンドラ朝**は8～9世紀の王朝であるので、**パガン朝**から「ボロブドゥールなどに広まっていった」という表現も、時代順からみて間違い。

問 29 × 「コンゴ川→**ニジェール川**」と直す。**ニジェール川**上流部のギニア山地では砂金が、サハラ砂漠では岩塩がとれる。これらの交易で、**ニジェール川**中流域の**トンブクトゥ**は経済・文化の中心地として繁栄した（政治上の首都ではない）。砂金は、'砂漠の船と港'（ラクダとオアシス）により地中海岸へと運ばれ（サハラ縦断貿易または横断貿易）、ヨーロッパ人は砂漠の彼方にある黄金郷への想いを募らせたのであった。これが、彼らのアフリカ西海岸探検の一因となる。

問 30 ○ 新大陸原産の栽培植物としては、トウモロコシ・カボチャ・ジャガイモ・サツマイモ・落花生・タバコ・トマト・トウガラシ・インゲンマメ・カカオ・ゴムなどが有名。メキシコ湾岸の**オルメカ文明**、メキシコ中央高原の**テオティワカン文明**と**トルテカ文明**、ユカタン半島の**マヤ文明**など、中米の諸文明を総称してメソ=アメリカ文明と呼ぶ。一方、南米に発展したアンデス文明を集大成したものが**インカ文明**で、ここでは数字を記録する**キープ**は用いられたが、文字は存在しなかった。

問 31 × 「イギリス→フランス」と直す。ビスマルクは、普仏戦争で大敗したフランスの対独復讐戦争防止を外交の第一目標として、フランス包囲網の形成を進めた。当時は君主間の姻戚関係もあり（ヴィルヘルム 2 世の母方の祖母はヴィクトリア女王であった）、英独関係は良好であった。その後、1890 年より親政を開始したヴィルヘルム2世がとった海軍力の大幅増強や **3B政策**の推進などの積極的な対外進出策（世界政策・新航路政策）は、イギリスの覇権を脅かすこととなり、英独関係は急速に悪化していく。

世界史　問題

以下の記述を読み、正しいものには○、誤っているものには×をつけよ。

問 32 check✓ □□□

第一次世界大戦では、ドイツはオランダ・ベルギーに侵攻し、そこからフランスに攻め込んだ。戦争は長期持久戦となり、人類は史上初の総力戦を経験することになる。

問 33 check✓ □□□

清朝より広州に派遣された林則徐は、密輸品のアヘンを没収した。ここにアヘン戦争が勃発し、1842 年の南京条約で上海など 5 港開港や公行貿易の廃止が規定された。

問 34 check✓ □□□

日清戦争に敗北し改革の必要性を認識した清朝では、曾国藩・李鴻章らを中心に戊戌の変法が始まったが、西太后ら保守派による戊戌の政変により挫折した。

問 35 check✓ □□□

1920 年代中期のヨーロッパでは、ブリアンやシュトレーゼマンなどを中心に国際協調外交が展開され、ロカルノ条約や不戦条約が締結された。

問32 × 「オランダ」は中立を守り、終戦時に独帝ヴィルヘルム2世の亡命を受け入れた。**露仏同盟**(1891・94)に対抗するため、ドイツは兵力を集中して永世中立国(1831 ～ 1919)ベルギーを通りフランスに侵入し、短期間で勝利を収めた後に反転してロシア軍を撃破する作戦(シュリーフェン作戦)をとった。しかしフランスに侵入した独軍は**マルヌの戦い**で進軍を阻まれ、戦争は持久戦に入っていく。ゆえに国内では総動員体制が敷かれて国民生活全体が戦争に巻き込まれていった。第一次世界大戦は史上初の総力戦であった。

問33 ○ 茶輸入と綿製品輸出の増加を目指すイギリスは、海禁政策の緩和を求め**マカートニー**や**アマースト**を清朝に派遣したが失敗し、没収されたアヘンの損害賠償を口実に開戦に踏み切った。さらにイギリスは、**南京条約**(1842)を結んでも期待したほど貿易額が増加しないことを知ると**アロー戦争**を仕掛け、**天津・北京条約**を清朝と結ぶに至った(58・60)。その際に、アヘンに関税を課すという形式でアヘン貿易も事実上公認されることになった。

問34 × 「曾国藩・李鴻章→康有為・梁啓超」と直す。曾国藩・李鴻章は、**洋務運動**の担い手たち。清仏戦争・日清戦争に敗北して**洋務運動**の失敗が明白となると、明治維新を模範に立憲君主制の導入を目指す**変法運動**が勢力を増し、光緒帝に登用された康有為らによる新政が1898年に開始された(**戊戌(じゅつ)の変法**)。しかし**西太后**ら保守派の巻き返し(**戊戌の政変**)で運動は瓦解し、康有為・梁啓超は日本に亡命した。

問35 ○ 第一次世界大戦後は、巨額な**賠償金**(1921)や**ルール占領**(23 ～ 25)など、フランスを中心に対独復讐が図られた。しかし、ドイツでシュトレーゼマンが履行政策(ヴェルサイユ条約の義務を果たしつつ対英仏関係を改善していこうとする政策)を展開し、フランスでもブリアンが外相となると、**ドーズ案**(24)・**ルール撤兵**(25)・**ロカルノ条約**(25)・**不戦条約**(28)と、国際協調の成果が次々に現われていく。

以下の記述を読み、正しいものには○、誤っているものには×をつけよ。

問 36 check✓ □□□

政権を握った直後に国会を解散したヒトラーは、国会議事堂放火事件を利用して社会民主党に対する弾圧を強化した上で、新国会で全権委任法を通過させた。

問 37 check✓ □□□

国民革命軍総司令として北伐に参加した蒋介石は、上海で共産党員に対する大弾圧いわゆる上海クーデタを実行し、南京に新しい国民政府を樹立した。

問 38 check✓ □□□

日本は居留民保護を口実に山東出兵を行って北伐を牽制し、さらに関東軍の一部将校が張作霖の乗った列車を爆破する柳条湖事件を起こした。

問 36 × 「社会民主党→共産党」と直す。国民社会主義(国家社会主義)ドイツ労働者党(**ナチス**)は、1932 年の国会議員選挙で第1党となった。その後、保守派との連立政権の首相となったヒトラーは、組閣(1933.1.30)直後に国会を解散し(2.1)、選挙運動期間中に発生した**国会議事堂放火事件**(2.27)直後に発布された大統領緊急令(2.28)でドイツ共産党を事実上非合法化した。選挙(3.5)後、**ナチス**は新国会(3.21)で中央党などの賛成を得て、時限立法として**全権委任法(授権法)**を成立させた(3.23)。その後、諸政党は順次解散し、**ナチス**を唯一の合法政党とする法律が制定された(7.14)。

問 37 ○ **五・三〇事件**(1925.5)を契機に、中国の反帝国主義運動は著しい盛り上がりをみせた。中国国民党も中華民国国民政府(広州国民政府)を樹立し(25.7)、北伐を開始した(26.7)。北伐の進展に伴い、中国国民党左派を中心に、国民政府の首都は広州から武漢三鎮(武昌・漢口・漢陽)に移される(武漢国民政府、27.2)。これに対して蔣介石は上海クーデタ(27.4)を起こし、中国国民党右派を中心とする**国民政府(南京国民政府)**を樹立した。まもなく武漢国民政府は解体し(27.7 ～ 9)、中国国民党左派は**南京国民政府**に合流する(ここに第1次国共合作は崩壊した)。この後、中国共産党は各地で武装蜂起を繰り返していく。

問 38 × 「柳条湖事件→**張作霖爆殺事件**」と直す。北京には日本が支援する奉天軍閥(東北軍閥)の首領**張作霖**がいた。このため日本は、日本人居留民保護を口実に3次にわたる**山東出兵**を行う(1927 ～ 28)が、北伐を中止させることはできず、国民革命軍は北京に入城する(28.6.8)。この直前、**張作霖**は奉天に向けて撤退したが、その列車を関東軍の一部将兵が爆破したのである(6.4)。彼らは、爆破事件を中国人の仕業として関東軍を出動させ、国民革命軍の満州進出を阻止しようと考えたが、関東軍出動は実現しなかった。

以下の記述を読み、正しいものには○、誤っているものには×をつけよ。

問 39
check✓
□□□

アメリカでは、民主党のトルーマン米大統領が対ソ封じ込め政策を展開し、その一環としてギリシア・トルコへの支援やマーシャル＝プランが発表された。

問 40
check✓
□□□

フルシチョフが行ったスターリン批判は、東側各国に大きな衝撃を与えた。同年中にポズナニやブダペストで反ソ暴動が起きたが、いずれもソ連軍の出兵によって鎮圧された。

問 41
check✓
□□□

インドネシアは、スハルト指導下に対オランダ独立戦争を経て独立を達成した。その後、バンドンで最初のアジア・アフリカ会議が開催された。

問 42
check✓
□□□

キューバではソモサ独裁政権をカストロが倒し、社会主義国家を建設した。その後、ソ連のミサイル基地建設がケネディ政権を刺激し、キューバ危機が発生した。

問 39 ○ **F＝ローズベルト**大統領の急逝で1945年4月に副大統領から大統領に昇格した**トルーマン**は、1947年3月に議会で共産主義勢力拡大の脅威に晒されているギリシア・トルコへの経済・軍事援助を発表し（5月にギリシア・トルコ援助法が成立）、6月には国務長官**マーシャル**が全欧州諸国を対象に欧州経済復興援助計画を発表する（東欧諸国とソ連は不参加）など、対ソ封じ込め政策を展開した。

問 40 × ポズナニ暴動（ポーランド）ではソ連軍は出兵していない。**フルシチョフ**の「スターリン批判」（1956.2）で、スターリン時代に抑圧されてきた反ソ感情とナショナリズムが、ポズナニ暴動（6月）やブダペスト暴動（10月）となって噴出した。ポーランドでは**ゴムウカ**が党第一書記に復帰して「社会主義へのポーランドの道」を推進した。ハンガリーでは、首相に復帰した**ナジ＝イムレ**がワルシャワ条約機構脱退などを決定したため、駐留していたソ連軍が出動し**ナジ**は逮捕・処刑された。

問 41 × 「**スハルト→スカルノ**」と直す。インドネシアは、日本の敗戦後に東南アジアで最初に独立を宣言し（1945.8.17）、植民地支配再開を目指すオランダとの戦争を経て1949年に独立を達成した。**スカルノ**大統領は、インドネシア国民党結成（28）など民族運動を指導し、太平洋戦争中は日本軍の軍政に協力した人物で、戦後はナセル・ネルーなどと非同盟主義外交を展開したが、九・三〇事件（65）後に失脚した。代わりに共産党を弾圧した**スハルト**将軍が大統領となり（68～98）、独裁体制を築く。

問 42 × 「ソモサ→**バティスタ**」と直す。米西戦争後アメリカの支配下にあったキューバは1934年に独立を達成。その後、**バティスタ**が大統領（1940～44・52～58）となり独裁体制を敷いたが、1958年のキューバ革命で崩壊した。このキューバに**ソ連**のミサイル基地があることをアメリカが知ったことから、1962年に**キューバ危機**が発生する。フルシチョフが譲歩して米ソ間の核戦争は回避された後、翌年には部分的核実験停止条約への署名が行われ、米ソ首脳間のホットライン開設が決定するなど緊張緩和が進むが、中国はソ連の行動を冒険主義と批判し中ソ対立は激化する。なお、ソモサはニカラグア革命（79）で失脚した独裁者である。

問 43 check✓ □□□ **17 世紀のイギリスについて述べた次の 1 ～ 5 のうち、正しいものはどれか。**

1 エリザベス 1 世が 17 世紀初頭に没すると、ドイツのハノーヴァー家出身のジェームズ1世が新しいイングランド王となった。

2 ピューリタン革命が発生すると、チャールズ 1 世は議会派の軍隊に敗れてフランスに亡命した。

3 クロムウェルが指導する独立派は、長老派を議会から追放して、やがて共和政を宣言するに至った。

4 王政復古後のチャールズ 2 世は旧教復活を企図したため、議会は権利の請願を行い国教徒保護を訴えた。

5 ジェームズ 2 世の専制政治に対して、議会は王女アンと夫のオラニエ公ウィレムを国王に迎え、無血の革命に成功した。

問 43 正解 3

1 × ジェームズ1世は、スコットランドの**ステュアート家**の出身である。エリザベス1世没後に**テューダー朝**が断絶すると、スコットランド王ジェームズ6世が、イングランド王位を兼併しジェームズ1世となる(**ステュアート朝**)。なおハノーヴァー朝の成立は、アン女王(選択肢5)が没して**ステュアート朝**が断絶した後のこと。

2 × チャールズ1世は、議会派に処刑された。ピューリタン革命は、1642年の内乱勃発に始まる。当初は王党派が優勢であったが、**クロムウェル**が創設した**鉄騎隊**をモデルに、議会派が新型軍(ニューモデルアーミー)を編成すると形成は逆転し、**ネーズビーの戦い**(1645)では王党派が完敗した。その後、議会派に捕まったチャールズ1世は、49年に処刑された。

3 ○ **ピューリタン**とは、国教会の中に残存するカトリック的要素を取り除きpurifyしようとする人々のこと。その中では、国教会内部に留まって内部から改革を行おうとするカルヴィニスト(非分離派)が多数を占め、彼らが主に長老派となる。一方、国教会からの分離を目指す少数派のカルヴィニスト(分離派)が主に独立派となる。議会では長老派が優勢であったが、革命軍の将校には独立派が多かった。また革命軍兵士の多くは、徹底した政治改革を目指す水平派であった。

4 × **権利の請願**は、チャールズ1世に対して議会が1628年に行ったものである。1660年の王政復古により、亡命先のフランスより帰国して即位したチャールズ2世は、亡命中にカトリックとなっており、表面上は国教会の信徒として振る舞いつつ、信仰自由宣言を発してカトリック教徒の権利擁護に努めた。このため厳格な国教徒を中心とする王政復古後の議会と対立した。議会は、**審査法**(1673)により公職就任を国教徒に限定し、**人身保護法**(79)により不法な逮捕・裁判・投獄などを禁止して、国王に抵抗することになる。

5 × アンではなく**メアリ**である。ジェームズ2世は、即位前から自らがカトリックであることを公言していた。彼に1688年に男子が誕生すると、この王子がカトリックの教育を受け次の国王となる公算が強まった。ここに一部の議員たちが、国教徒であった**メアリ**(ジェームズ2世の娘で後のアン女王の姉)に招請状を送る。これを契機に、オランダ総督**オラニエ公ウィレム3世**が、軍隊を率いてイギリスに上陸し、やむなくジェームズ2世はフランスに亡命した(**名誉革命**)。翌年**ウィレム3世**と**メアリ**は、それぞれ**ウィリアム3世**と**メアリ2世**として即位した(共同統治)。

問 44 check✓ □□□

第二次世界大戦中の各国の動向として正しいものは次の 1 ～ 5 のうち、どれか。

1 フランスのド＝ゴール将軍はヴィシーに亡命政府を樹立し、対独レジスタンス運動を指導した。

2 ソ連はスターリングラードの戦いに勝利を収めて攻勢に転じ、ドイツ軍を駆逐しつつ東ヨーロッパに侵入した。

3 連合軍のシチリア島上陸作戦で敗北したイタリアは、まもなくカヴールが政権を握り、連合国に降伏した。

4 マッカーサー指揮下の連合軍はノルマンディー上陸作戦を行い、ドイツ軍の敗北は決定的となった。

5 内乱を経てフランコ将軍の独裁体制が確立したスペインは、ポルトガルとともにドイツ側にたって参戦し、ピレネー山脈を越えてパリに進攻した。

問 44　正解　2

1　×　ヴィシーではなくて**ロンドン**である。1940 年6月 14 日、パリにドイツ軍が無血入城すると、新たに組織されたペタン内閣は 17 日ドイツに降伏した。翌7月、内閣は南仏の**ヴィシー**に移転し(**ヴィシー**政府)、対独協力を進めた。このような状況に対して**ド＝ゴール**将軍は、**ロンドン**に亡命政府を樹立し(自由フランス)、イギリスBBC放送を通じてフランス国民に徹底抗戦を訴え、フランス国内の抵抗運動(レジスタンス)の組織化を行った。

2　○　**スターリングラード攻防戦**は、1942 年8月から 43 年2月にかけて行われた。激しい市街戦だったが、アメリカの支援を受けて反撃を開始したソ連軍がドイツ軍を逆包囲し、ヒトラーにより退却を禁じられたドイツ軍は潰滅した。この戦いが東部戦線の転機となる。同市は、フルシチョフによる「スターリン批判」(1956) 後、1961 年にヴォルゴグラードと改称されるヴォルガ川流域の工業都市である。

3　×　カヴールではなく**バドリオ**である。北アフリカ上陸作戦に続き、1943 年7月、米英軍はシチリア島に上陸した。この結果イタリアでは、7月末に国王の支持下にクーデタが起こる。首相となった**バドリオ**元帥は**ファシスタ党**の解散を命じ、9月に入ると連合国に無条件降伏した。10 月、**バドリオ**内閣はドイツに対して宣戦を布告する。このためイタリア南部は連合軍、北部は独軍の占領下に置かれた。なおカヴールは、イタリア統一(1861) の際に活躍したサルディーニャ王国の首相。

4　×　マッカーサーではなく**アイゼンハウアー**(後の第 34 代米大統領) である。**ノルマンディー上陸作戦**(1944.6.4) で本格的な西部戦線(第二戦線)が再構築された。第二戦線の構築は、ドイツ軍の猛攻を受けて苦戦する**スターリン**が要望していたことであったが、米英両国は北アフリカ上陸作戦を実施し(42.11)、本格的な第二戦線の構築を遅らせていた。このため**スターリン**は英米両国への不信感を募らせ、これが米ソ「冷戦の起源」となる。なおマッカーサーは、太平洋方面の最高司令官で、日本占領の責任者。

5　×　スペイン・ポルトガルは参戦していない。**フランコ**政権は、ポルトガルの**サラザール**政権と同じく、独伊両国の支援を受けながらも第二次世界大戦では中立を守り、戦後も独裁体制を維持した。戦後のスペインでは、**フランコ**が 1975 年に没すると彼の遺言によりブルボン朝が復活した(問 24 解説参照)。一方のポルトガルでは**サラザール**が 1968 年に引退すると、74 年にポルトガル革命が発生した。

地理　問題

以下の記述を読み、正しいものには○、誤っているものには×をつけよ。

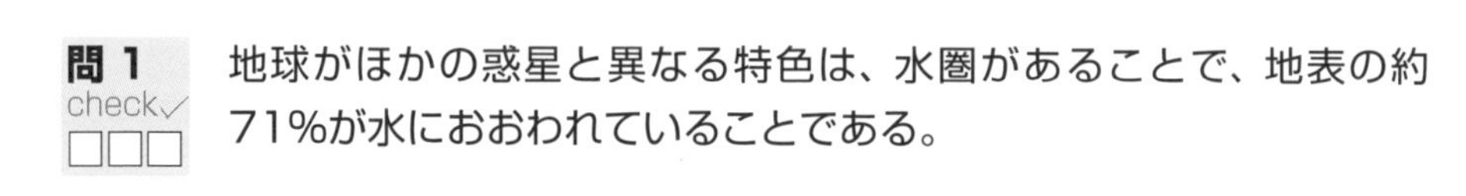

問1 check✓ □□□
地球がほかの惑星と異なる特色は、水圏があることで、地表の約71%が水におおわれていることである。

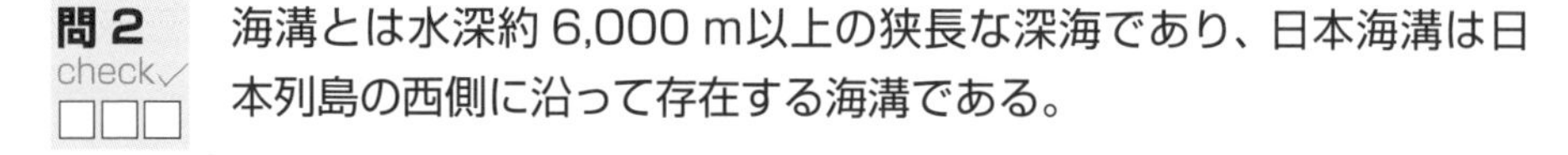

問2 check✓ □□□
海溝とは水深約6,000 m以上の狭長な深海であり、日本海溝は日本列島の西側に沿って存在する海溝である。

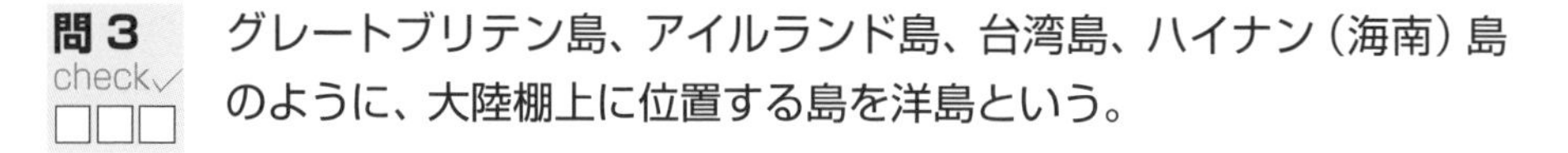

問3 check✓ □□□
グレートブリテン島、アイルランド島、台湾島、ハイナン（海南）島のように、大陸棚上に位置する島を洋島という。

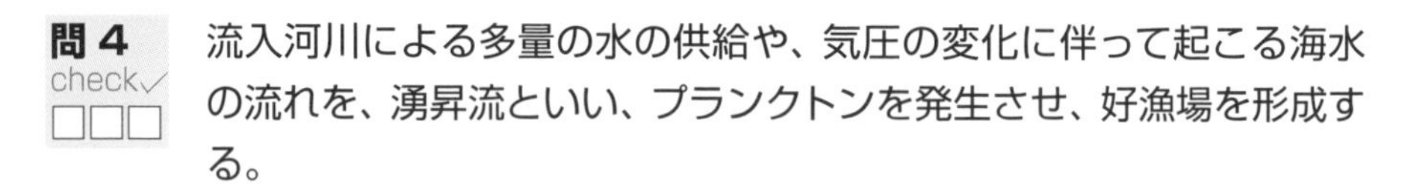

問4 check✓ □□□
流入河川による多量の水の供給や、気圧の変化に伴って起こる海水の流れを、湧昇流といい、プランクトンを発生させ、好漁場を形成する。

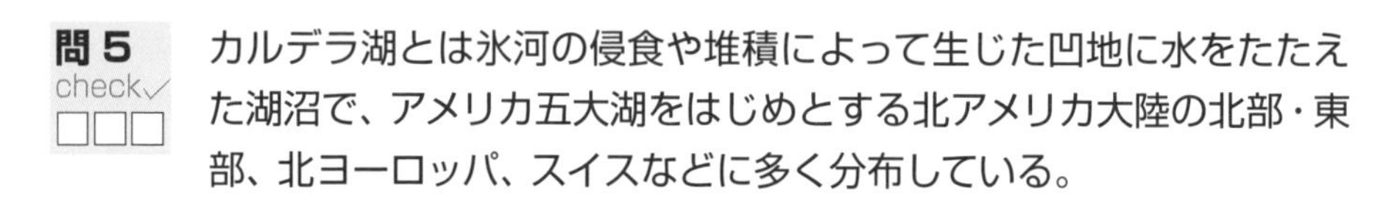

問5 check✓ □□□
カルデラ湖とは氷河の侵食や堆積によって生じた凹地に水をたたえた湖沼で、アメリカ五大湖をはじめとする北アメリカ大陸の北部・東部、北ヨーロッパ、スイスなどに多く分布している。

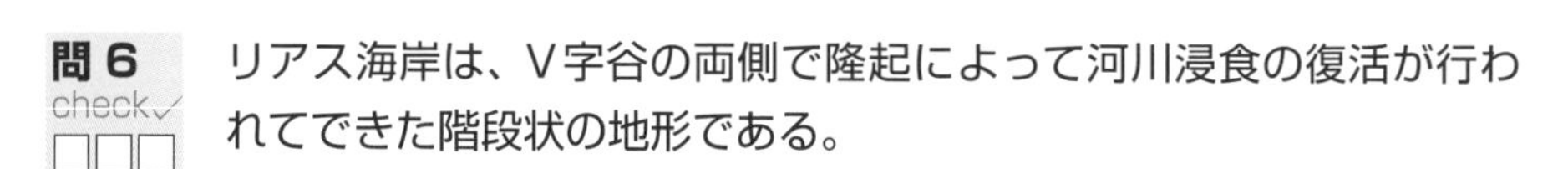

問6 check✓ □□□
リアス海岸は、V字谷の両側で隆起によって河川浸食の復活が行われてできた階段状の地形である。

問7 check✓ □□□
河口にできる平野で、泥や砂からなり、地表が低く、ほぼ水平の地形を三角州という。

問8 check✓ □□□
洪水の際に、河道からあふれた河水が、流速を減じ土砂を堆積して生じた堤防状の高まりを自然堤防という。

問1 ○ 地球の表面の約71％が海洋、約29％が陸地である。地球温暖化が進行すると、海洋の面積がさらに増加すると予想されている。

問2 × 設問文の前半は正しい記述であるが、**日本海溝**は日本列島の東側、北海道の襟裳岬南東沖から房総半島南沖にかけてのびる海溝である。

問3 × 大陸棚上に位置する島は**陸島**という。**洋島**は大洋底から直接そびえ立つ島であり、火山島と火山島の沈下に際して形成されたサンゴ礁とがあり、ハワイ諸島やグアム島が代表例である。

問4 ○ 水深200 ～ 300 mほどの**中層**の寒冷な海水が、種々の原因によって上昇し、海面に湧き出る現象。南アメリカペルー沖、アンゴラからガボンにかけてのアフリカの西岸沖などにみられる。

問5 × **カルデラ湖**ではなく、**氷河湖**の説明である。**カルデラ湖**は、火山帯の陥没により生じた凹地に水をたたえた湖沼である。

問6 × **リアス海岸**は、山地の沈降によって生じた鋸歯状の屈曲を持つ海岸であり、日本では**三陸海岸**や**若狭湾**などがよく知られている。

問7 ○ **三角州**とは、河川が海に流れ込むときに、河口付近に土砂が溜められたもので、ナイル川河口やガンジス川河口、メコン川河口などがよく知られている。いわゆる**デルタ**と呼ばれるもの。

問8 ○ **自然堤防**とは砂や粘土などの洪水堆積物からなる河岸の微高地であり、洪水時に河道からあふれ出た濁流が、急に流速を減じたため運搬物を沈殿させて生じるもの。

地理　問題

以下の記述を読み、正しいものには○、誤っているものには×をつけよ。

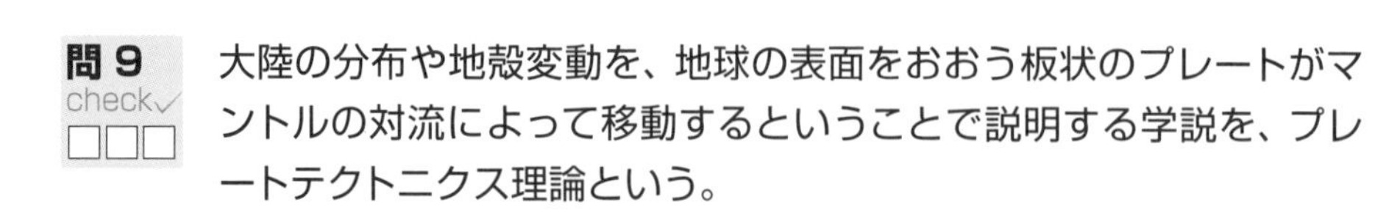

問 9　check✓ □□□

大陸の分布や地殻変動を、地球の表面をおおう板状のプレートがマントルの対流によって移動するということで説明する学説を、プレートテクトニクス理論という。

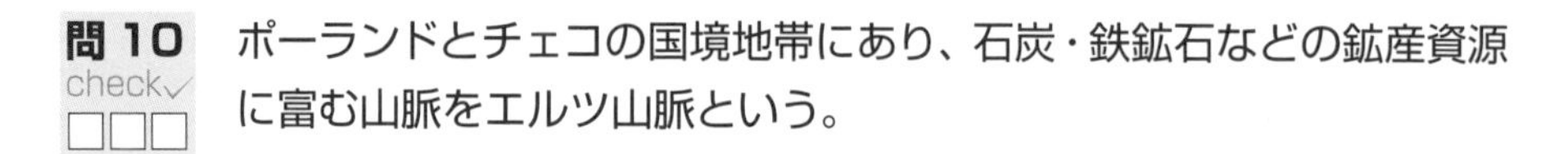

問 10　check✓ □□□

ポーランドとチェコの国境地帯にあり、石炭・鉄鉱石などの鉱産資源に富む山脈をエルツ山脈という。

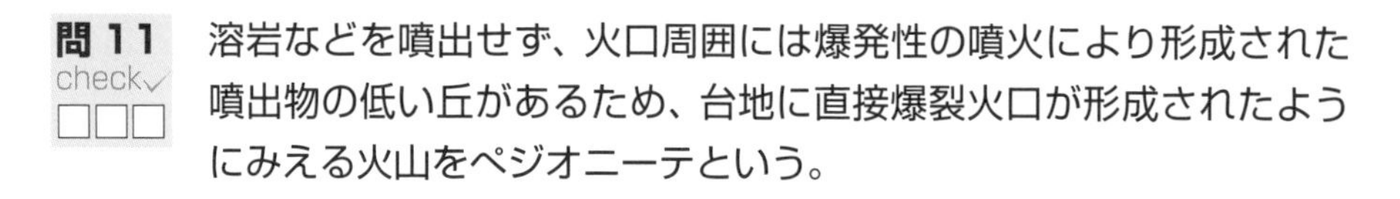

問 11　check✓ □□□

溶岩などを噴出せず、火口周囲には爆発性の噴火により形成された噴出物の低い丘があるため、台地に直接爆裂火口が形成されたようにみえる火山をペジオニーテという。

問 12　check✓ □□□

タンザニア北東部に位置し、5,895 mの海抜高度を持つ成層火山をキリマンジャロ山という。

問 13　check✓ □□□

激しい地殻運動を受けることなく水平に堆積した古い地層からなり、地表面の起伏がきわめて少ない浸食平野を構造平野という。

問 14　check✓ □□□

溶岩などの硬い地層が、浸食されやすい地層の上にのり、硬層に保護されて下の軟層が浸食をまぬがれることにより形成された、周囲を急斜面で囲まれた卓状の土地をケスタという。

問 15　check✓ □□□

スロベニア西部の地名に語源を持つ、炭素ガスを含む水による石灰岩の浸食地形をカルスト地形という。

問 16　check✓ □□□

日本アルプスとは、本州中部地方、中央高地の飛驒・日高・赤石の3つの山脈を総括した呼び名である。

問9 ○ 地球の表面が厚さ約100kmのいくつかの**プレート**(板)におおわれており、これが**マントル**対流によって移動するため、現在のような大陸分布や大山脈の形成がみられるという学説を、**プレートテクトニクス理論**という。

問10 × **ズデーテン山脈**が正しい。**エルツ山脈**は、ドイツとチェコの国境地帯にあり、岩塩・ウラン・銅・コバルトなどの鉱産資源に富む山脈である。

問11 × **マール**が正しい。**ペジオニーテ**とは、流動性の大きい塩基性溶岩が多くの噴出口や割れ目から流出して形成された台地状の火山のこと。インドの**デカン高原**が代表例。

問12 ○ **キリマンジャロ山**はアフリカ最高峰である。赤道付近に位置するが、山頂には氷河を持ち、中腹ではコーヒー・サイザル麻の栽培が行われている。

問13 ○ **浸食平野**とは浸食作用によって地表の起伏が削り取られて形成された平野であり、成因によって**準平原**・**構造平野**などに分けられる。**構造平野**は、堆積した地層がほぼ水平を保ち、長い間の浸食を受けてつくられた平坦地、またはゆるやかな波状起伏地である。

問14 × **ケスタ**ではなく**メサ**が正しい。**メサ**の例としては香川県の屋島などが挙げられる。**ケスタ**とは緩傾斜した硬軟互層が差別浸食により形成した急斜面と緩斜面からなる丘陵のこと。

問15 ○ スロベニア西部の**カルスト**地方に典型的に発達しているため、この名が付いた。二酸化炭素を含む水により石灰岩が浸食され、**ドリーネ**・**ポリエ**・**鍾乳洞**など特異な地形が形成される。

問16 × 日本アルプスとは**飛驒**・**木曽**・**赤石**の3山脈を総称した呼び名。日高山脈は、北海道中央部、狩勝峠から襟裳岬にいたる山脈である。

地理　問題

以下の記述を読み、正しいものには○、誤っているものには×をつけよ。

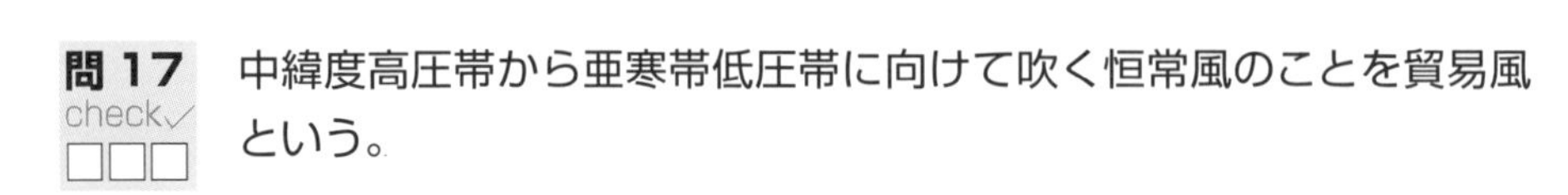

問 17 check✓ □□□

中緯度高圧帯から亜寒帯低圧帯に向けて吹く恒常風のことを貿易風という。

問 18 check✓ □□□

アラビア海やベンガル湾で発生し、南アジアを襲う熱帯性低気圧のことをサイクロンという。

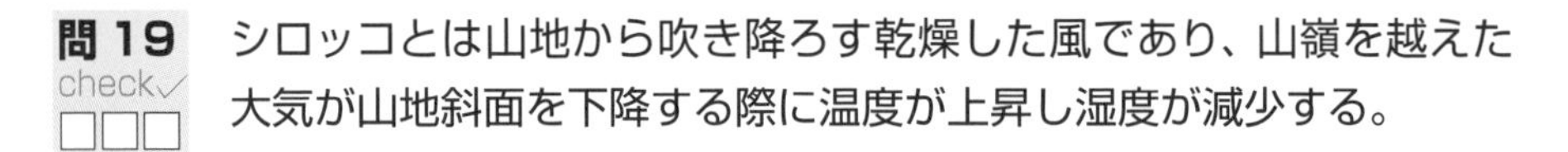

問 19 check✓ □□□

シロッコとは山地から吹き降ろす乾燥した風であり、山嶺を越えた大気が山地斜面を下降する際に温度が上昇し湿度が減少する。

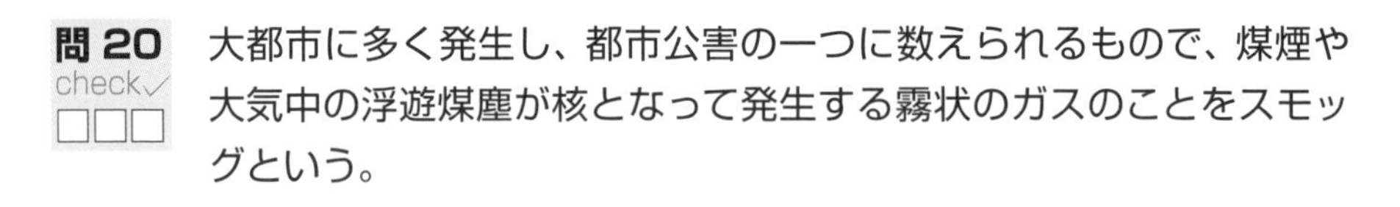

問 20 check✓ □□□

大都市に多く発生し、都市公害の一つに数えられるもので、煤煙や大気中の浮遊煤塵が核となって発生する霧状のガスのことをスモッグという。

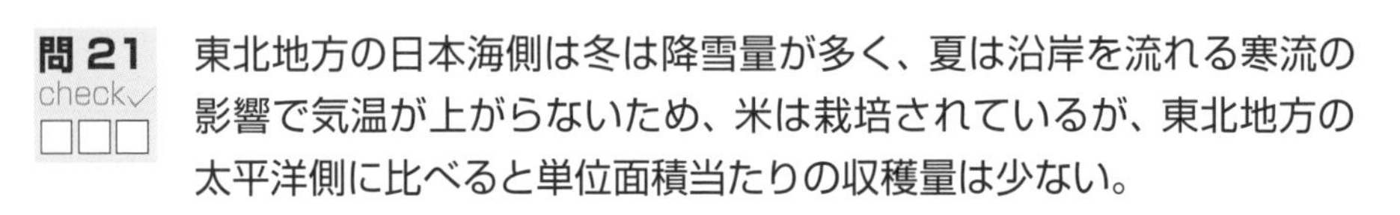

問 21 check✓ □□□

東北地方の日本海側は冬は降雪量が多く、夏は沿岸を流れる寒流の影響で気温が上がらないため、米は栽培されているが、東北地方の太平洋側に比べると単位面積当たりの収穫量は少ない。

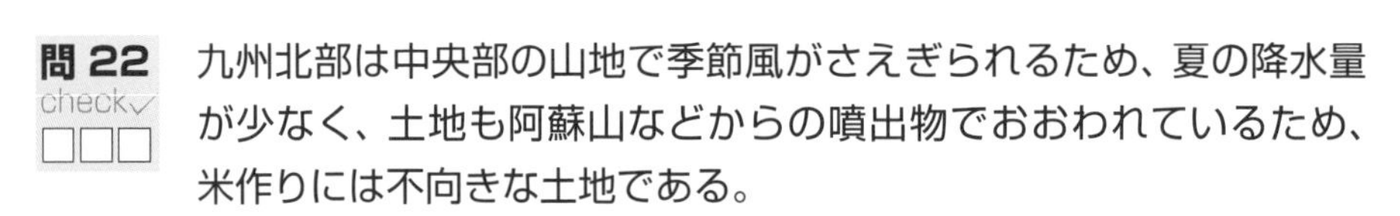

問 22 check✓ □□□

九州北部は中央部の山地で季節風がさえぎられるため、夏の降水量が少なく、土地も阿蘇山などからの噴出物でおおわれているため、米作りには不向きな土地である。

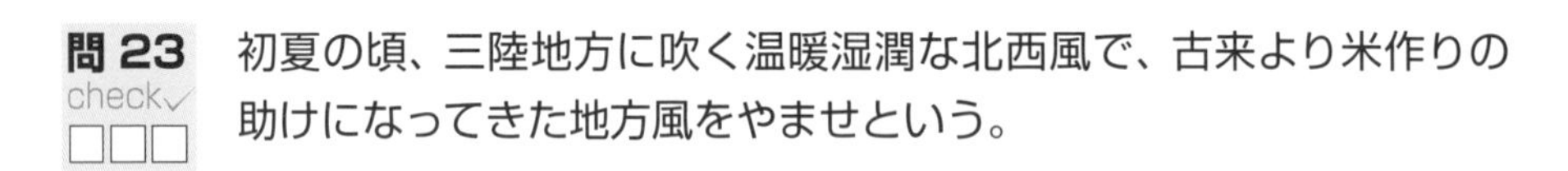

問 23 check✓ □□□

初夏の頃、三陸地方に吹く温暖湿潤な北西風で、古来より米作りの助けになってきた地方風をやませという。

問 17 × 貿易風ではなく**偏西風**が正しい。**偏西風**は地球の自転に伴う転向力の影響を受けて、ほぼ**西風**となる。**貿易風**とは、亜熱帯高圧帯から赤道低圧帯に向けて吹く恒常風であり、同じく地球の自転に伴う転向力の影響を受け、北半球では**北東風**、南半球では**南東風**になる。

問 18 ○ 南半球のインド洋に発生し、モーリシャス島やマダガスカル島を襲う熱帯性低気圧や、南西太平洋に発生してオーストラリアのクインズランド州付近を襲う熱帯性低気圧にも、同じ**サイクロン**という名前が付いている。

問 19 × **フェーン**が正しい。**シロッコ**とは地中海中部から東部の海岸地方で、主として春に吹く南ないし南東の高温多湿な風のこと。ちなみに**フェーン**とは元々アルプス山地北斜面の特有な呼称であったが、現在では**フェーン現象**として同種の気象現象を示す一般名称となっている。

問 20 ○ **スモッグ**とは、煙(smoke)と霧(fog)の合成語。冬の風のない夜から朝にかけて、地表付近の空気が冷えたとき、煙や排気ガスがよどむような場合に発生する。

問 21 × 東北地方の日本海側には**対馬海流**(暖流)が流れており、また夏には太平洋からユーラシア大陸にかけて吹く**季節風**が**フェーン現象**の原因となることもあるので、東北地方の太平洋側に比べると高温になり、米作りが盛んで、単位面積当たりの収穫量も多い。

問 22 × 九州北部は日本海に面している地方でも降水量は夏に多い。気温も夏にはかなり上昇することから米作りが盛んで、**筑紫平野**は日本を代表する米作地帯の一つである。

問 23 × **やませ**とは、初夏の頃に三陸地方に吹く冷涼湿潤な北東風で、稲作などに被害を与え**冷害**の原因となる地方風である。

地理　問題

以下の記述を読み、正しいものには○、誤っているものには×をつけよ。

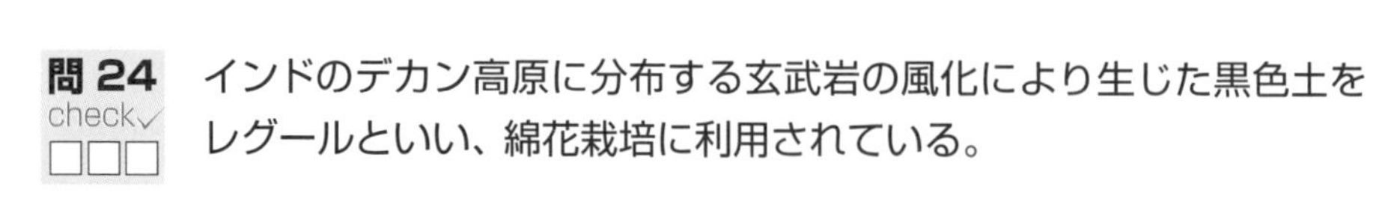

問 24 check✓ □□□

インドのデカン高原に分布する玄武岩の風化により生じた黒色土をレグールといい、綿花栽培に利用されている。

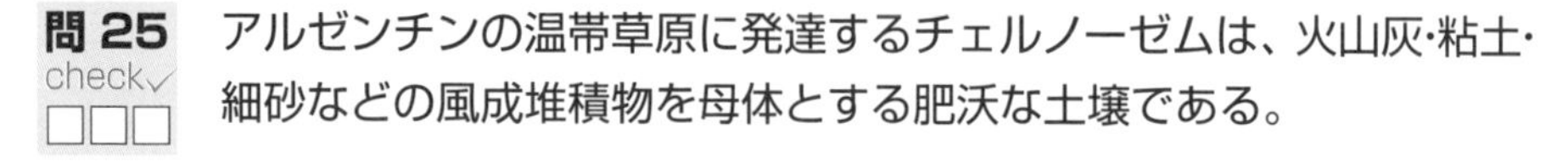

問 25 check✓ □□□

アルゼンチンの温帯草原に発達するチェルノーゼムは、火山灰･粘土･細砂などの風成堆積物を母体とする肥沃な土壌である。

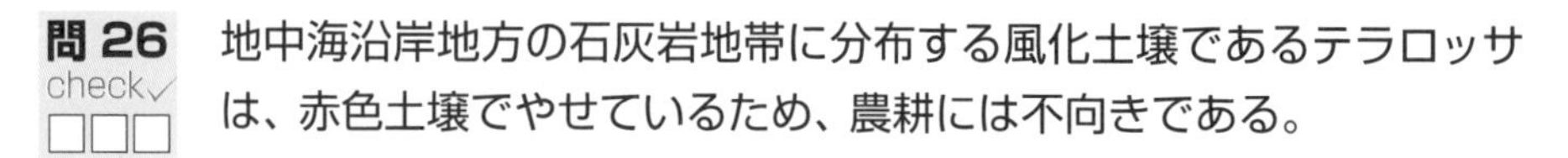

問 26 check✓ □□□

地中海沿岸地方の石灰岩地帯に分布する風化土壌であるテラロッサは、赤色土壌でやせているため、農耕には不向きである。

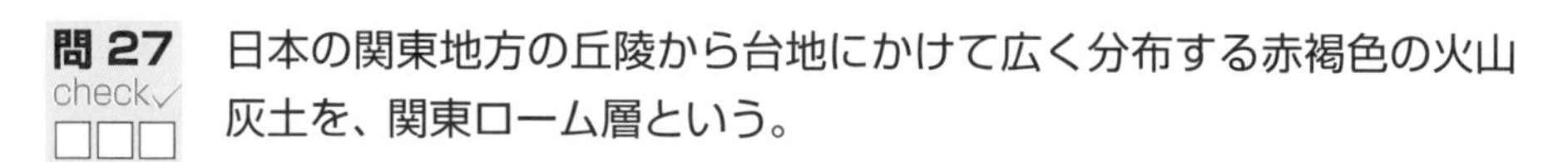

問 27 check✓ □□□

日本の関東地方の丘陵から台地にかけて広く分布する赤褐色の火山灰土を、関東ローム層という。

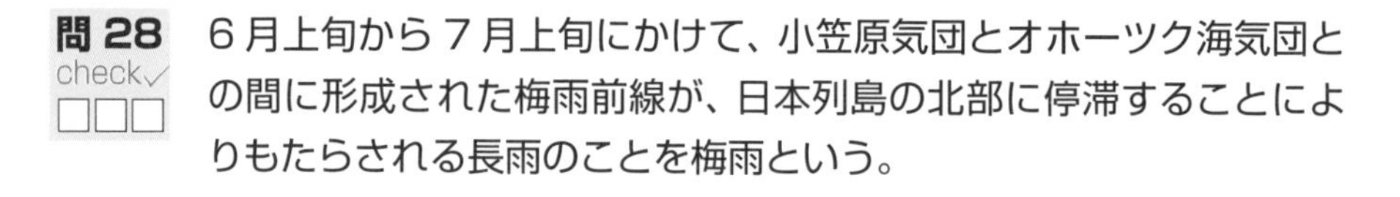

問 28 check✓ □□□

6月上旬から7月上旬にかけて、小笠原気団とオホーツク海気団との間に形成された梅雨前線が、日本列島の北部に停滞することによりもたらされる長雨のことを梅雨という。

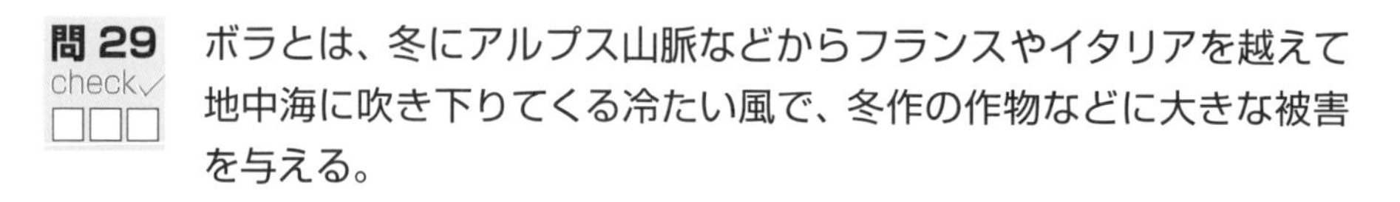

問 29 check✓ □□□

ボラとは、冬にアルプス山脈などからフランスやイタリアを越えて地中海に吹き下りてくる冷たい風で、冬作の作物などに大きな被害を与える。

問 30 check✓ □□□

千島列島、北海道、東北日本の太平洋岸を南下する海流のことを親潮といい、不透明な緑色をした海水はプランクトンに富み、好漁場を形成している。

問 31 check✓ □□□

ベーリング海は、ユトランド半島とスカンディナビア半島に囲まれた大西洋の縁海である。

問 24 ○ **レグール**は玄武岩(火山の噴出岩)を母岩とする肥沃な土壌であり、綿花の栽培に適し、黒色綿花土とも呼ばれている。

問 25 × チェルノーゼムではなく**パンパ**が正しい。チェルノーゼムとは、ロシア語で黒色土を意味し、**ウクライナ**から西シベリアにかけて典型的に発達する肥沃な腐植土のこと。世界的な**小麦地帯**を形成している。

問 26 × **テラロッサ**は表層に薄い腐植層を持ち、下層は赤色または赤褐色を呈する土壌で、果物や小麦などの栽培に利用されている。

問 27 ○ **関東ローム層**とは、関東地方の台地や丘陵をおおう火山性の赤褐色土壌である。関東北部では主に浅間山・榛名山・赤城山の、関東南部では富士山・箱根山の火山灰が堆積した。

問 28 × 梅雨は**小笠原気団**と**オホーツク海気団**との間に形成された梅雨前線が、日本列島の南部に停滞することでもたらされ、北海道を除く日本付近でみられる。

問 29 × ボラではなく**ミストラル**の説明である。**ボラ**とは、ディナルアルプス山脈(バルカン半島北西部のアドリア海沿いの山脈)からアドリア海に吹き下りてくる非常に冷たい風で、やはり農作物に被害を与える。

問 30 ○ **親潮**は千島海流ともいう。三陸沖あたりから銚子沖あたりの日本列島の太平洋岸で暖流である**黒潮**(日本海海流)とぶつかって潮目をつくり、**黒潮**の下にもぐりこむ。好漁場を形成し、「魚を育てる親」という意味で「**親潮**」と呼ばれるようになった。

問 31 × ベーリング海ではなく**バルト海**が正しい。ベーリング海は、北太平洋北部、東をアラスカ、西をシベリア、南をアリューシャン列島に囲まれた太平洋の縁海である。

地理　問題

以下の記述を読み、正しいものには○、誤っているものには×をつけよ。

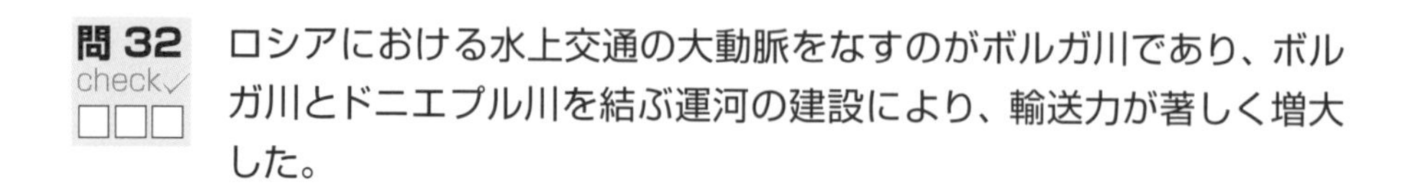

問 32 check✓ □□□

ロシアにおける水上交通の大動脈をなすのがボルガ川であり、ボルガ川とドニエプル川を結ぶ運河の建設により、輸送力が著しく増大した。

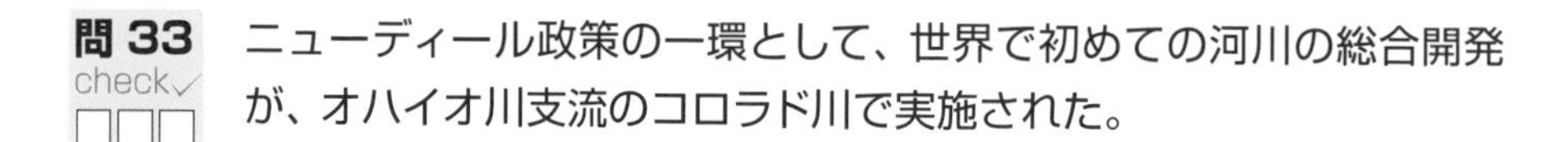

問 33 check✓ □□□

ニューディール政策の一環として、世界で初めての河川の総合開発が、オハイオ川支流のコロラド川で実施された。

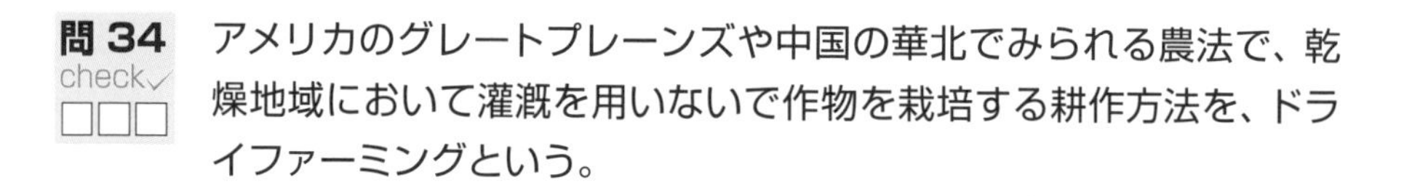

問 34 check✓ □□□

アメリカのグレートプレーンズや中国の華北でみられる農法で、乾燥地域において灌漑を用いないで作物を栽培する耕作方法を、ドライファーミングという。

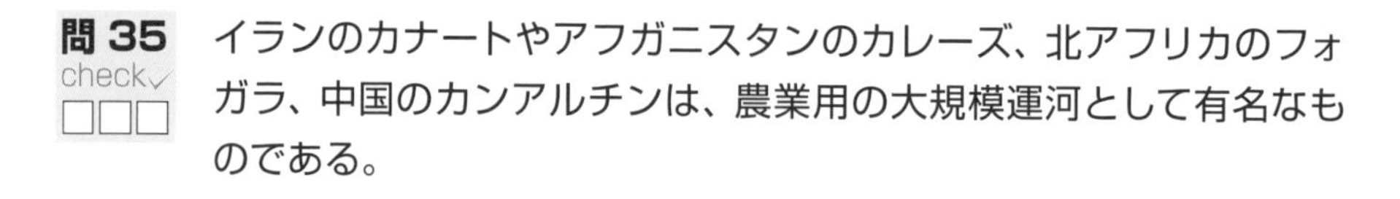

問 35 check✓ □□□

イランのカナートやアフガニスタンのカレーズ、北アフリカのフォガラ、中国のカンアルチンは、農業用の大規模運河として有名なものである。

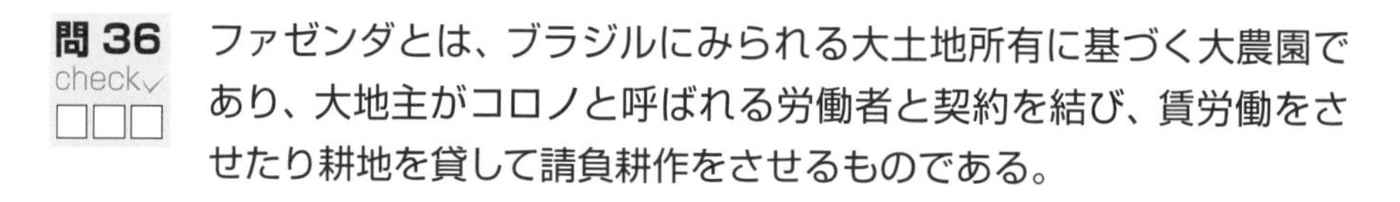

問 36 check✓ □□□

ファゼンダとは、ブラジルにみられる大土地所有に基づく大農園であり、大地主がコロノと呼ばれる労働者と契約を結び、賃労働をさせたり耕地を貸して請負耕作をさせるものである。

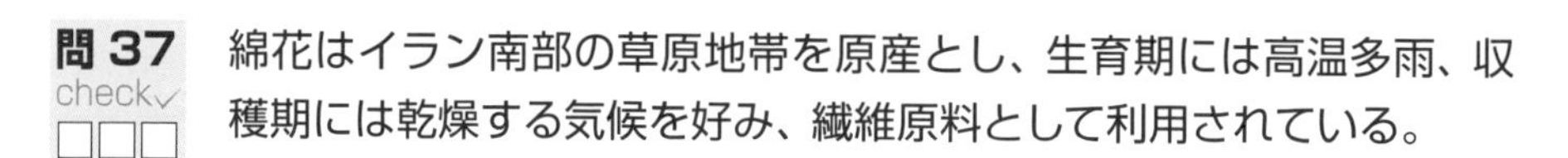

問 37 check✓ □□□

綿花はイラン南部の草原地帯を原産とし、生育期には高温多雨、収穫期には乾燥する気候を好み、繊維原料として利用されている。

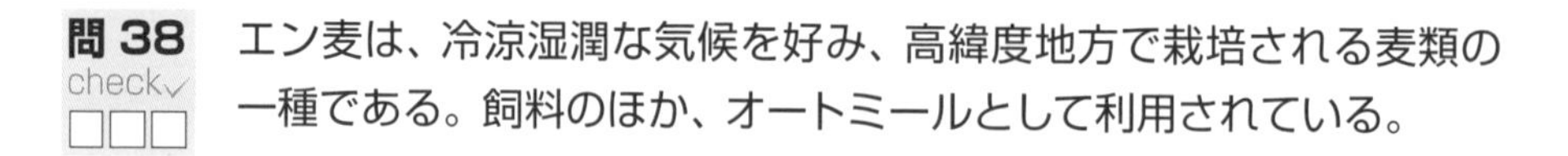

問 38 check✓ □□□

エン麦は、冷涼湿潤な気候を好み、高緯度地方で栽培される麦類の一種である。飼料のほか、オートミールとして利用されている。

問32 × 1952年にヨーロッパロシアの2大河川であるボルガ川とドン川を結ぶ**ボルガ=ドン運河**が建設された。全長101kmに及ぶ運河の完成により、北極海・白海・バルト海・黒海・カスピ海の5つの海が結合し、輸送力が著しく増大した。

問33 × コロラド川ではなく、**テネシー川**が正しい。**テネシー川**流域の開発のために設立された政府直轄機関が、**テネシー川**流域開発公社（TVA）であり、**テネシー川**流域に約30の多目的ダムが建設された。

問34 ○ 乾燥（乾地）農法のこと。耕地を深く耕して降雨をしみこませた後、さらに浅く耕して毛細管現象を断ち、水分の蒸発を防ぐことによってわずかな降雨を有効に利用する耕作法である。

問35 × すべて**地下用水路**である。地下水をずい道に導いて地下水を利用する水路であり、導水中の蒸発を防ぐため数十kmに及ぶものもある。

問36 ○ **ファゼンダ**はブラジルの大規模農園で、大きなものには学校や教会なども存在する。**ファゼンダ**ではコーヒーの栽培のほか、サトウキビや綿花などが栽培されている。農場主のことをファゼンデイロ、契約労働者のことを**コロノ**という。

問37 × 綿花の原産地はインドの**デカン高原**周辺であり、生育期には高温多雨、収穫期には乾燥する気候が適するアオイ科の繊維原料である。

問38 ○ エン麦はオート麦、カラス麦ともいう。**冷涼湿潤**な気候に適する麦の一種で、寒冷な地方は春まき、やや温暖な地方は冬まきであり、青刈り飼料用には秋まきが多い。

以下の記述を読み、正しいものには○、誤っているものには×をつけよ。

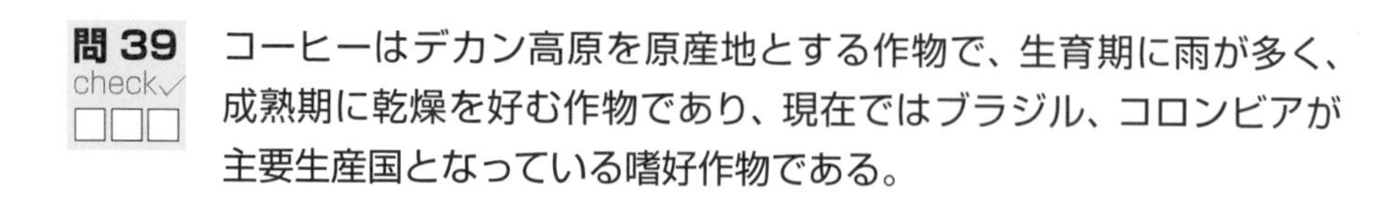

問 39 check✓ □□□

コーヒーはデカン高原を原産地とする作物で、生育期に雨が多く、成熟期に乾燥を好む作物であり、現在ではブラジル、コロンビアが主要生産国となっている嗜好作物である。

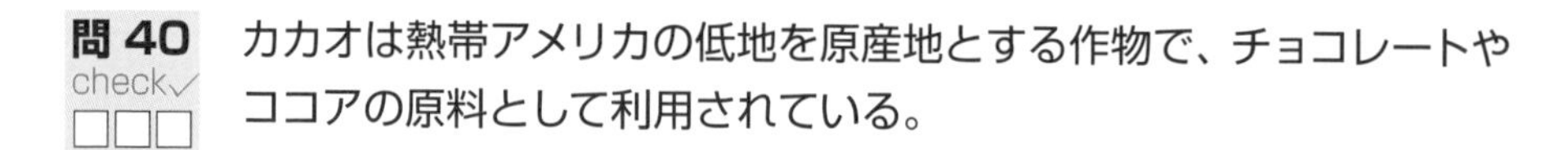

問 40 check✓ □□□

カカオは熱帯アメリカの低地を原産地とする作物で、チョコレートやココアの原料として利用されている。

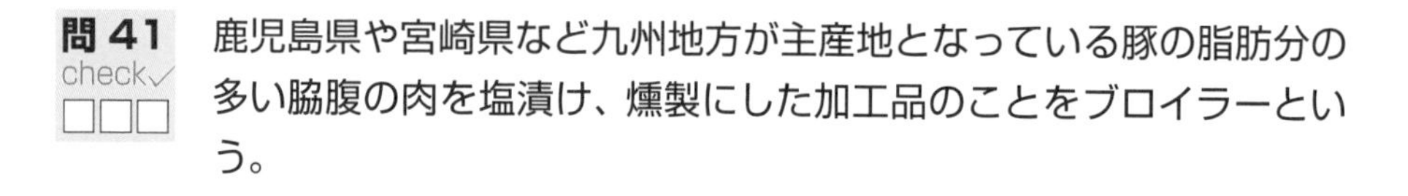

問 41 check✓ □□□

鹿児島県や宮崎県など九州地方が主産地となっている豚の脂肪分の多い脇腹の肉を塩漬け、燻製にした加工品のことをブロイラーという。

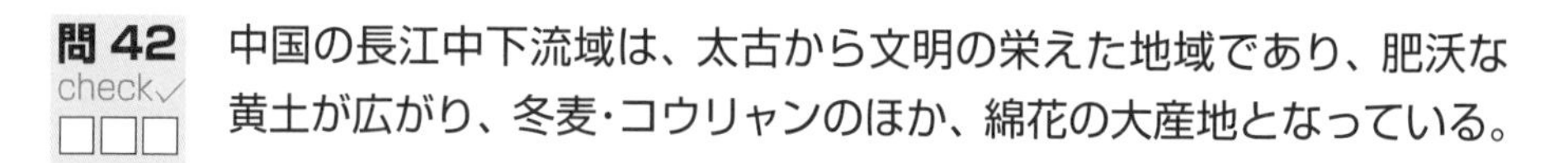

問 42 check✓ □□□

中国の長江中下流域は、太古から文明の栄えた地域であり、肥沃な黄土が広がり、冬麦･コウリャンのほか、綿花の大産地となっている。

問 43 check✓ □□□

ラオスやカンボジアの米作地帯を貫流するチャオプラヤ川下流のデルタは、かつてイギリス資本によって商業的米作地帯として開発された。

問 44 check✓ □□□

インドネシアでは、フランス植民地時代の 1830 年頃から約 40 年間にわたって、ヨーロッパ向け農産物の栽培を強制的に現地農民に割り当てる強制栽培制度が行われていた。

問 45 check✓ □□□

インダス川上流のパンジャブ地方は、イギリス植民地時代に大規模な灌漑工事が実施され、現在では小麦や綿花の大産地になっている。

問 39 × デカン高原が誤り。コーヒーは、**エチオピア**の**カッファ**地方を原産地とする高温で成長期に多雨、結実期には乾燥を好む嗜好作物である。プランテーションで栽培されることが多い。

問 40 ○ カカオは西アフリカのギニア湾岸が主産地であり、地元民の小規模経営により栽培されている。**主産地**と原産地は異なるので注意する。

問 41 × 豚の脂肪分の多い脇腹の肉を塩漬け、燻製にした加工品は**ベーコン**であり、デンマークなど、豚の飼育が多い混合農業地域で多く生産されている。ブロイラーは、食肉用に改良された鶏の一種で、主に配合飼料により企業的に大量生産されている家畜で、鹿児島県や宮崎県が主産地になっている。

問 42 × 設問文は**黄河**流域、華北地方の説明である。長江中下流域は、水田の二毛作地域であり、冬には裏作として麦・野菜などが栽培されている。

問 43 × ラオスやカンボジアの米作地帯を貫流するのは**メコン川**であり、その下流のデルタはかつてフランス資本によって開発された。**チャオプラヤ（メナム）川**は、タイの中央部を流れる川で、下流では浮稲が栽培されている。

問 44 × インドネシアは**オランダ**の植民地であった。後半の記述は正しい。強制栽培制度とは、プランテーション地域において、宗主国の政府や経営者が現地人に対し輸出用農産物の栽倍を強制的に割り当てる制度であり、インドネシアのほかギニア湾岸などにもみられた。

問 45 ○ 古代インダス文明発祥の地であり、**パンジャブ**という言葉はペルシア語で「五つの川」を意味し、**インダス川**の5支流に由来する。

地理　問題

以下の記述を読み、正しいものには○、誤っているものには×をつけよ。

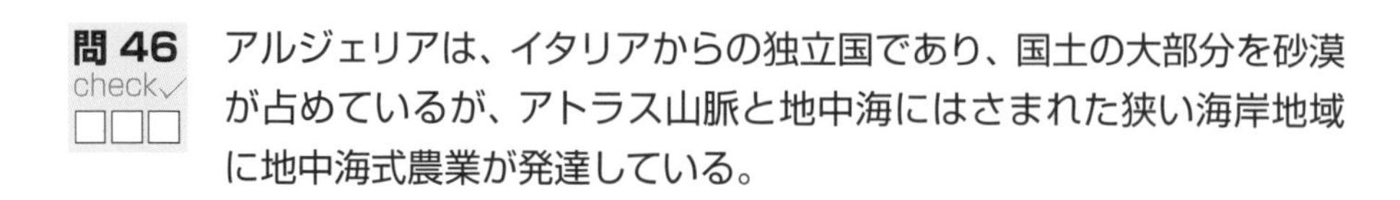

問 46 check✓ □□□
アルジェリアは、イタリアからの独立国であり、国土の大部分を砂漠が占めているが、アトラス山脈と地中海にはさまれた狭い海岸地域に地中海式農業が発達している。

問 47 check✓ □□□
白人の経営に始まるコーヒー・茶・サイザル麻の栽培が盛んなケニアの高原地帯を、ホワイトハイランドという。

問 48 check✓ □□□
イタリアでは農業においても北部と南部の格差が大きく、北部の農業生産力は低いので外国に出稼ぎに行く農民も多い。一方、南部の平野部では混合農業が中心であり、一部には稲作もみられる。

問 49 check✓ □□□
ドイツの北西部では酪農が盛んで、北東部では小麦やテンサイの栽培を中心とする農業が主体である。

問 50 check✓ □□□
酪農が盛んなスイスのアルプス山地では、冬季の舎飼いと夏季のアルプでの放牧を組み合わせた牛の移牧が行われている。

問 51 check✓ □□□
パリ盆地東部にあるシャンパーニュ地方は、小麦と牧牛を中心とする商業的混合農業がみられ、シャンパンの名で知られるブドウ酒の生産地として有名である。

問 52 check✓ □□□
フランス西部のラングドック地方は、丘陵が多く耕地にめぐまれず人口流出も多いが、近年集約的な家畜飼育による商業的混合農業が発達している。

問 46 ×　アルジェリアは 1962 年に**フランス**から独立した。アトラス山脈と地中海にはさまれた北部では地中海式農業が発達しており、南部のサハラ砂漠で 1956 年に油田が発見されて以降、産油国として急速に発展した。

問 47 ○　ケニア山周辺の白人が入植した高原地帯を**ホワイトハイランド**という。植民地時代にイギリス人を中心とするヨーロッパ人が独占的にコーヒーや茶などのプランテーションを発達させた。

問 48 ×　イタリアの農業には南北格差があるが、**北部**が豊かであることが特徴。北部のポー川流域は比較的水量も多く、平野も広いため小麦や野菜、草花などの栽培が盛んであり、経営規模も大きく農家の生活は比較的豊かであり、一部では稲作も行われている。一方**南部**は、平野が狭く、経営規模も小さく、降水量も少ないため、農家の生活は苦しい。

問 49 ×　ドイツは中央部で小麦栽培、南部でブドウ、北東部ではライ麦・ジャガイモ、北西部では**酪農**が盛んに行われている。

問 50 ○　スイスでは山の斜面を牧草地として利用しており、移牧が盛んである。6月から9月頃にかけては**アルプ**（高地牧場）で放牧し、冬は麓の村で舎飼いする。

問 51 ○　**シャンパーニュ**地方はパリ盆地東部一帯を指す地方名であり、**セーヌ川**の本・支流が流れ、**ケスタ**地帯が発達している。ブドウ栽培が盛んでシャンパンの生産で有名である。

問 52 ×　**ブルターニュ**地方についての説明である。**ラングドック**地方は、フランスの中央高地南部、ガロンヌ川とローヌ川にはさまれた地域であり、ブドウ栽培が盛んで、フランス最大の大衆ワインの産地になっている。

以下の記述を読み、正しいものには〇、誤っているものには×をつけよ。

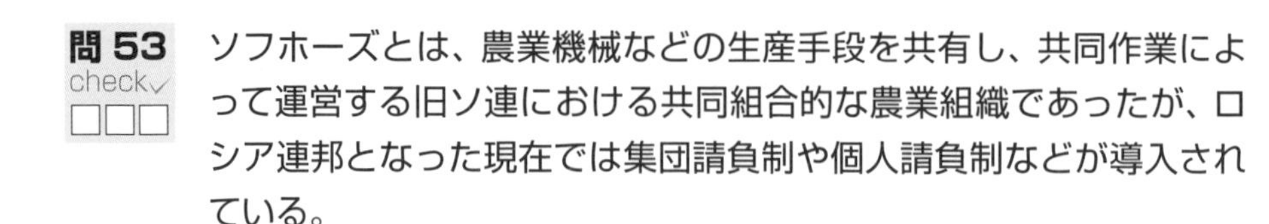

問 53 check✓ □□□

ソフホーズとは、農業機械などの生産手段を共有し、共同作業によって運営する旧ソ連における共同組合的な農業組織であったが、ロシア連邦となった現在では集団請負制や個人請負制などが導入されている。

問 54 check✓ □□□

ウクライナ共和国では、肥沃なチェルノーゼムを背景に小麦を生産し、ロシア革命前はヨーロッパ諸国に輸出して「世界の穀倉庫」と呼ばれた。

問 55 check✓ □□□

タウンシップ制とは、アメリカ合衆国で 1862 年に実施された土地制度で、西部開拓を進めるため、入植者が 5 年以内に規定面積を開拓した場合、これを自営農地として認めることを定めたものである。

問 56 check✓ □□□

アメリカのグレートプレーンズなどにみられるセンターピボット方式とは、360 度回転するアームで地下水などを散水する灌漑農法のことである。

問 57 check✓ □□□

オーストラリア北東部のクインズランド州は、国内で最も経済活動が盛んな州であり、石炭にめぐまれ、工業が発達している。

問 58 check✓ □□□

北海道の石狩平野は、降水量が少なく砂質土壌のため、多くの灌漑用溜池を利用して米などの栽培が行われている。

問 59 check✓ □□□

新潟平野は江戸時代から河川の分水、低湿地の干拓、土地改良事業が行われ、現在では主要米作地帯の一つである。

問 53 × 設問文は**コルホーズ**(集団農場)の説明。**ソフホーズ**(国営農場)は、土地・農業機械など生産手段や生産物がすべて国有とされる旧ソ連の国営農業組織である。**ソフホーズ**で働く農民は国家公務員である。

問 54 ○ ウクライナ共和国は、**チェルノーゼム**が広がる穀倉地帯を持ち、現在も世界有数の小麦の産地の一つである。また石炭・鉄鉱石・水力電気にめぐまれ、**ドニエプル**工業地域が存在し、鉄鋼・機械・化学工業などが発達している。

問 55 × 設問文は**ホームステッド法**についての記述である。**タウンシップ制**とは、アメリカやカナダで18世紀後半から19世紀前半に行われた公有地の分割制度のことである。

問 56 ○ **センターピボット方式**は、乾燥・半乾燥地域にみられる灌漑農法であり、360度回転するアームで地下水の散水、施肥、農薬散布などを行う。グレートプレーンズでの利用は特に有名で、空中から見ると、緑の円盤かコインを並べたように見える。

問 57 × オーストラリアで最も経済活動が盛んなのは南東部の**ニューサウスウエールズ**州である(州都はシドニー)。北東部のクインズランド州は、太平洋とアラフラ海に面し、州の北東部沿岸は温暖湿潤気候でサトウキビの栽培が盛んであり、内陸部は乾燥気候で肉牛と羊の放牧地帯になっている。

問 58 × 設問文は四国の**讃岐平野**の説明。石狩平野では泥炭地を開発して水田化し、稲作以外にも酪農が盛んに行われている。

問 59 ○ **新潟平野**(越後平野)は信濃川・阿賀野川などによって形成された**沖積平野**であり、18世紀以降、藩政時代からの分水・干拓・土地改良などが続けられた結果、日本有数の米作地帯を形成している。

問題

以下の記述を読み、正しいものには○、誤っているものには×をつけよ。

問 60
check✓
□□□

中部地方最大の沖積平野である濃尾平野は、クリークが発達し生産性の高い集約的な米作がみられる。

問 61
check✓
□□□

日本は国土面積の約 67%が森林であり、国が所有する国有林が、森林面積と木材蓄積量の約 60%を占めている。

問 62
check✓
□□□

アカシアは、日本では岩手県以南の本州・四国・九州に広く自生するマツ科の常緑針葉樹であり、建築・家具・樽材のほか、パルプ材としても用いられている。

問 63
check✓
□□□

ドイツのライン川河谷の東側にある「黒森」を意味する人工造林地帯を、シュバルツバルトという。

問 64
check✓
□□□

ドイツはヨーロッパ最大の鉄鉱石産出国であり、この資源を利用して 19 世紀末から重工業の発達に力を入れた。ドイツ最大のルール工業地帯も鉄鉱石立地型の工業地帯である。

問 65
check✓
□□□

北海油田は、埋蔵・生産量ともにヨーロッパ最大の油田であり、イギリス、ノルウェーの水域を中心にオランダ・デンマーク水域内にも広がっている。水深が浅く、波も穏やかなため、生産費が安いことが特徴である。

問60 × クリークが発達し生産性の高い集約的な米作がみられるのは、九州の**筑紫平野**である。**濃尾平野**は木曽川･長良川･揖斐川下流の沖積平野であり、米作が盛んなほか野菜などの園芸農業が発達し、3つの河川の集まる南西部には**輪中集落**がみられる。

問61 × 日本の国土の約67％は森林であるが、森林面積と木材蓄積量の約60％を占めているのは、個人や民間の会社などが所有する私有林である。国有林が占める割合は約**30％**、残りの約10％は、都道府県や市町村などの地方公共団体が所有する公有林が占めている。

問62 × 設問文は**樅（モミ）**についての記述である。**アカシア**はマメ科の常緑樹であり、乾燥した亜熱帯から暖温帯にかけて分布する。多数の種類があり、樹皮からタンニンを採取するほか、アラビアゴムという樹脂にも利用されている。

問63 ○ **シュバルツバルト**はドイツ南西部のライン川河谷（ライン地溝帯）の東側にある山地で、育成林業が盛んに行われ、保養地も多く、美しい森林地帯になっている。

問64 × ドイツは石炭は豊富であるが、鉄鉱石はほとんど産出されない。ルール工業地帯は、石炭立地型工業地帯であり、**ルール炭田**は西ヨーロッパ最大の炭田である。

問65 × **北海油田**は、1960年発見されたヨーロッパ最大の油田であり、イギリス水域内のフォーティーズ・ハミルトン油田、ノルウェー水域内のエコフィスク油田を中心とする。水深が大で荒海のため、生産費が高い。

地理　問題

以下の記述を読み、正しいものには○、誤っているものには×をつけよ。

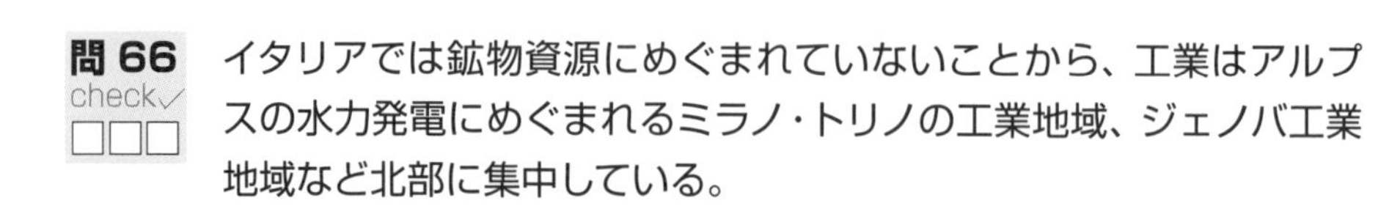

問 66 check✓ □□□

イタリアでは鉱物資源にめぐまれていないことから、工業はアルプスの水力発電にめぐまれるミラノ・トリノの工業地域、ジェノバ工業地域など北部に集中している。

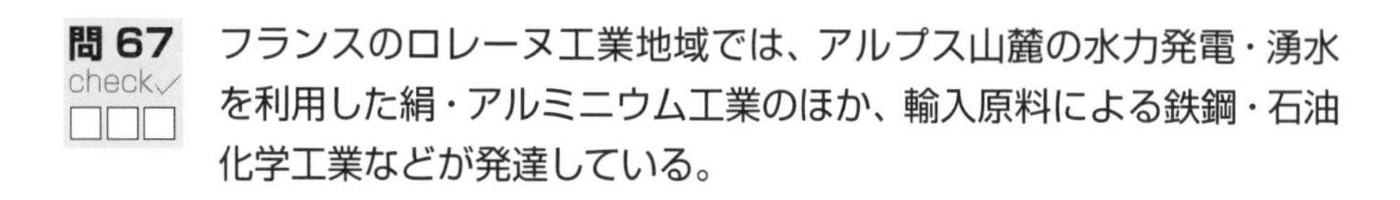

問 67 check✓ □□□

フランスのロレーヌ工業地域では、アルプス山麓の水力発電・湧水を利用した絹・アルミニウム工業のほか、輸入原料による鉄鋼・石油化学工業などが発達している。

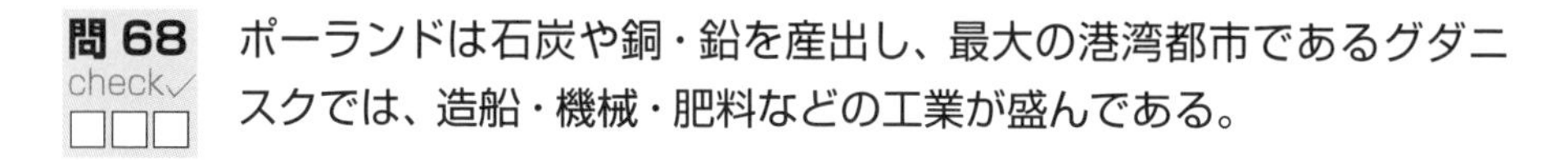

問 68 check✓ □□□

ポーランドは石炭や銅・鉛を産出し、最大の港湾都市であるグダニスクでは、造船・機械・肥料などの工業が盛んである。

問 69 check✓ □□□

アメリカの工業地域の中で、最も早くから発達した工業地域は五大湖沿岸工業地域である。

問 70 check✓ □□□

アメリカの五大湖沿岸工業地域に属するボルティモアは、世界最大の自動車工業都市であり、多数の自動車関連工場が集中するほか、航空機・製鉄などの工業が発達している。

問 71 check✓ □□□

アメリカ南部、テキサス州のダラス、フォートワース、オースチン、ヒューストンなどを含む地域の俗称をシリコンバレーといい、半導体生産が盛んに行われている。

問 72 check✓ □□□

イギリスでは 18 世紀の産業革命以降、中西部の豊富な石炭、鉄鉱資源を背景として工業地域を形成したが、第二次世界大戦以後は燃料や原料の輸入依存度が高まったため、工業の中心地域は中西部から臨海地域や南部に移動した。

問 66 ○ イタリアでは北部の**ミラノ・トリノ・ジェノバ**の3都市を結ぶ三角形一帯で工業が盛んであり、アルプス山脈に降る雨水を利用した**水力発電**が工業の発達を促した。南部の工業は未発達である。

問 67 × 設問文は**リヨン**や**マルセイユ**を中心とする南フランス工業地域についての記述である。**ロレーヌ工業地域**はフランス中東部、モーゼル川の中・下流域に広がり、鉄鋼業のほか、機械・化学工業が発達している。**アルザス地方**とともに「**アルザス＝ロレーヌ工業地帯**」と呼ばれている。

問 68 ○ ポーランド北東部ウィスラ川河口、バルト海に面する港湾都市である**グダニスク**では、造船をはじめ機械・肥料などの工業が発達している。

問 69 × アメリカで最も早く発達したのはアメリカ北東部の**ニューイングランド工業地域**である。**ボストン**を中心として北東部から工業化が始まった。

問 70 × 設問文は**デトロイト**についての記述である。**ボルティモア**は大西洋中部沿岸工業地域に属し、鉄鋼・造船・機械・食品などの工業が発達している。

問 71 × 設問文は**シリコンプレーン**についての記述である。なお、**シリコンバレー**はアメリカ西部カリフォルニア州のサンタクララバレーのサンノゼ付近にあって、**シリコンプレーン**と同様に半導体生産の中心地の俗称であり、アメリカにおける電子工業の集積地として有名である。

問 72 ○ イギリス産業革命推進の背景となったのが、ペニン山脈東麓の**ヨークシャー炭田**と西麓の**ランカシャー炭田**である。第二次世界大戦後は燃料や原料の輸入依存度の高まりから、工業の中心地は南部や沿岸部に移動した。

問題

以下の記述を読み、正しいものには○、誤っているものには×をつけよ。

問 73 check✓ □□□
アメリカは世界一の発電大国といわれ発電量が世界一多く、火力発電が盛んで、総発電量の約 7 割を占めている。

問 74 check✓ □□□
カナダでは水力発電も火力発電も盛んであるが、総発電量の約 6 割は原子力発電によっており、世界で最も原子力発電が盛んな国である。

問 75 check✓ □□□
日本は急傾斜の山々にめぐまれ、自治体によるダム開発も積極的に行われてきた結果、総発電量の約 5 割を水力発電でまかなっている。

問 76 check✓ □□□
大阪府・兵庫県を中心に広がる阪神工業地帯は、現在、日本第 3 位の工業生産高を持つ総合工業地帯である。

問 77 check✓ □□□
一部の開発途上国は先進資本主義国から機械などの生産財を輸入して工業化を積極的に進め、繊維、衣類、家庭電化製品などの労働集約的な製品を先進資本主義国に輸出している。

問 78 check✓ □□□
人口構成を表わすグラフを人口ピラミッドというが、開発途上国の多くは人口ピラミッドが、紡錘型を描いている。

問 79 check✓ □□□
現在の日本では、晩婚化や出生数の減少により人口ピラミッドは釣鐘型を描いている。

問 73 × アメリカは長らく発電量世界一の座を占めていたが、2010 年以降は**中国**が一位となっている。後半の記述は正しい。

問 74 × カナダは氷河の作った湖が多く、**水力発電**が盛んで、総発電量の約 60％を占めており、火力発電が約 20％である。原子力発電の総発電量に占める割合が世界で最も高いのは**フランス**で、総発電量の約 70％を原子力発電が占めている。

問 75 × 日本の総発電量の 8 割以上は石炭、天然ガス、石油などによる**火力発電**が占めている。水力発電の占める割合は約 1 割。原子力発電の割合は、2000 年には約 3 割を占めていたが、2014 年は震災の影響でゼロとなった。

問 76 × **阪神工業地帯**は、かつては綿工業を中心に発展した日本最大の工業地帯であったが、2020 年の工業生産高は国内第2位である。国内第1位は、愛知・岐阜・三重の3県にまたがる**中京工業地帯**、第3位は**関東内陸工業地域**である。

問 77 ○ 開発途上国の中には外資を導入して工業化を進める国も多いが、ある程度工業が進展すると、生産財を輸入して繊維、衣類、自転車、家電などを輸出するような国も現われた。**インド**や**ベトナム**などがその代表例である。

問 78 × 開発途上国の人口ピラミッドは、多産多死型であるため**富士山型**で、乳幼児死亡率が高く、平均寿命が短いのが特徴。

問 79 × 日本では**合計特殊出生率**（一人の女性が生涯に何人子どもを生むかを示す数値）が2程度の国にみられる**釣鐘型**の人口構成を目指しているが、子どもの割合が減ってきているため、**つぼ型**（ひょうたん型に近い）の人口構成になっている。

地理　問題

以下の記述を読み、正しいものには○、誤っているものには×をつけよ。

問 80 check✓ □□□
星型の人口ピラミッドは、生産年齢人口が少なく、高齢層や低年齢層が多い人口構成であり、過疎化の進む農村部などでみられる。

問 81 check✓ □□□
第二次世界大戦後からの、開発途上国を中心とする急激な人口増加を、人口爆発という。

問 82 check✓ □□□
インド北東部に位置するコルカタは、インド東部の政治・経済・文化の中心地であり、農産物の集散地であるとともにインド有数の貿易港になっている。

問 83 check✓ □□□
バングラデシュは、1971 年インドから分離独立したイスラム教国である。米・ジュートの栽培が盛んであり、人口密度が 1133 人／km² 以上ときわめて高い。

問 84 check✓ □□□
イランは、1979 年のイスラム革命によって共和制に移行した世界有数の産油国であるが、8 年に及ぶ隣国との戦争や欧米諸国の経済制裁によって経済が悪化した。

問 85 check✓ □□□
南アフリカ共和国は、レアメタルの世界的産地として知られるが、第二次世界大戦後、極端なアパルトヘイト（人種隔離）政策をとっており、現在でも黒人の参政権が認められていない。

問80 × 設問文は**ひょうたん型**の人口ピラミッドについての記述である。**星型**の人口ピラミッドは、生産年齢人口層とその子どもたちが多い人口構成であり、人口の多い大都市や新開地にみられる。

問81 ○ **人口爆発**とは人口が爆発的に増加する現象であり、産業革命期の欧米を中心とした第1次人口爆発と、第二次世界大戦後の発展途上国を中心とした第2次人口爆発がある。第2次人口爆発は、医療の普及による死亡率の急減に対し、高い出生率が続いたために発生した。

問82 ○ ガンジス川の支流フーグリー沿岸に位置するウェストベンガル州の州都である**コルカタ**は、イギリスのインド支配の根拠地であった都市で、インド東部の政治・経済・文化の中心地である。米やジュートなど農産物の集散地であるとともにインド有数の貿易港である。

問83 × **バングラデシュ**は1971年に現在の**パキスタン**(当時の**西パキスタン**)から分離独立した。イスラム教国であるが、**パキスタン**ではウルドゥー語が話されているのに対し、ベンガル語が話されている。デルタ地帯に存在するため、しばしば水害に襲われる。首都はダッカ。後半の記述は正しい。

問84 ○ 正式にはイラン=イスラム共和国で、経済は石油収入に依存している。1979年、**ホメイニ師**を指導者としたイラン革命によって共和制に移行した。1980年からの88年までの**イラン=イラク戦争**によって経済は悪化した。首都はテヘラン。

問85 × 南アフリカ共和国では、極端な**アパルトヘイト**政策がとられていたが、国内外の非難や反対運動によって1980年代後半からしだいに**アパルトヘイト**を支えてきた法律が廃止され、1991年に法制的に撤廃。1994年には初の黒人政権(**マンデラ大統領**)が成立した。金やウランなどのレアメタルの世界的産地という点は正しい記述である。首都はプレトリア。

地理　問題

以下の記述を読み、正しいものには○、誤っているものには×をつけよ。

問 86 check✓ □□□

クロアチアは旧ソ連から 1991 年に独立した国で、南スラヴ系のクロアチア人が多数を占め、国民の大半がギリシア正教を信仰している。

問 87 check✓ □□□

ジャマイカはキューバ島の南に位置する西インド諸島の島国であり、イギリスの支配から 1962 年に独立した。公用語は英語であり、ボーキサイト、コーヒー、砂糖の生産を主産業としている。

問 88 check✓ □□□

APECは 1989 年にアジア・太平洋地域の経済発展を目的に創設されたものであり、現在環太平洋 21 の国と地域が参加している。

問 89 check✓ □□□

エキュメノポリスとは、連続する多くの都市が、高速交通・通信機関で連結され、全体が密接な相互関係を持ちながら活動している巨大な都市化地帯をいう。

問 90 check✓ □□□

アメリカでは遠距離旅客輸送に占める航空機の割合が高く、シカゴ、マイアミ、ダラスは、航空交通の結節点として重要な役割を果たしている。

問 91 check✓ □□□

TO（OT）マップとは、イスラム教の聖地メッカを中心に置き、アジア・アフリカ・ヨーロッパを区分するT字型の水域と、円盤状の陸地をとりまく大洋を描いた地図である。

問 86 ×　クロアチアはスロベニアとともに 1991 年、**ユーゴスラビア**から独立した。南スラヴ系のクロアチア人が多数を占め、宗教は大半が**カトリック**である。旧**ユーゴスラビア**内では北部に位置し経済先進地域であったが、貧しい南部の共和国へ分配しなくてはならないことへの不満と民族・宗教的な対立のため、独立した。

問 87 ○　ジャマイカは西インド諸島の島国であり、宗教はプロテスタントのほかカトリックが信仰されている。**ボーキサイト**の大生産国であり、**コーヒー・砂糖**の生産を主産業としている。コーヒー豆の名となっている**ブルーマウンテン**は、ジャマイカの最高峰である。

問 88 ○　APEC（アジア太平洋経済協力）は、1989 年にシンガポールを本部として環太平洋 12 ヵ国で成立した。現在、日本、アメリカ、オーストラリア、中国、韓国など 19 ヵ国2地域が参加している。

問 89 ×　設問文は**メガロポリス**（巨帯都市）の説明。**エキュメノポリス**（世界都市）とは、中枢管理機能を特定の都市に集中させず、交通網・通信網ネットワークによって分散させる多角的広域都市のこと。

問 90 ○　ダラス、シカゴ、マイアミは、いずれも航空交通の結節点として知られ、特にユナイテッド航空が基地を持つシカゴの**オヘア空港**は、1空港当たりの離発着数が多い空港の1つである。

問 91 ×　**TO（OT）マップ**は科学的な世界観が否定された中世ヨーロッパを代表する地図であり、キリスト教の聖地**エルサレム**を図の中心に置き、アジア・アフリカ・ヨーロッパを区分するT字型の水域と、円盤状の陸地をとりまくO字型の大洋（オケアノス）が記されている。

問 92 check✓ □□□ **空欄A、Bに入る語句の組合せとして正しいものは次の１～５のうち、どれか。**

地球は三次元であり、二次元の地図では正確に表わすことができない。そこで用途に合わせて様々な地図が作られている。（　A　）は、緯度間隔の経線方向への拡大率と経線間隔の緯線方向への拡大率が等しくなっており、海図、低緯度の地域の航空図として使われている。また（　B　）は同心円上を示す緯線の間隔を等距離にした作図法をとっており、空港を中心とした航空図として使われている。

	A	B
1	ボンヌ図法	ランベルト正積図法
2	メルカトル図法	正距方位図法
3	メルカトル図法	ボンヌ図法
4	モルワイデ図法	ランベルト正積図法
5	モルワイデ図法	正距方位図法

問 93 check✓ □□□ **次の空欄A、Bにあてはまる数字の組合せとして最も適当なものは次の１～５のうち、どれか。**

２万 5000 分の１の地形図において、実際の 5km は（　A　）㎝、実際の 5k㎡は（　B　）㎠で表わされる。

	A	B
1	2	4
2	2	20
3	20	40
4	20	80
5	200	400

問 92 正解　2

Aは**メルカトル図法**であり、海図に使用されるという点がポイントになる。オランダ人メルカトルが 1569 年に考案した図法であり、円筒図法を改良し、緯線と経線の拡大率が一定になるよう描いたもので、正角円筒図法ともいう。経緯線は平行な直線で互いに直交し、面積・距離は高緯度ほど拡大される。等角航路が直線で示されるため、海図として用いられている。

Bは**正距方位図法**であり、航空図に使用されるという点がポイントである。図の中心から任意の1点までの方位と距離が正しく表わされる図法であり、図の中心を出発地点や到着地点とする航空図などに多く使用されている。国連旗は北極を中心とした**正距方位図法**の世界全図を図案化したもの。

問 93 正解　4

5km は 500,000 ㎝であるから、2万 5000 分の1の地図での長さを求めるためには 500,000 を 25,000 で割ればよい。すると5km は **20**㎝になる。

5k㎡についても同様に計算してみればよい。5k㎡の土地が仮に1km（＝100,000 ㎝）×5km（＝ 500,000 ㎝）であるとすると、それぞれの距離を 25,000 で割って1km は**4**㎝、5km は **20**㎝になるので5k㎡は**4**㎝× **20**㎝となり、**80**c㎡になる。

よって、**4** が正解である。

◆江戸の三大改革を覚えよう！

1　享保の改革（1716年～45年）――8代将軍徳川吉宗
　倹約令・定免法・上げ米・足高の制・公事方御定書・相対済し令・目安箱

2　寛政の改革（1787年～93年）――松平定信
　囲米の制・棄捐令・人足寄場・七分金積立・寛政異学の禁

3　天保の改革（1841年～43年）――老中水野忠邦
　株仲間の解散・人返しの法・棄捐令・出版物統制・上知令

◆20世紀の同じ年に起きた重要事件（カッコ内は事件が発生した月）

1905　「血の日曜日事件」(1月)…第1次モロッコ事件(3月)…中国同盟会結成(8月)…ポーツマス講和条約で日露戦争終了(9月)…ベンガル分割令実施(10月)

1917　中国で文学革命(1月)…無制限潜水艦戦(2月)…露三月革命(3月)…米国が第一次大戦に参戦(4月)…英国がバルフォア宣言…露十一月革命(11月)

1918　ウィルソンの十四ヵ条(1月)…シベリア出兵(7月)…第一次大戦終結(11月)

1919　パリ講和会議開始(1月)…三・一運動…(3月)…非暴力不服従運動(4月)…五・四運動(5月)…ヴェルサイユ条約締結(6月)…中国国民党結成(10月)

1929　ヤング案発表(8月)…世界恐慌(10月)…印国民会議派ラホール大会(12月)

1939　ノモンハン事件(5月)…独ソ不可侵条約(8月)…第二次大戦(9月)

1941　日ソ中立条約(4月)…独ソ戦(6月)…大西洋憲章(8月)…大平洋戦争(12月)

1949　NATO結成(4月)…西独成立(5月)…中華人民共和国・東独成立(10月)

1955　AA会議(4月)…ジュネーヴ4巨頭会談(7月)…ワルシャワ条約機構(5月)

1956　フルシチョフのスターリン批判…中ソ論争(2月)…スエズ運河国有化(7月)…日ソ国交回復…ハンガリー事件…第2次中東戦争(10月)

1973　拡大EC…ヴェトナム和平協定(1月)…第4次中東戦争…石油危機(10月)

1979　米中国交樹立(1月)…イラン革命…石油危機(2月)…ソ連アフガン侵攻(12月)

1989　第2次天安門事件(6月)…ベルリンの壁崩壊(11月)…冷戦終結宣言(12月)

◆産業についての要点項目クイズ

・中国の東北最大の重化学工業都市は？　→　シェンヤン（瀋陽）
・南アフリカ共和国で産出の多い鉱山資源は？　→　金・ダイヤモンド
・ブルネイの主な輸出品は？　→　石油・天然ガス
・マレーシアで栽培が盛んな商品作物は？　→　油ヤシ・天然ゴム
・インドの綿工業の中心地は？　→　ムンバイ・アーメダバード
・ロシア・ウクライナの黒土地帯で栽培されている作物は？　→　小麦
・地中海式気候で栽培される果樹の代表例は？　→　オリーブ・ブドウ
・ブラジルで最も豊富な鉱山資源は？　→　鉄鉱石
・中央アメリカ諸国で生産される主な農作物は？　→　バナナ・コーヒー
・日本国内でほぼ自給している鉱山資源は？　→　石灰石・硫黄

第3章

物理
化学
生物
地学

物理　問題

以下の記述を読み、正しいものには○、誤っているものには×をつけよ。

問 1
check✓ □□□

海上に静止している船があるとき、前方にある崖に向かって汽笛を鳴らしたら、3.4 秒後に反射音が聞こえてきた。船から崖に向かって 10m/s の風が吹いているものとして、船からの崖までの距離は 577.5m である。ただし、音速は 340m/s とする。

問 2
check✓ □□□

850 m離れたところで光った花火の音が 2.5 秒後に聞こえた。空気中を伝わる音の速さは 340 m / 秒である。

問 3
check✓ □□□

流速が V の川を静水時に速さ v ($v > V$) で進む船が、この川を距離 Lだけ上り下りする往復の時間 t は $2vL/(v^2 - V^2)$ である。

問 4
check✓ □□□

ひもでつるされた物体を水中に入れた場合に生じる、水中での浮力の大きさは、深度に比例している。

問 5
check✓ □□□

ある高さのビルの屋上から鉛直上向きに 9.8m/s の初速度で物体を投げ上げた。重力加速度の大きさを $9.8m/s^2$ として、物体が最高点までに達する時間は 1 秒で、屋上から最高点までの距離は 2m である。

問 6
check✓ □□□

質量 10 kgのおもりが地面から 333m の高さの床にある。このおもりの位置エネルギーは、地面から 11m の高さの床にある質量 3 kgのおもりの持つ位置エネルギーのおよそ 100 倍である。

問1 ○ 風が吹いているので船から崖に向かう音の速さは 340 ＋ 10 ＝ 350m/s である。崖から船に向かう音の速さは 340 － 10 ＝ 330m/s である。求める距離を x とおくと $\frac{x}{350}+\frac{x}{330}=3.4$
$x=577.5$ となる。

問2 ○ 計算より 340m/s と出すこともできるが、音の秒速は覚えておく。

問3 ○ 上りの船の岸に対する速さは $(v-V)$、下りの船の岸に対する速さは $(v+V)$ となる。上りに要する時間は $\frac{L}{(v-V)}$、下りに要する時間は $\frac{L}{(v+V)}$ となり、$t=\frac{L}{(v-V)}+\frac{L}{(v+V)}=2vL/(v^2-V^2)$ となる。

問4 × 物体が水中に沈むときは、ひもが物体を引く力と物体にはたらく浮力の合力が、物体にはたらく重力とつり合っているだけであって、比例はしない。**深度に比例するのは水圧**である。

問5 × ビルの屋上を原点とし、鉛直上向きに y 軸をとり、$v=v_0-gt$、$y=v_0t-\frac{1}{2}gt^2$ を用いて計算すると、最高点での速度は 0 であるから、$0=9.8-9.8t$、$t=1.0$
$y=v_0t-\frac{1}{2}gt^2$ より、$y=9.8\times1.0-\frac{1}{2}\times9.8\times1.0^2=4.9$
以上より屋上から最高点までの距離は 4.9m となる。

問6 ○ 質量 m (kg) の物体が、高さ h (m) のところにある位置エネルギー (kgm^2/s^2) または (J) は、mgh である。gは重力加速度$g=9.8$ (m/s^2)
これから、質量 10kg で高さ 333m の物体の位置エネルギーは
$10\times9.8\times333 kgm^2/s^2$ (J)
また、質量3kg で高さ 11m の物体の位置エネルギーは
$3\times9.8\times11 kgm^2/s^2$ (J)
$\frac{10\times9.8\times333}{3\times9.8\times11}\fallingdotseq100.9$ となり、およそ 100 倍である。

物理　問題

以下の記述を読み、正しいものには○、誤っているものには×をつけよ。

問 7 check✓ □□□

10 kgの物体が 10m/s、5 kgの物体が 5m/s で反対方向に動いている。運動エネルギーは 10 kgの物体のほうが 5 kgの物体の 4 倍である。

問 8 check✓ □□□

学校の屋上からボールを自由落下させたら、3 秒後には地面に落下した。この学校の屋上から地面までの高さは 40m である。ただし、重力加速度を 9.8m/s^2 とし、空気による抵抗は無視して考える。

問 9 check✓ □□□

地上 100m のビルの屋上からボールを自由落下させ、同時にその真下の地面から別のボールを初速度 30m/s で真上に発射させたとき、2 つの球は地上 33.3m 地点で衝突した。

問 10 check✓ □□□

月は 2.3 × 10^6s を周期として地球のまわりを等速円運動をする。地球と月の距離を 3.8 × 10^8m とするとき、月が地球に向かう加速度の大きさは 2.83 × 10^{-3}m/s^2 と計算される。

問 11 check✓ □□□

深い井戸に小石を静かに落としたところ、2.0 秒後に水面に達したという。この井戸の深さは 20m を超える。

問 12 check✓ □□□

質量 1 kgの物体を垂直上向きに 2.5m の高さまで持ち上げるのに 0.5 秒かかった。このときの仕事率は 24.5W（kgm^2/s^3）である。

問7 × **運動エネルギー**とは物体が運動していることによって有するエネルギーである。物体の質量を m、速度を v とすると**運動エネルギー**は $\frac{1}{2}mv^2$ になる。設問の場合、10 kgの物体の運動エネルギーは 10×10^2 に比例し、5 kgの物体は 5×5^2 に比例するので、10 kgの物体：5 kgの物体＝ 1000:125 ＝ 8:1 となる。つまり 8 倍である。

問8 × **自由落下**とは、初速度 0 で落とされた物体の運動のことである。**自由落下運動の公式** $Y = \frac{1}{2}gt^2$ を使う。
$Y = \frac{1}{2}gt^2$　$g = 9.8$　$t = 3$ を代入して考えると、$Y = 44.1$m となる。

問9 × **自由落下運動の公式** $Y = \frac{1}{2}gt^2$ と、**鉛直投げ上げ公式** $Y = V_0t - \frac{1}{2}gt^2$ を利用する。
t 秒間に自由落下した距離は $\frac{1}{2} \times 9.8 \times t^2$…①
投げ上げた距離は、$30t - \frac{1}{2} \times 9.8 \times t^2$…②
①と②の和が 100 となるので
$(30t - \frac{1}{2} \times 9.8 \times t^2) + (\frac{1}{2} \times 9.8 \times t^2) = 100$
これより、$t = \frac{10}{3}$ を②に代入すると 45.6m となる。

問10 ○ **等速円運動の加速度** a の式は、$a = rw^2$ である。ただし、w は回転角速度 (rad/s)。加速度の大きさを a とすると、
$a = rw^2 = r\left(\frac{2\pi}{T}\right)^2 = 3.8 \times 10^8 \left(\frac{2 \times 3.14}{2.3 \times 10^6}\right)^2 = 2.83 \times 10^{-3}\text{m/s}^2$ となる。

問11 × 高さを h とすると $h = \frac{1}{2}t^2$ より $h = \frac{9.8 \times 2.0^2}{2} = 19.6$m となり、20m を**超えることはない**。

問12 × 仕事率 W $(\text{kgm}^2/\text{s}^3) = \frac{\text{仕事}\ (\text{kgm}^2/\text{s}^2)}{\text{時間}\ (\text{s})}$ で表すことができる。
設問の場合 $\frac{1 \times 9.8 \times 2.5}{0.5} = 49$W $(\text{kgm}^2/\text{s}^3)$ となる。

以下の記述を読み、正しいものには○、誤っているものには×をつけよ。

問 13 check✓ □□□

質量 2.0 kgの小球を糸に付け、その端を天井に結ぶ。この小球にばね定数 15kgw/m のつるまきばねを付け他端を水平に静かに引く。糸が鉛直線と 60° の角をなしてつり合っているとき、つるまきばねの自然の長さからの伸びは 2.3m となる。

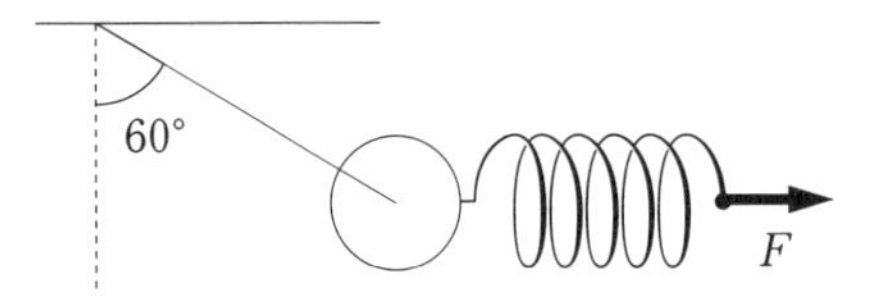

問 14 check✓ □□□

東に 1m/s で歩いている人が北西から風を感じ、東に 4.0m/s で走っている人は風が北から吹いているように感じるというような場合、吹いている風の風速は 5.0m/s である。

問 15 check✓ □□□

ある高さのビルの屋上から鉛直上向きに 9.8m/s の初速度で物体を投げ上げた。重力加速度の大きさを $9.8m/s^2$ と考えると物体が最高点に達するまでの時間は 2 秒後である。

問 13 ×　弾性力を F〔kgw〕、張力を T〔kgw〕とおいて水平方向と鉛直方向のつり合いの式より F を求める。

水平方向の力のつり合い

$\frac{\sqrt{3}}{2}T = F$……①

鉛直方向の力のつり合い

$\frac{T}{2} = 2.0$……②

①、②より T を消去し、$F = 2.0\sqrt{3}$〔kgw〕

伸びを x〔m〕とすると**フックの法則**より

$x = \frac{F}{k} = \frac{2.0\sqrt{3}}{15} = 0.23$〔m〕となる。

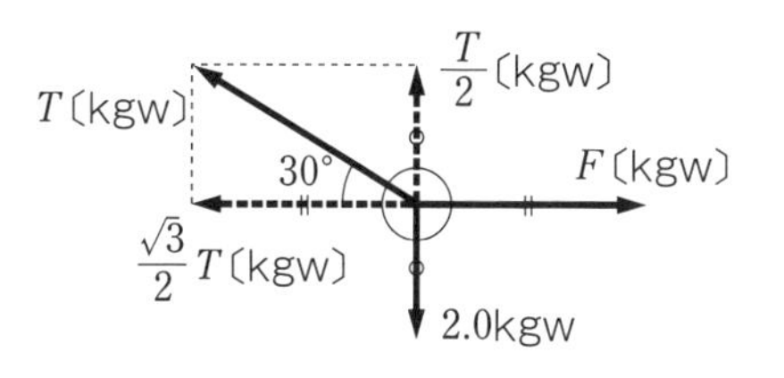

問 14 ○　風の速度を v_A ベクトル、人の歩く速度を v_B ベクトル、人の走る速度を v'_B ベクトルとする。人に対する風の相対速度は次のようになる。

歩いているときは…v_A ベクトル－ v_B ベクトル（北西から）

走っているときは…v_A ベクトル－ v'_B ベクトル（北から）

$|v_A \text{ベクトル}| = \sqrt{|v'_B \text{ベクトル}|^2 + |v_A \text{ベクトル} - v'_B \text{ベクトル}|^2}$

$= \sqrt{4.0^2 + 3.0^2}$

$= \sqrt{25} = 5$ となり、求める風速は 5m/s である。

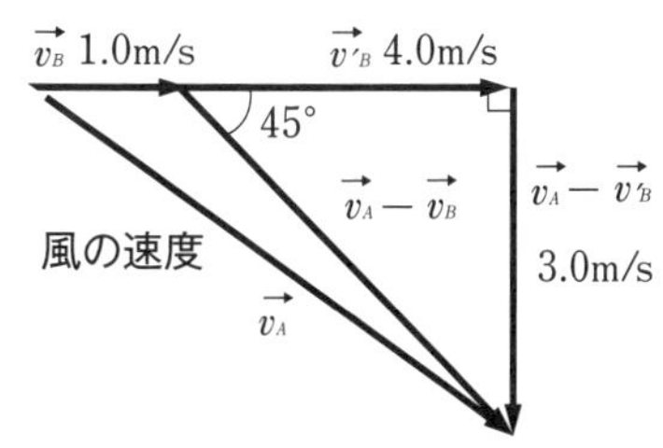

問 15 ×　ビルの屋上を原点として、鉛直上向きに y 軸をとり、$v = v_0 - gt$ より

$0 = 9.8 - 9.8t$　　$t = 1$ 秒後

以下の記述を読み、正しいものには○、誤っているものには×をつけよ。

問 16
check✓
□□□

ある高さのビルの屋上から鉛直上向きに 9.8m/s の初速度で物体を投げ上げたら、3 秒後に地面に達した。重力加速度の大きさを $9.8m/s^2$ と考えると、このビルの高さは 14.7m である。

問 17
check✓
□□□

質量 0.2 ㎏のおもりに糸を付けて鉛直方向に手で引き上げたり下ろしたりする場合、糸がおもりを引く力が 0.25 ㎏ w のとき、加速度は鉛直上向きに $2.45m/s^2$ である。

問 18
check✓
□□□

質量 0.2 ㎏の荷物を鉛直方向に上下させた。加速度が鉛直下向きに $4.9m/s^2$ のときに、糸がおもりを引く力は 9.8N である。

問 19
check✓
□□□

水平な床の上に質量 1.0 ㎏の物体が静止している。この物体と床との間の静止摩擦係数は 0.5 である。この物体に水平より 30°上向きの力を加え、力の大きさを少しずつ大きくしていくと、0.40 ㎏ w より大きくなると動き出す。

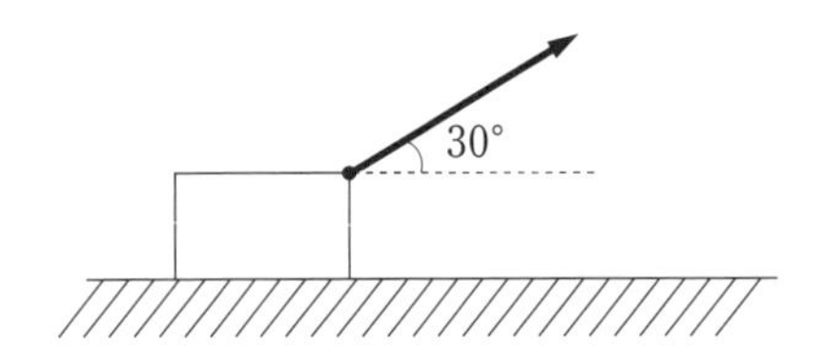

問 16　○　ビルの屋上を原点として、鉛直上向きに y 軸をとる。
$y = v_0 t - \frac{1}{2} g t^2$ より、$v_0 = 9.8$、$t = 3$、$g = 9.8$ を代入すると
$y = -14.7$ となる。
以上よりビルの高さは 14.7m となる

問 17　○　上向きを正の向きにとり、加速度を a として運動方程式を立てる。
$0.2 \times a = 0.25 \times 9.8 - 0.2 \times 9.8$
$a = 2.45$
以上より鉛直上向きに $2.45\mathrm{m/s^2}$ である。

問 18　×　下向きを正の向きにとり、糸の張力を T〔N〕として運動方程式を立てる。
$0.2 \times 4.9 = 0.2 \times 9.8 - T$
$T = 0.98N$ である。

問 19　×　動き出す直前の力を f〔kgw〕とすると、垂直抗力 N〔kgw〕は鉛直方向の力のつり合いより、$N = 1.0 - \frac{f}{2}$
このときの摩擦力は最大摩擦力 F_0〔kgw〕であり、
$F_0 = 0.50 \times N = 0.50 \times (1.0 - \frac{f}{2})$
また、動き出す直前には、f の水平成分 $\frac{\sqrt{3}}{2} f$ と F_0 がつり合っている。
動き出す直前の水平方向の力のつり合いより、
$0.50 \times (1.0 - \frac{f}{2}) = \frac{\sqrt{3}}{2} f$
$f = \frac{2}{1 + 2\sqrt{3}} = 0.448$
$= 0.45\mathrm{kgw}$
よって動き出すには、0.45kgw 以上の力が必要である。

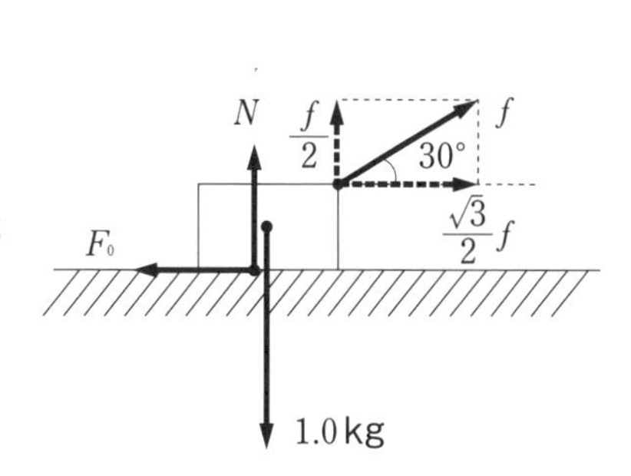

以下の記述を読み、正しいものには○、誤っているものには×をつけよ。

問 20 check✓ □□□

なめらかな水平面上の右側に質量6㎏の物体Aと左側に質量4㎏の物体Bがあり、糸で結ばれている。Aを右向きに50Nの力で引く場合、A、Bの加速度の大きさと糸の張力の大きさは、加速度が$5m/s^2$、張力は20Nである。

問 21 check✓ □□□

下図のように、傾斜が30°の斜面上を質量30kgの物体に力を加えて0.5m/sの速さで引き上げる。重力加速度が$9.8m/s^2$、物体と斜面の間の動摩擦係数が0.5とするとき、この力がする仕事率は137Wである。

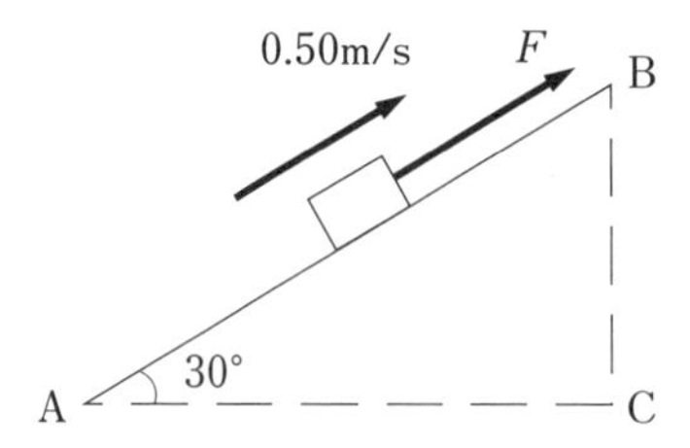

問 22 check✓ □□□

質量m_1、速さvの物体Aが、なめらかな水平面で静止している質量m_2の物体Bに衝突し、図のように、衝突後Aは角αの方向へ、Bは角βの方向に飛んだとする。衝突後のA、Bの速さv_A、v_Bは、

$v_A = v\sin\beta / \sin(\alpha + \beta)$

$v_B = m_1 v \sin\alpha / m_2 \sin(\alpha + \beta)$となる。

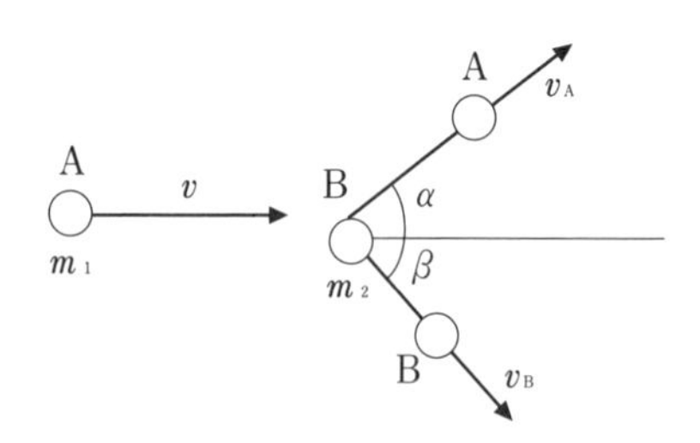

問 20 ○ 糸がBを引く力の大きさと糸がAを引く力の大きさは等しい。このときの張力をT [N]、加速度をa [m/s^2]とおいて、A、Bについて運動方程式を立てる。
Aの運動方程式：$6 \times a = 50 - T$
Bの運動方程式：$4 \times a = T$
以上より、$a = 5$ [m/s^2]、$T = 20N$である。

問 21 ○ 斜面との間に動摩擦係数が作用するときは物体を引き上げる力Fは、$F = 15g + 0.5 \times 15\sqrt{3}g = 15 \times 9.8 \times (1 + \frac{\sqrt{3}}{2}) = 274$によって求めることができる。
よって仕事率P[W]は、$P = F \times v = 274 \times 0.5 = 137$

問 22 ○ 運動量保存の法則により、いくつかの物体が、内力を及ぼしあうだけで、外力を受けていないとき、全体の運動量は変化しないからx軸方向は、
$m_1 v = m_1 v_A \cos\alpha + m_2 v_B \cos\beta$ ……①
y軸方向は、
$m_1 v_A \sin\alpha = m_2 v_B \sin\beta$ ……②
①、②より、v_Bを消去して
$$v_A = \frac{v\sin\beta}{\sin\alpha\cos\beta + \cos\alpha\sin\beta}$$
ここで、$\sin(\alpha+\beta) = \sin\alpha\cos\beta + \cos\alpha\sin\beta$
よって、$v_A = \frac{v\sin\beta}{\sin(\alpha+\beta)}$
②に代入して、$v_B = \frac{m_1 v\sin\alpha}{m_2\sin(\alpha+\beta)}$となる。

以下の記述を読み、正しいものには○、誤っているものには×をつけよ。

問 23
check✓
□□□

質量 m の人が乗った質量 M のボートが、速さ vv₀ で東向きに進んでいた。この人が西向きにボートから水平に飛び出した。飛び出した直後に人から見たボートの速さは u であった。飛び出した直後のボートの水面に対する速度は東向きに $v_0 + \frac{m}{m+M} \times u$ である。

問 24
check✓
□□□

図に示す回路において、抵抗 R_1 が 12 オームのとき、抵抗 R_3 を流れる電流は 5 アンペアとなる。ただし、電池の内部抵抗は無視するものとする。

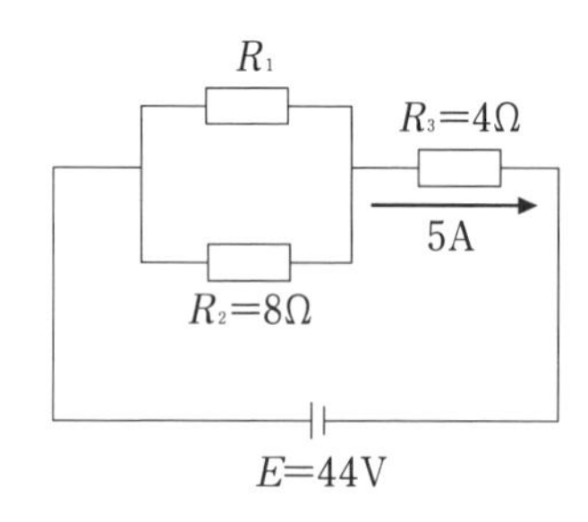

問 25
check✓
□□□

長さ 1m の軽い棒の両端 A、B にそれぞれ 3.0 kg、2.0 kgのおもりをつるし、点 O にばね定数 25kgw/m のつるまきばねをつるしたところ、ばねは 0.20m 伸びた。

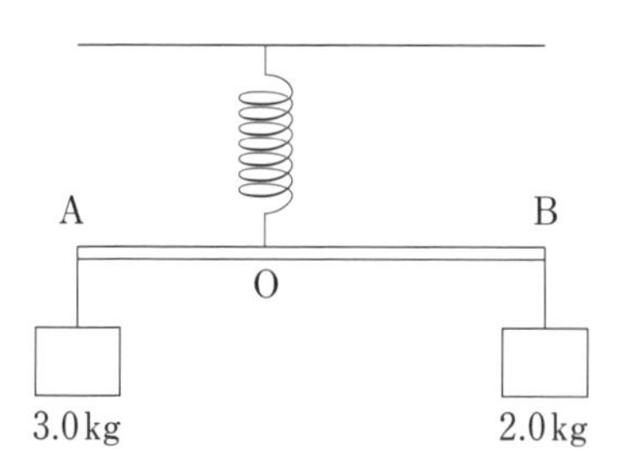

問 23 ○ 水面に対する速度を用いて**運動量保存の法則**(問 22 解説参照)に当てはめる。東向きを正の向きに取り、人が飛び出した後の水面に対するボートと人の速度をそれぞれ V、v とおくと、**運動量保存の法則**により、

$(m+M)v_0 = mv + MV$

相対速度の考えより、$u = V - v$

以上より、$V = v_0 + \frac{m}{m+M} \times u$ となる。

問 24 ○ R_3 の電圧を V_3[V]、R_2 の電圧を V_2 [V]、R_2 の電流を I_2[A]、R_1 の電流を I_1 [A]とすると、

$V_3 = 4 \times 5 = 20$[V] $V_2 = 44 - 20 = 24$[V] $I_2 = \frac{24}{8} = 3$[A]、$I_1 = 5 - 3 = 2$[A]

∴求める R_3 の電流 I_3 は、$I_3 = I_1 + I_2 = 5$[A]となる。

直列回路

$I = I_1 = I_2$

$E = V_1 + V_2$

$R = R_1 + R_2$

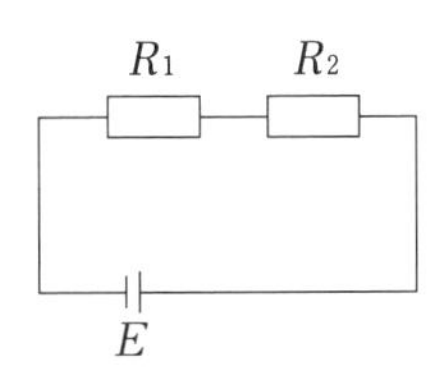

並列回路

$I = I_1 + I_2$

$E = V_1 = V_2$

$\frac{1}{R} = \frac{1}{R^1} + \frac{1}{R^2}$

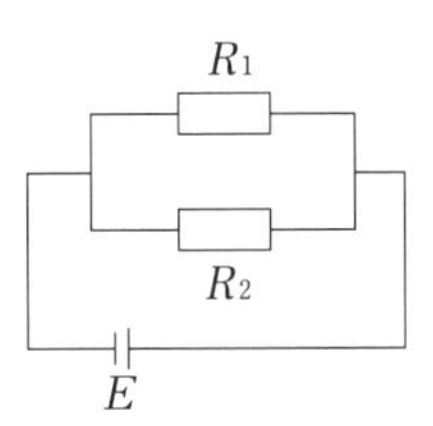

問 25 ○ 鉛直方向の力のつり合いから、ばねにかかる力は 5.0kgw である。**フックの法則**より $F = kx$ であるから、$5.0 = 25 \times x$

$x = 0.2$m である。

以下の記述を読み、正しいものには○、誤っているものには×をつけよ。

問 26 check✓ □□□

太さが一様な棒を、なめらかな壁と摩擦のある床に図のように立てかける。棒と床のなす角度をθとするとき、棒が倒れないためのθの条件は $\tan\theta < \frac{1}{2}\mu$ である。ただし、棒にはたらく力をW、長さをl、棒と床の間の静止摩擦係数をμとする。

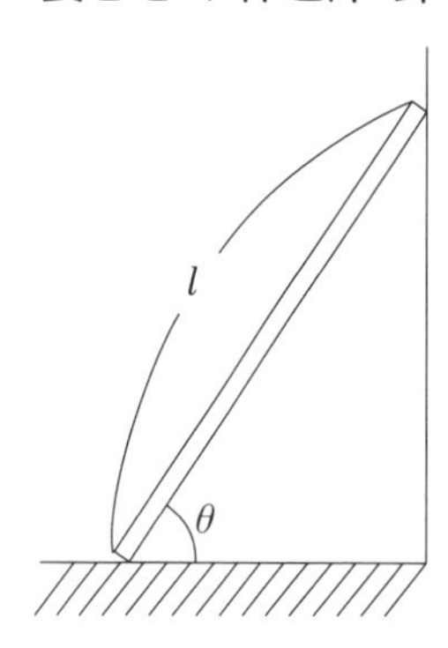

問 27 check✓ □□□

重さ 10kgw の荷物に 2 本のひもを付けて、2 人の人がこのひもを持って重さを支えるとき、2 本のひもは鉛直方向と 45°、および 30° をなした。F_1 は 5.2kgw となる。

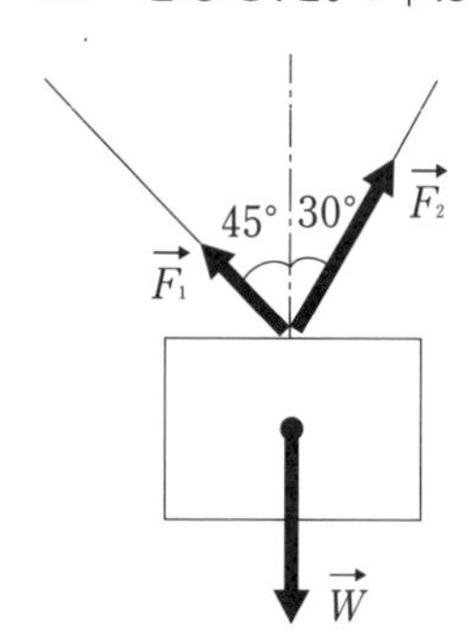

問 26 × 棒は、次の力を受ける。

W：棒の重力

N_1：壁からの垂直抗力

N_2：床からの垂直抗力

F ：床からの摩擦力

棒にはたらく力がつり合っているときには、N_2 と F の合力（棒が床から受けている抗力）と W、N_1 の作用線が１点で交わる。

棒にはたらく力のつり合いの条件は

①棒にはたらく力の合力が 0 である。

②任意の点の回りのモーメントの和が 0 である。

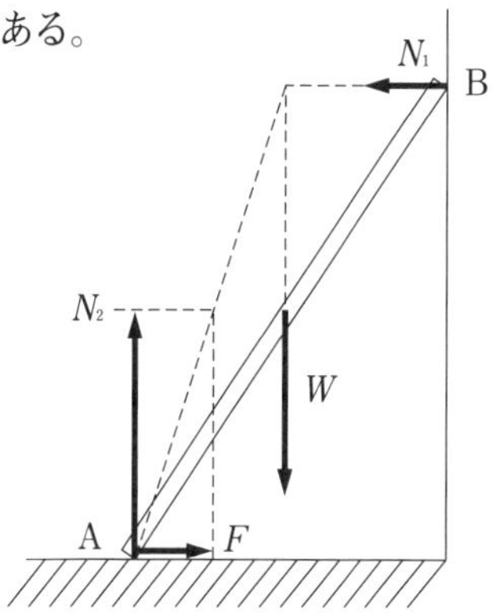

水平方向の力のつり合いより、

$N_1 = F$……①

鉛直方向の力のつり合いより、

$W = N_2$……②

点 A の回りの力のモーメントの和は 0。

$N_1 \cdot l\sin\theta - W \cdot \frac{1}{2}\cos\theta = 0$……③

$F \leqq \mu N_2$……④

これらの式より、

$\tan\theta \geqq \frac{1}{2\mu}$

問 27 ○ 水平方向、鉛直方向について力の成分の和が 0 となる。

水平方向の力のつり合いから

$-F_1\sin45° + F_2\sin30° = 0$……①

鉛直方向の力のつり合いから

$F_1\cos45° + F_2\cos30° - 10 = 0$……②

①、②を解くと、$F_1 = \frac{10\sqrt{2}}{\sqrt{3}+1} = 5.2$kgw となる。

以下の記述を読み、正しいものには○、誤っているものには×をつけよ。

問 28 check✓ □□□

重さが 1.2kgw で、図より A 端が細く、B 端が太い長さ 1.2m の棒 AB に糸を付け、図のように引いたところ、棒は水平方向から 30° 傾いていた。棒の重心は A から 0.8m のところである。

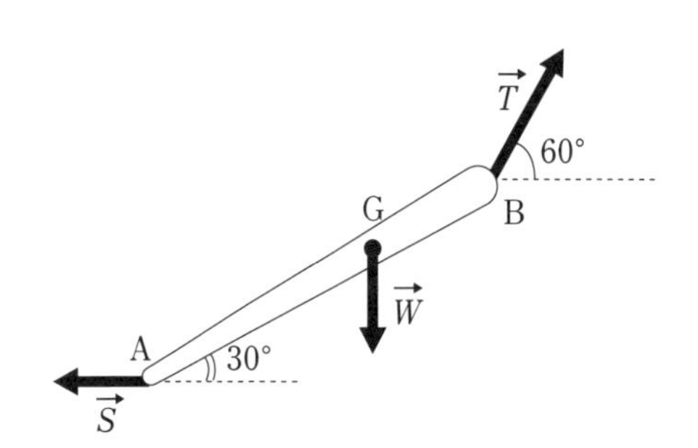

問 28 ○　棒がつり合うとき、S、T および全重力 W の作用線は１点で交わる。

重心 G の回りの力のモーメントの和が 0 になるためには、S、T の合力の作用線が C を通らねばならない。

図のように点 C、D をとると

AB：GB ＝ AD：CD……①

また、図より

$AD = AB\cos 30° = \frac{\sqrt{3}}{2}AB$……②

$CD = (AB\sin 30°)\tan 30° = \frac{AB}{2\sqrt{3}}$……③

②、③より

$\frac{AD}{CD} = 3$　∴ $AG = \frac{2AB}{3} = 0.80$〔m〕

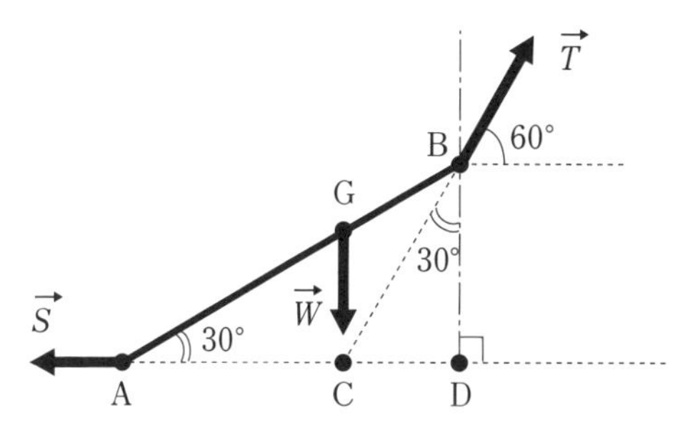

ばねには外から力を加えて引っ張ったり圧縮したりすると、加えた力の大きさに比例して伸び縮みするという性質がある。今、図のように左端を壁に固定し、右から力が加わって静止した状態のばねを考える。このばねの任意の点 P に加わる力の大きさについての次の記述のうち、正しいものはどれか。

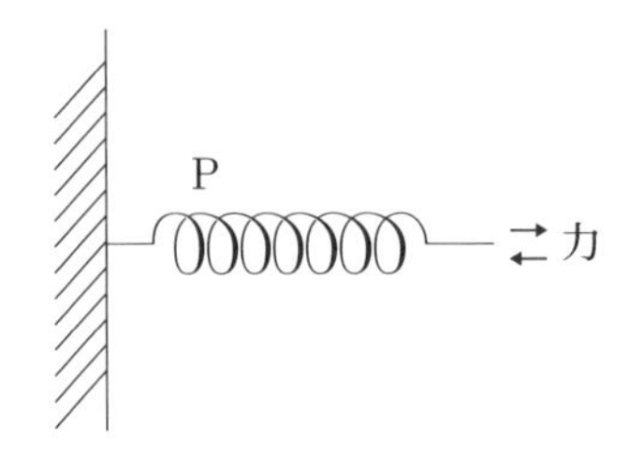

1　引っ張り力、圧縮力にかかわらず、P 点がどこにあっても、左右から P 点に加わる力の大きさは等しい。

2　外から加わる力が引っ張り力である場合、P 点がどこにあっても右側から加わる力は左側から加わる力より大きい。圧縮力の場合はこの逆である。

3　外から加わる力が引っ張り力である場合、P 点がどこにあっても右側から加わる力は左側から加わる力より小さい。圧縮力の場合はこの逆である。

4　外から加わる力が引っ張り力である場合、P 点が中心より右側にあれば、右側から加わる力は左側から加わる力より小さい。圧縮力の場合も同様である。

5　外から加わる力が引っ張り力である場合、P 点が中心より右側にあれば、右側から加わる力は左側から加わる力より大きい。圧縮力の場合も同様である。

問 29　正解　1

「右から力が加わって静止した状態のばね」を考えている。ばねの任意の点に注目したとき、ばねに「右から力が加わって」いようと、どのような力がはたらいていようと、その点が静止していれば、その点にかかっている力の総和は 0 のはずである。そうでなければ、その質点は**ニュートンの運動の第二法則**である運動方程式にしたがって、力の総和の方向へ加速されることになる。よって、**1** が正しい。

問 30 check✓ □□□ **1 階の高さが 4m のビルをエレベーターで上がるとき、最初の 4 秒間等加速度運動をして 5m/s となった後 5 秒間等速運動をして、その後等加速度で減速して 2 秒後に止まった。止まったのは何階か。**

1　8 階
2　9 階
3　10 階
4　11 階
5　12 階

問 30　正解　4

$v-t$ グラフから求めるのが簡単である。

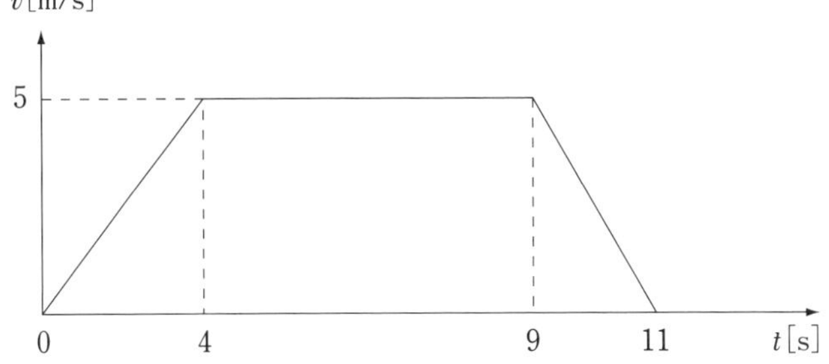

$v-t$ グラフではグラフの面積が移動距離になる。よってエレベーターの上がる距離はグラフより、

$(11+5)\times 5\times\frac{1}{2}=40$〔m〕

$40\div 4=10$

10 階分上がるわけだから、止まるのは $10+1=11$〔階〕となる。

よって、**4** が正しい。

［別解］最初の 4 秒間は等加速度運動なので、$S=v_0t+\frac{1}{2}at^2$ より、$v_0=0$、$t=4$、$a=\frac{5}{4}=1.25$ を代入して、$S=\frac{1}{2}\times 1.25\times 4^2=10$

次の 5 秒間は等速運動なので、$S=vt=5\times 5=25$

次の 2 秒間は等加速度運動で、$v_0=5$、$t=2$, $a=-\frac{5}{2}=-2.5$ より、

$S=5\times 2+\frac{1}{2}\times(-2.5)\times 2^2=10-5=5$

以上よりエレベーターの上がる距離は、

$10+25+5=40$〔m〕

となる。

化学　問題

以下の記述を読み、正しいものには○、誤っているものには×をつけよ。

問 1
check✓
□□□
大気中では酸素が約 80%、窒素が 20%、二酸化炭素が 0.03%含まれている。

問 2
check✓
□□□
酸素は空気よりわずかに軽く、水に溶けにくい。

問 3
check✓
□□□
炭酸水素ナトリウムは水に溶けると一部が加水分解してその水溶液は酸性を示す。

問 4
check✓
□□□
食塩水は、蒸留によって複数の純物質に分離することができる。

問 5
check✓
□□□
カルシウムの単体は常温で水と反応して水素を発生させ、その水溶液は酸性を示す。

問 6
check✓
□□□
一般に放射性同素体は、地質の年代測定に使われている。

問 7
check✓
□□□
フッ素は常温では黄色い固体の金属で、ほかの物質とほとんど反応しない。

問 8
check✓
□□□
フロンは、漂白剤や殺菌剤として用いられるが、それはほかの物質を酸化する性質を持っているからである。

問 9
check✓
□□□
炭化水素の水素原子を塩素原子やフッ素原子で置き換えた構造のフロンは、もとの炭化水素よりも分子量が小さい。

問1 × 大気中には**窒素**が約 80％、**酸素**が 20％、**二酸化炭素**が 0.03％含まれている。

問2 × 酸素は空気のおよそ **1.1 倍**の重さである。よって、酸素は**低い位置**に存在する。水に溶けにくいという後半の記述は**正しい**。

問3 × 炭酸水素ナトリウム $NaHCO_3$ は水に溶けて**弱アルカリ性**を示す。反応式は $NaHCO_3 + H_2O \rightarrow Na^+ + OH^- + H_2CO_3$ である。

問4 ○ 自然界の物質は混合物が多く、食塩水は**食塩**（NaCl）と**水**（H_2O）に分離することができる。蒸留によって分離できるものは、このほかに酢酸エチル $CH_3COOC_2H_5$ も有名である。

問5 × カルシウムは常温で水と反応して**水素**を発生させるが、その水溶液は**強塩基性**を示す。反応式は $2Ca + 2H_2O \rightarrow 2CaOH + H_2$ である。

問6 × 年代測定に用いられる放射性物質を**放射性同位体**といい、^3H や ^{14}C などが挙げられる。

問7 × フッ素は常温では**淡黄色の気体**であり、**化合力が強く**、多くの元素と化合物を作る。

問8 × フロンは**不燃性**で**無臭**、化学的に安定（人体に無害と考えられていた）などの特性を持つため**冷媒**や**噴霧剤**として使われてきた。

問9 × 水素の原子量より、塩素やフッ素の原子量のほうが**大きい**。よってフロンの分子量はもとの炭化水素より**大きい**。

化学　問題

以下の記述を読み、正しいものには〇、誤っているものには×をつけよ。

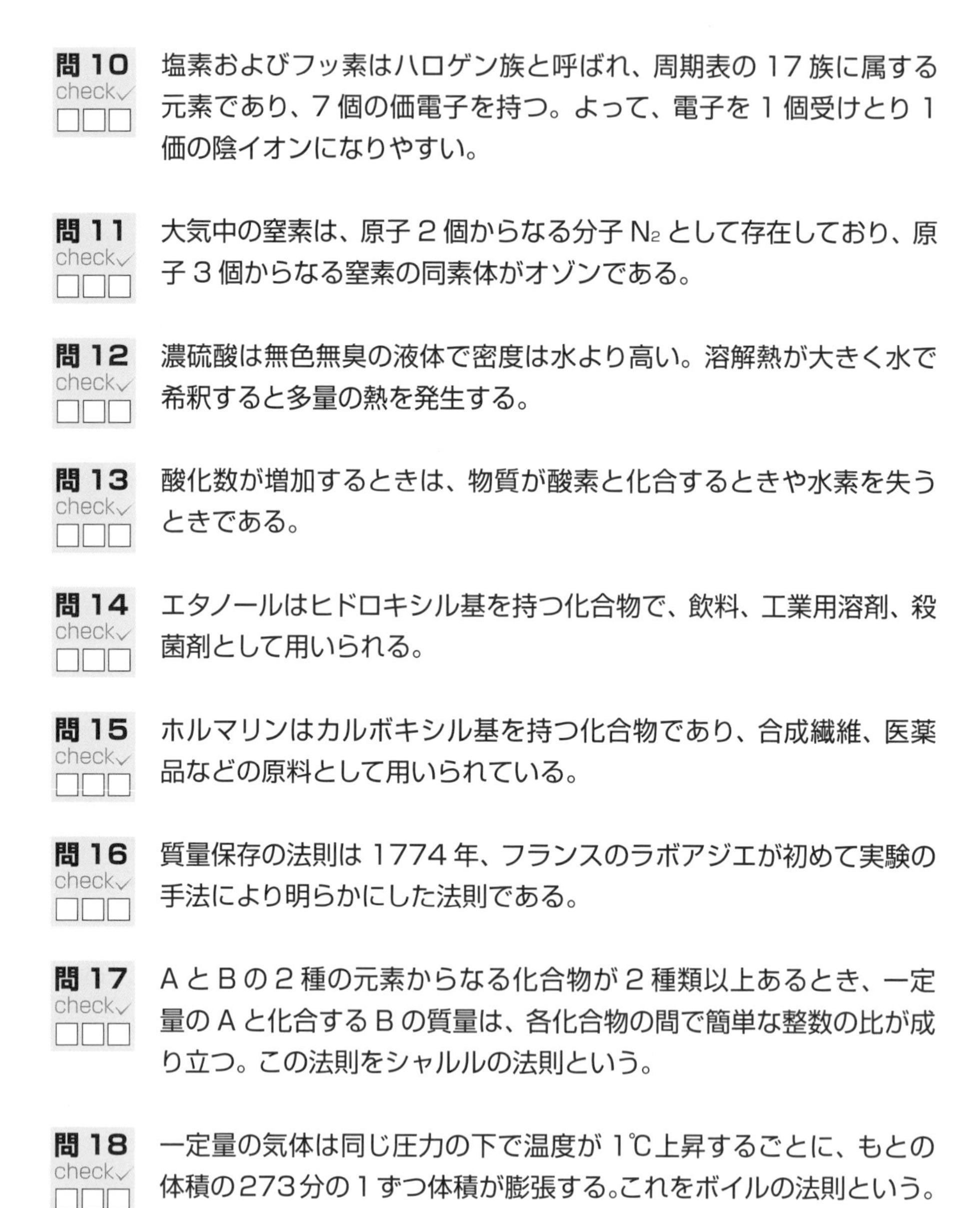

問 10 check✓ □□□

塩素およびフッ素はハロゲン族と呼ばれ、周期表の 17 族に属する元素であり、7 個の価電子を持つ。よって、電子を 1 個受けとり 1 価の陰イオンになりやすい。

問 11 check✓ □□□

大気中の窒素は、原子 2 個からなる分子 N_2 として存在しており、原子 3 個からなる窒素の同素体がオゾンである。

問 12 check✓ □□□

濃硫酸は無色無臭の液体で密度は水より高い。溶解熱が大きく水で希釈すると多量の熱を発生する。

問 13 check✓ □□□

酸化数が増加するときは、物質が酸素と化合するときや水素を失うときである。

問 14 check✓ □□□

エタノールはヒドロキシル基を持つ化合物で、飲料、工業用溶剤、殺菌剤として用いられる。

問 15 check✓ □□□

ホルマリンはカルボキシル基を持つ化合物であり、合成繊維、医薬品などの原料として用いられている。

問 16 check✓ □□□

質量保存の法則は 1774 年、フランスのラボアジエが初めて実験の手法により明らかにした法則である。

問 17 check✓ □□□

A と B の 2 種の元素からなる化合物が 2 種類以上あるとき、一定量の A と化合する B の質量は、各化合物の間で簡単な整数の比が成り立つ。この法則をシャルルの法則という。

問 18 check✓ □□□

一定量の気体は同じ圧力の下で温度が 1℃上昇するごとに、もとの体積の273分の 1 ずつ体積が膨張する。これをボイルの法則という。

問 10 ○ 塩素とフッ素は、周期表で同じ族に属する元素であり、これらの原子は 7 個の価電子を持つことから安定を求めて、**1 価の陰イオン**になりやすい。

問 11 × オゾンは酸素の原子 3 個からなる。窒素原子 3 個からなる窒素の同素体は**存在しない**。

問 12 ○ 硫黄化合物の水溶液である濃硫酸は無色無臭で、密度は水の 1.8 倍程度である。また、水で薄めると**多量の熱**が発生するという性質があるので取扱いには注意が必要である。

問 13 ○ **酸化反応**は、水素を失うこと以外に酸素と結合することでも判断することができる。逆に酸化数が減少する場合は**還元反応**である。

問 14 ○ エタノールはヒドロキシル基を 1 つ持つ化合物で、酒類に含まれ、広く**有機溶剤**として利用されるとともに約 70％水溶液は**殺菌剤**として使われている。

問 15 × ホルマリンはホルムアルデヒドの約 40％水溶液で、生物標本の**防腐剤**やフェノール樹脂などの**合成原料**として使われている。

問 16 ○ **質量保存の法則**とは、化学反応の前後で、反応に関係した物質全体の質量は変わらないというもので、1774 年フランスの**ラボアジエ**が明らかにした。

問 17 × この法則は**倍数比例の法則**という。1803 年、イギリスの**ドルトン**が、自ら唱えた原子説に基づいて立てた仮説を実験により証明したものである。

問 18 × **シャルルの法則の誤り**。この法則はフランスの物理学者**シャルル**が 1787 年に発見した。

問題

以下の記述を読み、正しいものには○、誤っているものには×をつけよ。

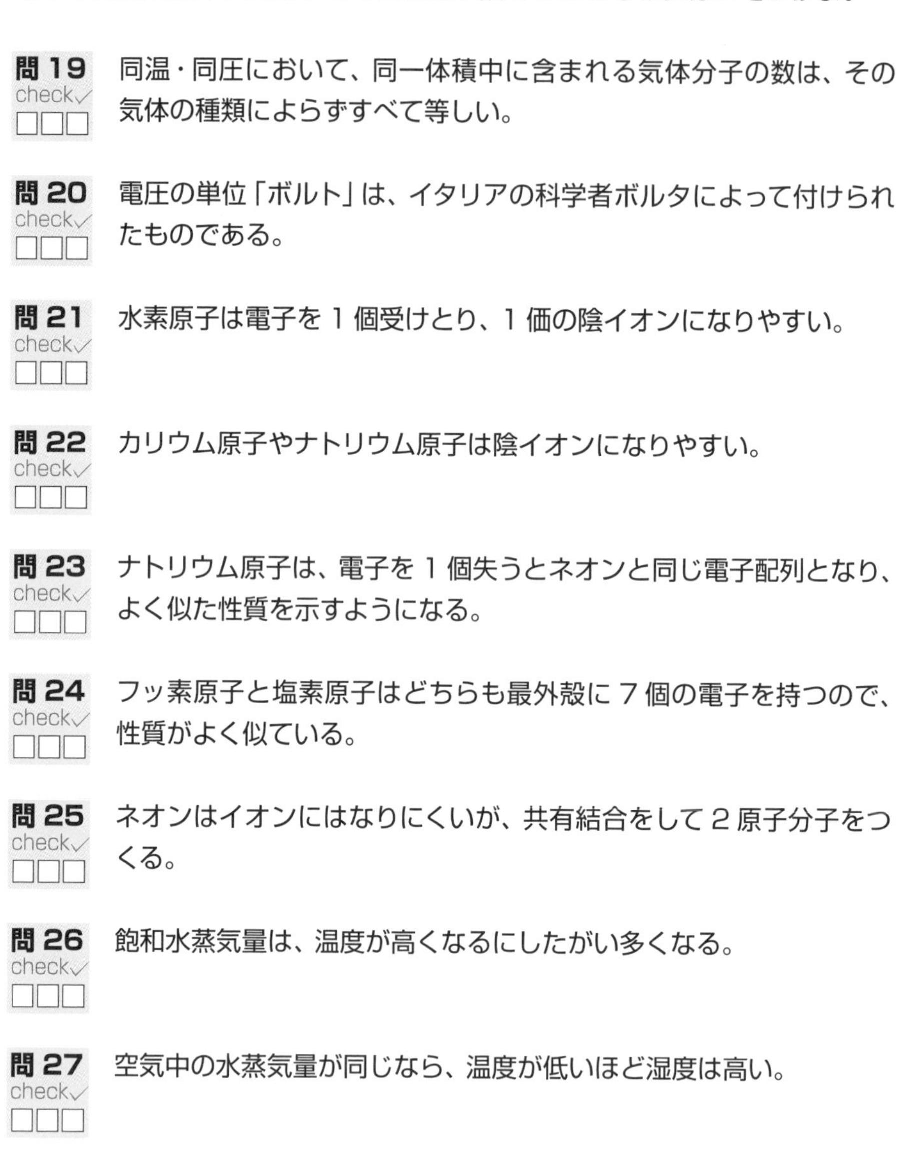

問19 check✓ □□□
同温・同圧において、同一体積中に含まれる気体分子の数は、その気体の種類によらずすべて等しい。

問20 check✓ □□□
電圧の単位「ボルト」は、イタリアの科学者ボルタによって付けられたものである。

問21 check✓ □□□
水素原子は電子を 1 個受けとり、1 価の陰イオンになりやすい。

問22 check✓ □□□
カリウム原子やナトリウム原子は陰イオンになりやすい。

問23 check✓ □□□
ナトリウム原子は、電子を 1 個失うとネオンと同じ電子配列となり、よく似た性質を示すようになる。

問24 check✓ □□□
フッ素原子と塩素原子はどちらも最外殻に 7 個の電子を持つので、性質がよく似ている。

問25 check✓ □□□
ネオンはイオンにはなりにくいが、共有結合をして 2 原子分子をつくる。

問26 check✓ □□□
飽和水蒸気量は、温度が高くなるにしたがい多くなる。

問27 check✓ □□□
空気中の水蒸気量が同じなら、温度が低いほど湿度は高い。

問 19 ○ これは、イタリアの**アボガドロ**が提唱した法則である。この法則が後に実験で確かめられ、**分子**の存在が明らかになった。

問 20 × **ボルタ**はイタリアの科学者で、1800 年に「**ボルタ電池**」を発明した。電圧の単位は彼の名を記念して後に付けられたものであり、**ボルタ**が付けたわけではない。

問 21 × **水素原子**は電子を失って **1 価の陽イオン**になりやすい。

問 22 × **カリウム原子**と**ナトリウム原子**はともに電子を 1 個失って **1 価の陽イオン**になりやすい。

問 23 × **ナトリウム原子**は電子を 1 個失ってネオンと同じ電子配列になるが、1 価の陽イオンとなり**性質は大きく異なる。**

問 24 ○ どちらも 17 族に属する元素である。最外殻に存在する価電子数が同じで、化学的性質がよく似ている。このように同じ族に属し互いの性質が似ている元素を**同属元素**という。17 族はハロゲン族である。

問 25 × ネオンは希ガスと呼ばれる 18 族に属する元素で、化学的に安定していて**イオンにもなりにくい**。また、ほかの原子と**化学結合をすることもない**。

問 26 ○ **飽和水蒸気量**とは、1m^3 の空気中に含むことのできる水蒸気の最大量のことをいう。**飽和水蒸気量**は、温度が高くなるにしたがって多くなる。

問 27 ○ **湿度＝水蒸気量÷その温度の飽和水蒸気量× 100［%］**で求められる。飽和水蒸気量は温度が低いほど少なくなるから、同じ水蒸気量なら温度が低いほど湿度は高くなる。

問題

以下の記述を読み、正しいものには○、誤っているものには×をつけよ。

問 28 check✓ □□□
有機化合物は構成元素が少ないので化合物が作られず、種類は少ない。

問 29 check✓ □□□
エンジンやボイラーは高温下において、空気中の窒素と酸素が結合した NO_x を生じる。

問 30 check✓ □□□
原子番号が同じ元素の原子である同位体は、互いに同じ質量数で、原子核のまわりの電子の数も等しいので、化学的性質は似ている。

問 31 check✓ □□□
炭酸ナトリウム十水和物 1mol を水 200g に溶解させた溶液を加熱して 15g の水を蒸発させた後冷却したところ、25℃で結晶が析出し始めた。このことから炭酸ナトリウムの 25℃での溶解度は 13.3g であるということがわかる。

問 32 check✓ □□□
鉛蓄電池では、充電すると電解液の比重は増加する。

問 28 × 有機化合物の構成元素は主に C、H、O、N の 4 種類と少ないが、炭素原子どうしが結合して**鎖状や環状の種々の化合物**ができるために種類は多い。

問 29 ○ NO_x は大気汚染や酸性雨の原因となっている。例としては自動車のエンジン内の高温状態によって生じる**窒素酸化物**が有名である。

問 30 × 原子番号が同じで、質量数が異なる原子を**同位体**といい、**同位体**は陽子や電子の数は同じで、**中性子の数が異なっている**。また、**性質はよく似ている。**

問 31 × ここで析出する結晶は炭酸ナトリウム十水和物 $Na_2CO_3 \cdot 10H_2O$ である。Na_2CO_3（式量は 106）は溶質に、$10H_2O$（式量は 180）は溶媒に相当することに注意して、溶媒の質量と溶質の質量を考える。
（最初の溶質の質量±溶質の変化量）÷（最初の溶媒の質量±溶媒の質量）＝最終温度での溶解度÷ 100 であるが、ここでは、
最初の溶質＝ 106g
最初の溶媒の質量＝ 180 ＋ 200［g］
溶質の変化量＝± 0［g］
溶媒の変化量＝－ 15［g］
である。
最終温度での溶解度を S［g/100g 水］とおくと、次式が成り立つ。
(106 ± 0) ÷ (380 － 15) ＝ S/100
上式を解くと、S ＝ 29.0 となる。

問 32 ○ 鉛蓄電池では、放電によって硫酸が消費され、同時に、消費された硫酸と同物質量の水が生成する。この反応に伴う電解液の質量減少の割合は、体積変化の割合に比べて大きく、**鉛蓄電池での放電**は、電解液の比重の**減少**をもたらす。逆に、**鉛蓄電池での充電**は、電解液の比重の**増加**をもたらす。

化学　問題

以下の記述を読み、正しいものには○、誤っているものには×をつけよ。

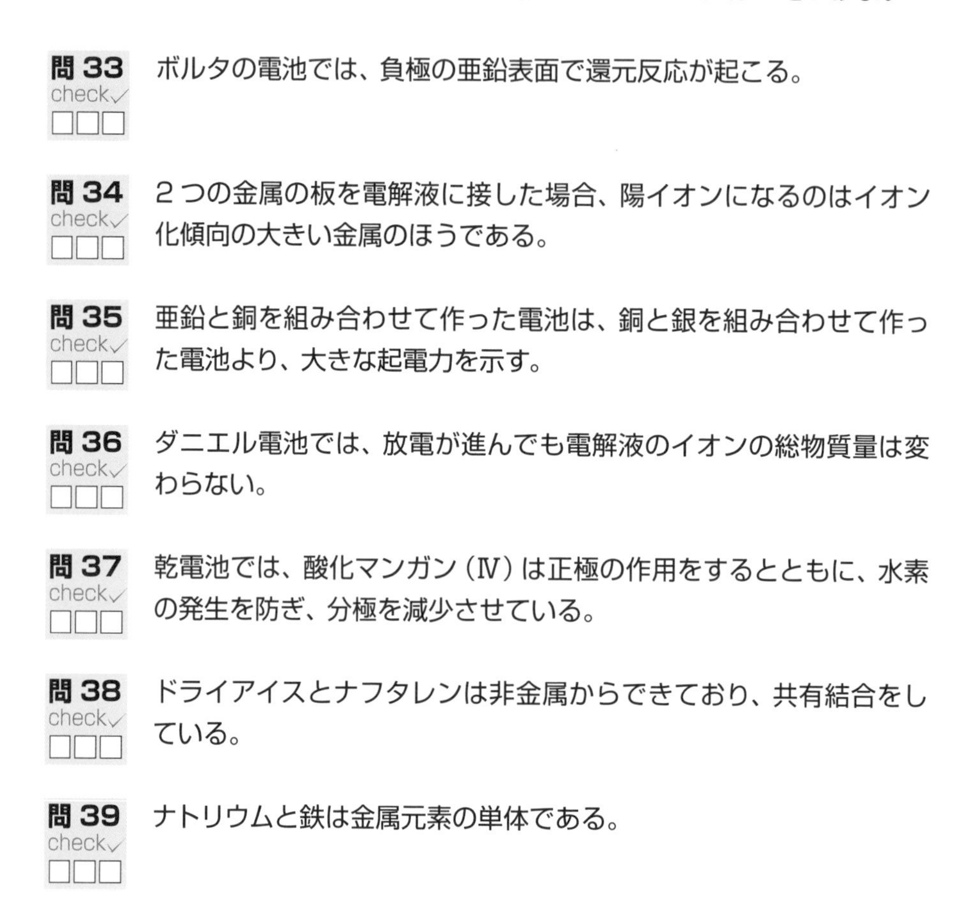

問 33 check✓ □□□
ボルタの電池では、負極の亜鉛表面で還元反応が起こる。

問 34 check✓ □□□
2つの金属の板を電解液に接した場合、陽イオンになるのはイオン化傾向の大きい金属のほうである。

問 35 check✓ □□□
亜鉛と銅を組み合わせて作った電池は、銅と銀を組み合わせて作った電池より、大きな起電力を示す。

問 36 check✓ □□□
ダニエル電池では、放電が進んでも電解液のイオンの総物質量は変わらない。

問 37 check✓ □□□
乾電池では、酸化マンガン（Ⅳ）は正極の作用をするとともに、水素の発生を防ぎ、分極を減少させている。

問 38 check✓ □□□
ドライアイスとナフタレンは非金属からできており、共有結合をしている。

問 39 check✓ □□□
ナトリウムと鉄は金属元素の単体である。

問 33 × ボルタの電池に限らず、電池の負極では**酸化反応**が起こる。

問 34 ○ **イオン化傾向**とは、金属が水溶液中で電子を失って陽イオンになる性質のことで、**イオン化傾向が大きいほど陽イオンになりやすい**。イオン化傾向の大きさの順番は K ＞ Ca ＞ Na ＞ Mg ＞ Al ＞ Zn ＞ Fe ＞ Ni ＞ Sn ＞ Pb ＞ H_2 ＞ Cu ＞ Ag ＞ Pt ＞ Au である。

問 35 ○ **起電力**はイオン化傾向の差が大きいほど大きくなる。よって設問文中の**亜鉛**と**銅**を組み合わせた電池のほうがより大きな**起電力**を示す。また、イオン化傾向の大きさは、**亜鉛**＞鉄＞ニッケル＞スズ＞鉛＞水素＞**銅**＞水銀＞銀の順である。

問 36 ○ ダニエル電池の負極の電極反応は $Zn \rightarrow Zn^{2+} + 2e^-$ であり、正極の電極反応は、$Cu^{2+} + 2e^- \rightarrow Cu$ である。両者を組み合わせると、電池全体としての反応は、$Zn + Cu^{2+} \rightarrow Zn^{2+} + Cu$ となる。この式から明らかなように、ダニエル電池では放電によって銅(Ⅱ)イオンが消費されると同時に、消費された銅(Ⅱ)イオンと同物質の亜鉛イオンが生成する。したがって、ダニエル電池では、放電が進んでも電解液中に**イオンの総物質量に変化はない**。

問 37 ○ 乾電池では、酸化マンガン(Ⅳ)は、**正極の作用**をするとともに**減極剤**を兼ねている。炭素棒は正極の端子にすぎない。

問 38 × どちらの化合物（CO_2、$C_{10}H_8$）も**非金属元素**のみから構成されており、共有結合ではなく分子間力によって**分子結晶**を形成する。

問 39 ○ (Na、Fe)は**金属元素の単体**であり、金属結合によってイオン結晶を形成する。

化学　問題

以下の記述を読み、正しいものには○、誤っているものには×をつけよ。

問 40 check✓ □□□
カルシウムとフッ化カルシウムは、どちらの化合物も金属結合をしてイオン結晶を形成する。

問 41 check✓ □□□
金と白金は金属元素と非金属元素から構成されており、イオン結合によってイオン結晶を形成する。

問 42 check✓ □□□
ダイヤモンドとケイ素どちらの単体も金属元素の単体であり、金属結合によってイオン結晶を形成する。

問 43 check✓ □□□
2 本の白金電極を用いて、希硫酸を電気分解すると、陽極に酸素が発生する。

問 44 check✓ □□□
粘土のコロイド粒子は、電気泳動により陽極側に移動する。このコロイド溶液の凝析に最も少量で有効に作用するのは $AlCl_3$ である。

問 45 check✓ □□□
硝酸ナトリウム $NaNO_3$ の水への溶解度は、60℃で 124、20℃で 88 である。60℃の水 200g に硝酸ナトリウムを溶かして飽和溶液をつくり、これを 20℃まで冷却すると析出する硝酸ナトリウムの結晶は 36g となる。

問 46 check✓ □□□
水酸化ナトリウム水溶液を白金電極を用いて電気分解した。このとき、両極で発生する気体の体積比（陰極：陽極）は 2：1 である。

問 40 × カルシウム(Ca)は金属元素の単体であり、**金属結合**によって**金属結晶**を形成するが、フッ化カルシウム(CaF_2)は、金属元素と非金属元素から構成されており、**イオン結合**によって**イオン結晶**を形成する。

問 41 × (金 Au、白金 Pt)は金属元素の単体であり、**金属結合**によって**金属結晶**を形成する。

問 42 × どちらの単体(C、Si)も、**非金属元素の単体**であり、これらは**共有結合**によって**結晶**を形成する。

問 43 ○ 希硫酸の電気分解における陽極、陰極での反応は、水の電気分解におけるそれぞれの極での反応と同じで、**陽極では酸素**が、**陰極では水素**が発生する。

問 44 ○ 電気泳動の向きが陽極側なので、負電荷を持つコロイドとわかる。凝析には反対荷電の価数の大きいイオンが有効であり、$AlCl_3$ には Al^{3+} が存在するため最も有効にはたらく。

問 45 × 60℃と 20℃での、水 200g に溶ける $NaNO_3$ の質量の差が析出量となるので、(60℃の溶解量)－(20℃の溶解量)で求める。

$124 \times \frac{200}{100} - 88 \times \frac{200}{100} = 72$g となる。

問 46 ○ **陰極**では Na^+ は還元しにくく、水が反応し $2H_2O + 2e^- \rightarrow H_2 + 2OH^-$ となり、**陽極**では OH^- が酸化されるので $4OH^- \rightarrow 2H_2O + O_2 + 4e^-$ となる。これらの反応式で、同じ物質量の電子が流れたときの H_2 と O_2 の物質量を比較すればよい。

即ち、**陰極：陽極＝水素：酸素**＝ 2：1

以下の記述を読み、正しいものには○、誤っているものには×をつけよ。

問 47 check✓ □□□

C_6H_{14} の化合物に考えられる異性体は全部で 6 種類である。

問 48 check✓ □□□

ある有機化合物を燃焼させてから冷却し、生じた液体を硫酸銅（Ⅱ）無水物に触れさせると、白色から青色へと変化した。生じた液体はアンモニア水である。

問 49 check✓ □□□

ベンゼン、トルエンといった芳香族炭化水素に属する化合物はアセトン、エタノールなどの有機溶媒には溶けるが、水には溶けにくいという性質を持つ。

問 47 × C_6H_{14} は飽和鎖式炭化水素である。**主鎖**（最長の直線）の長さを決めて、**側鎖**の位置を考える。

（主鎖 C_6）① $CH_2-CH_2-CH_2-CH_2-CH_2-CH_3$

（主鎖 C_5）② $CH_3-CH(CH_3)-CH_2-CH_2-CH_3$

③ $CH_3-CH_2-CH(CH_3)-CH_2-CH_3$

（主鎖 C_4）④ $CH_3-CH(CH_3)-CH(CH_3)-CH_3$

⑤ $CH_3-C(CH_3)_2-CH_2-CH_3$

主鎖 C_3 は②、④、⑤と同じになるので、**異性体**は以上の **5** 種類である。

問 48 × 生じた液体は**水**であり、硫酸銅（Ⅱ）無水物は水和すると**青色**になる。**アンモニア（気体）**を生じるのは有機化合物を**生石灰と混合**して加熱し、生じた気体に濃塩酸を加えたときである。

問 49 ○ **正しい記述である**。なお、芳香族炭化水素に属する化合物は特有の香りを持ち、有毒であるという特徴を持っている。

問 50 check✓ □□□

2.1g の炭酸水素ナトリウムを加熱したところ、二酸化炭素を生じさせながら全てが炭酸ナトリウムに変化した。このとき生じた二酸化炭素と過不足なく反応する 0.050mol ／ L の水酸化バリウム水溶液の体積は何 mL か。最も近い数値を選べ。ただし、H : 1.0、C : 12、O : 16、Na : 23 とする。

1 25
2 50
3 100
4 250
5 500

問 51 check✓ □□□

炭素、水素、酸素からなり、フェーリング液と反応すると赤色沈殿を生じる化合物がある。この化合物 29mg を完全燃焼させると、二酸化炭素 66mg と水 27mg が生じた。この化合物として最も適当なものを選べ。H : 1.0、C : 12、O : 16 とする。

1 CH_3COCH_3
2 CH_3CH_2CHO
3 CH_3CH_2COOH
4 $CH_3CH_3COCH_3$
5 $CH_3(CH_2)_2CHO$

問 50　正解　4

反応式は　$2NaHCO_3 \rightarrow Na_2CO_3 + CO_2 + H_2O$　である。

$\frac{2.1}{84}$ mol　$\frac{1}{2} \times \frac{2.1}{84}$ mol

この反応式の係数より、$NaHCO_3$ の $\frac{1}{2}$ 倍の mol 数の CO_2 が発生する。

次に、二酸化炭素と水酸化バリウムとの反応式は、

$CO_2 + Ba(OH)_2 \rightarrow BaCO_3 + H_2O$　であるから二酸化炭素と水酸化バリウムは、同じ mol 数が反応することがわかる。ここで求める水酸化バリウムの体積を xmL とすると

$\frac{1}{2} \times \frac{2.1}{84} = 0.050 \times \frac{x}{1000}$ が成立する。

$\therefore\ x = 250$mL

よって、**4** が正解である。

問 51　正解　2

炭素 C：12、水素 H_2：1×2 より、炭素 $66 \times \frac{12}{44} = 18$mg

水素 $27 \times \frac{2}{18} = 3$mg　酸素 $29 - 18 - 3 = 8$mg

ここで組成式を $C_xH_yO_z$ とすると、$x : y : z = \frac{18}{12} : \frac{3}{1} : \frac{8}{16} = 3 : 6 : 1$

組成式が C_3H_6O でありアルデヒド基 $(H - C = O)$ を持つのは **2** のプロピオンアルデヒドである。

生物　問題

以下の記述を読み、正しいものには○、誤っているものには×をつけよ。

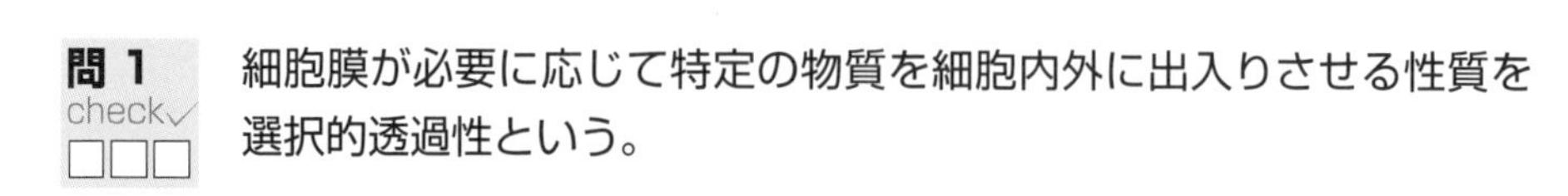

問 1 check✓ □□□

細胞膜が必要に応じて特定の物質を細胞内外に出入りさせる性質を選択的透過性という。

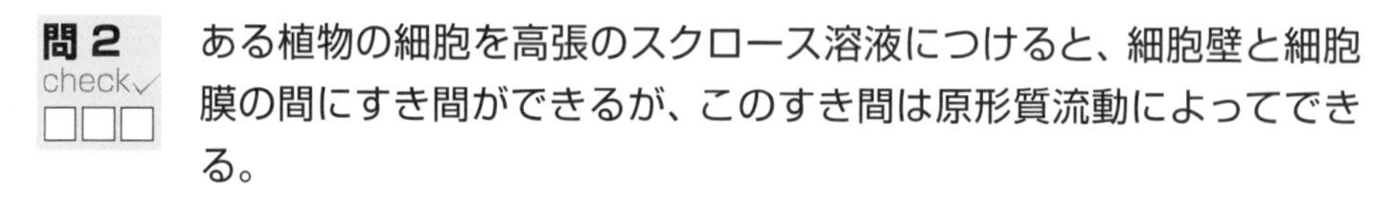

問 2 check✓ □□□

ある植物の細胞を高張のスクロース溶液につけると、細胞壁と細胞膜の間にすき間ができるが、このすき間は原形質流動によってできる。

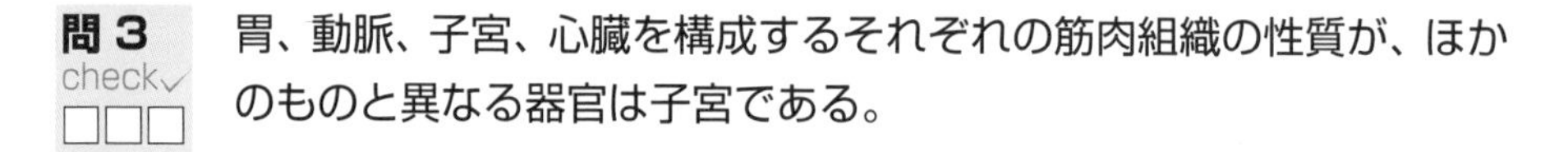

問 3 check✓ □□□

胃、動脈、子宮、心臓を構成するそれぞれの筋肉組織の性質が、ほかのものと異なる器官は子宮である。

問 4 check✓ □□□

神経組織のニューロンの細胞体を観察するのに最も適しているのは骨髄である。

問 5 check✓ □□□

酵素の作用を受ける物質を基質といい、酵素は決まった1つの基質にしか反応しない基質特異性という特性を持っている。

問 6 check✓ □□□

手に持った花などのつくりをルーペで観察するときは、観察したいものを前後に動かして観察する。

問 7 check✓ □□□

花を咲かせ、種子をつくって仲間を増やす種子植物には胞子という世代はない。

問 8 check✓ □□□

被子植物の子房は胚を乾燥から保護する役割をしている。

問1 ○ **選択透過性**とは、細胞膜が特定の物質のみを通過させる性質で、**選択透過性**の要因としては、**浸透**(半透膜を介する水の移動)、**拡散**(濃度差に従った物質の移動)、**能動輸送**(エネルギー消費を伴う、濃度差に逆らった物質の移動)がある。

問2 × 原形質流動ではなく**原形質分離**によってすき間ができる。このすき間にあるのは、外液と等張のスクロース溶液である。

問3 × 子宮ではなく**心臓**である。心臓の筋肉である心筋は**横紋筋**であるが、胃、動脈、子宮の筋肉は**平滑筋**である。

問4 × 骨髄ではなく**脊髄**である。骨髄は結合組織で、硬骨内部の柔らかい組織であり、血球をつくる造血幹細胞などからなる。脊髄(神経組織)と骨髄を混同しない。

問5 × 一般に酵素はそれぞれ特定の基質にしかはたらかない。この酵素の性質を**基質特異性**というが、この性質は、1つの酵素は1つの基質にしかはたらかないというものではなく、2つ、3つの基質にはたらく酵素もある。はたらく相手が決まっているということである。

問6 ○ ルーペを使う場合には**観察する対象物を動かして**、見やすい位置を探すようにし、ルーペを動かしては観察しない。

問7 × 種子植物にも、**胞子**という世代がある。被子植物の胞子に相当するのは**花粉細胞**と**胚のう細胞**である。

問8 ○ 子房は**乾燥からの保護**のほかに、物理的な刺激からも胚を保護する。また、子房は鳥などのエサとなり、未消化物としてフンに含まれる種を遠くへ運ばせる目的がある。

生物　問題

以下の記述を読み、正しいものには○、誤っているものには×をつけよ。

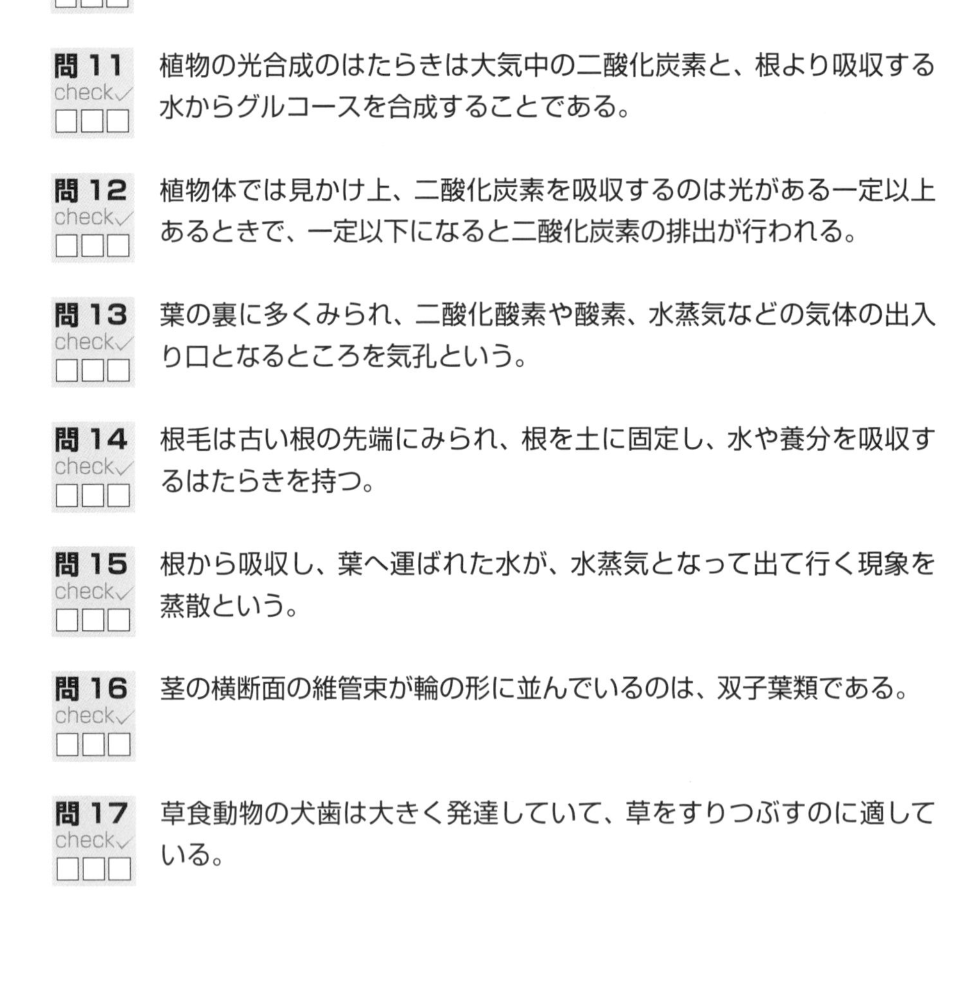

問 9 check✓ □□□
被子植物で花粉がめしべの柱頭について、種子となる部分を子房という。

問 10 check✓ □□□
種子植物のうちで、胚珠が子房に包まれている植物を被子植物という。

問 11 check✓ □□□
植物の光合成のはたらきは大気中の二酸化炭素と、根より吸収する水からグルコースを合成することである。

問 12 check✓ □□□
植物体では見かけ上、二酸化炭素を吸収するのは光がある一定以上あるときで、一定以下になると二酸化炭素の排出が行われる。

問 13 check✓ □□□
葉の裏に多くみられ、二酸化酸素や酸素、水蒸気などの気体の出入り口となるところを気孔という。

問 14 check✓ □□□
根毛は古い根の先端にみられ、根を土に固定し、水や養分を吸収するはたらきを持つ。

問 15 check✓ □□□
根から吸収し、葉へ運ばれた水が、水蒸気となって出て行く現象を蒸散という。

問 16 check✓ □□□
茎の横断面の維管束が輪の形に並んでいるのは、双子葉類である。

問 17 check✓ □□□
草食動物の犬歯は大きく発達していて、草をすりつぶすのに適している。

問9 × 種子になる部分は子房の中にある**胚珠**で、子房全体は果実になる。

問10 ○ サクラやタンポポなど胚珠が子房に包まれている植物を**被子植物**といい、イチョウやマツなど胚珠が子房に包まれていない植物を**裸子植物**という。

問11 ○ 光合成とは植物の葉の細胞内の葉緑体が光を受けて**グルコース**を生成することで、**デンプン**として貯蔵する。

問12 ○ 植物は**光合成**で CO_2 を吸収するとともに**呼吸**により CO_2 を放出している。**光合成**において、一定以上の光の強さがある場合、吸収する二酸化炭素量は、**呼吸**によって放出される二酸化炭素量を上回る。しかし、一定以下の光の強さでは、**呼吸**による二酸化炭素の放出量のほうが多くなる。

問13 ○ **気孔**は葉の裏側に多くみられ、一対の三日月型の**孔辺細胞**に囲まれたすき間である。

問14 × **根毛**とは、**若い根の先端**にみられる水や養分を吸収するはたらきを持つ細かい毛である。植物体からほぼ垂直方向に伸びるので、根の固定にも役立っている。後半の記述は正しい。

問15 ○ 気孔から蒸発することを**蒸散**という。根から吸収された水はとぎれることなく根・茎・葉を通じて運ばれる。

問16 ○ 維管束の形がはっきり輪の形に並んでいるのは**双子葉類**である。**形成層**をはっきり確認することができる。

問17 × 草食動物で発達しているのは**臼歯**である。一方、肉食動物では**犬歯**が発達していて動物をとらえたり、肉を引き裂くのに適している。

問題

以下の記述を読み、正しいものには○、誤っているものには×をつけよ。

問 18 check✓ □□□
草食動物の目は、広い範囲を見渡せるように目が横向きに付いている。

問 19 check✓ □□□
卵を産み、卵から子がかえるという仲間の増やし方を卵生という。

問 20 check✓ □□□
脊椎動物で、子のときはえらで呼吸し、成長すると肺だけで呼吸する動物の仲間を両生類という。

問 21 check✓ □□□
まわりの温度が変わっても体温が一定に保たれる動物を変温動物という。

問 22 check✓ □□□
炭水化物、脂肪、タンパク質などのように、炭素を含み、燃やすと二酸化炭素を発生する物質を有機物という。

問 23 check✓ □□□
消化液に含まれていて、食物に含まれている成分を分解して、吸収しやすい養分に変えるはたらきをするものを消化酵素という。

問 24 check✓ □□□
血管が破れて出血すると、傷口に血餅ができて血が止まるが、この反応を抗原抗体反応という。

問 25 check✓ □□□
血清療法とは、動物に病原体や毒素を抗原として注射して抗体を増やし、この抗体を人の病気治療に使う方法で、即効性があり、効果は持続する。

問 26 check✓ □□□
大脳の皮質のうち大脳辺縁系と呼ばれる部分は、古皮質、原皮質とも呼ばれ、本能行動中枢や情動、欲求の中枢である。

問18 ○ 草食動物は広い範囲を見渡せるよう、また、敵を早く見つけ逃げられるように目が**横向き**に付いている。

問19 ○ 卵生に対して、子が母体内である程度まで育ってから産まれるという増やし方を**胎生**という。

問20 × 両生類は成長すると**肺**と**皮膚**で呼吸する。また、一生**えら**で呼吸する脊椎動物は魚類である。

問21 × **変温動物**とは、まわりの温度が変わるにつれて体温も変わる動物のことである。まわりの温度が変わっても体温が一定に保たれる動物は**恒温動物**である。

問22 ○ 食塩水やナトリウムなどのように、炭素を含まない物質を**無機物**という。生物に由来する炭素原子を含むものが**有機物**、含まないものが**無機物**である。

問23 ○ 消化酵素にはだ液に含まれる**だ液アミラーゼ**、胃液に含まれる**ペプシン**、すい液に含まれる**マルターゼ**などがある。

問24 × 設問文の記述は血液の**凝固反応**という。血液の**凝固**は、トロンビンという酵素によってフィブリノーゲンが繊維状のフィブリンというタンパク質に変えられ、これに赤血球や白血球がからみついて**血餅**をつくる現象をいう。

問25 × 血清療法は**即効性があるが持続性はない**。例としてはヘビ毒の治療に用いられている。

問26 ○ 大脳は**高等な精神作用や記憶**、**創造**などを担当しているが、そのほか、**本能行動**も大脳の役割である。

生物　問題

以下の記述を読み、正しいものには○、誤っているものには×をつけよ。

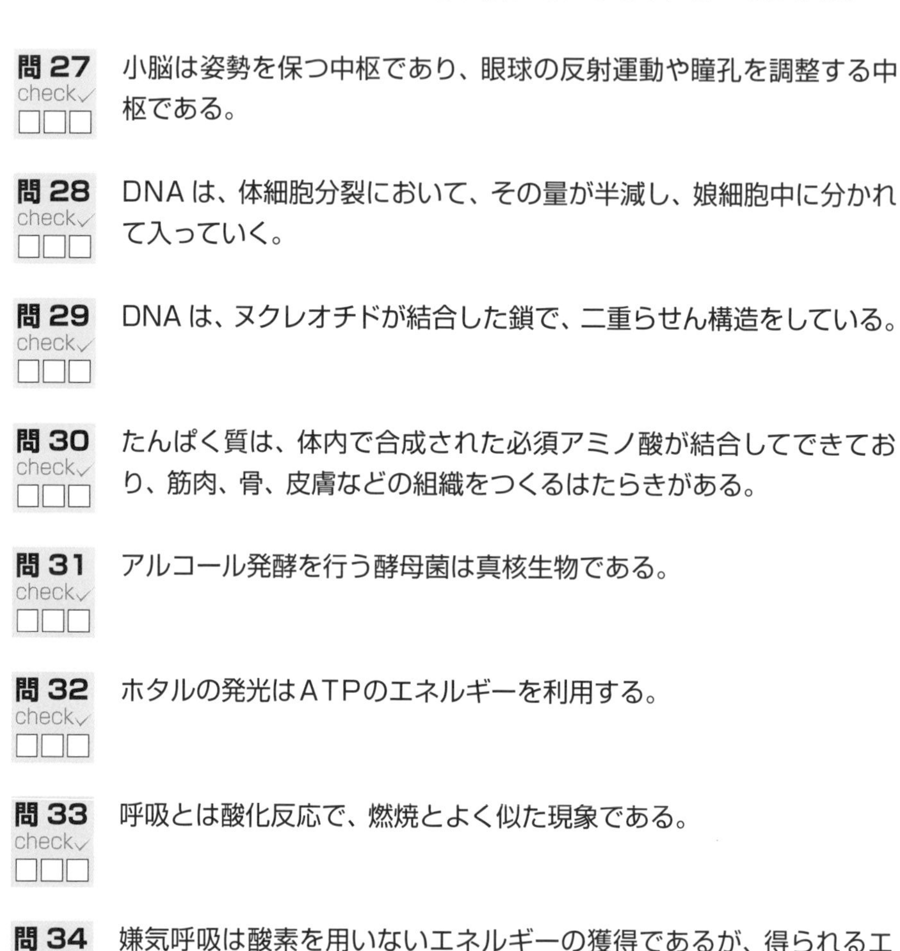

問 27
check✓ □□□
小脳は姿勢を保つ中枢であり、眼球の反射運動や瞳孔を調整する中枢である。

問 28
check✓ □□□
DNA は、体細胞分裂において、その量が半減し、娘細胞中に分かれて入っていく。

問 29
check✓ □□□
DNA は、ヌクレオチドが結合した鎖で、二重らせん構造をしている。

問 30
check✓ □□□
たんぱく質は、体内で合成された必須アミノ酸が結合してできており、筋肉、骨、皮膚などの組織をつくるはたらきがある。

問 31
check✓ □□□
アルコール発酵を行う酵母菌は真核生物である。

問 32
check✓ □□□
ホタルの発光はＡＴＰのエネルギーを利用する。

問 33
check✓ □□□
呼吸とは酸化反応で、燃焼とよく似た現象である。

問 34
check✓ □□□
嫌気呼吸は酸素を用いないエネルギーの獲得であるが、得られるエネルギー量は好気呼吸より多い。

問 27 × これは**中脳**のはたらきである。眼球の運動、ひとみの拡大、縮小、姿勢保持などの中枢は**中脳**である。

問 28 × **体細胞分裂**では、分裂前の核内で、**DNA量は2倍**となり、娘細胞に分かれる。よってその後のそれぞれの核の中のDNA量は、もとと同じになる。**DNA量が半減**するのは**減数分裂**においてである。

問 29 ○ **DNA（デオキシリボ核酸）**は、塩基と糖とリン酸が結合したヌクレオチドが多数結合した高分子化合物である。**DNA**の二重らせん構造は、ワトソンとクリックにより解明された。

問 30 × タンパク質を構成する**アミノ酸**は約20種類で、そのうち、ヒトの**必須アミノ酸**は10種類である。**必須アミノ酸**は体内では合成されないので、食物から取り込まなければならない。

問 31 ○ 「菌」とつく生物の多くは原核生物であるが、酵母菌は**真核生物**である。**真核生物**は核や細胞小器官を持った生物であり、15億年前に地球に誕生した。

問 32 ○ **ATP**のエネルギーを利用するほかの例として、グリコーゲンの合成、筋肉の収縮、能動輸送などがある。

問 33 ○ **呼吸・燃焼**ともに二酸化炭素と水に分解される酸化分解反応である点で似ている。ただし、**呼吸**で得られるエネルギーは化学エネルギーであるのに対し、**燃焼**は熱エネルギーと光エネルギーになる点で異なっている。

問 34 × **嫌気呼吸**とは酸素を用いない不完全な分解反応であるため、得られるエネルギー量は**好気呼吸**に比べ少ない。

問題

以下の記述を読み、正しいものには○、誤っているものには×をつけよ。

問 35
check✓
□□□

呼吸で生成されるATPはエネルギーの通貨と呼ばれる。

問 36
check✓
□□□

ラン藻類などの原核生物にはミトコンドリアが存在しない。

問 37
check✓
□□□

細胞分裂の際にみられる細胞板の主成分は脂質である。

問 38
check✓
□□□

涙を分泌する涙腺にはゴルジ体が多く存在する。

問 39
check✓
□□□

下図に示したリボソームと小胞体はいずれも電子顕微鏡でのみ観察が可能である。

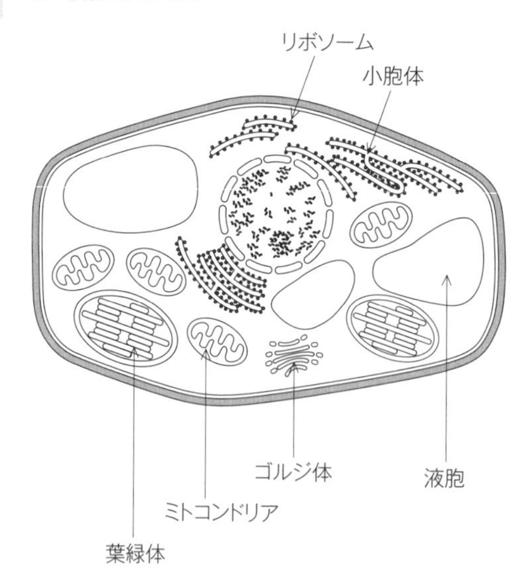

問 35 ○　ATPは**アデノシン三リン酸**と呼ばれ、呼吸によって生成される。ATPは**高エネルギーリン酸結合**を持った物質で、全生物共通の物質であるため、エネルギーの通貨と呼ばれる。

問 36 ○　原核生物は**核膜**、**ミトコンドリア**、**葉緑体**などを持たない。

問 37 ×　細胞板の主成分は**ペクチン**であり、細胞と細胞の接着の役割も兼ねている。一方、細胞膜の主成分は脂質とタンパク質である。

問 38 ○　涙腺やだ液腺などは腺組織（上皮組織の１つ）であり、涙やだ液を分泌する器官である。ここには分泌を主たるはたらきとする**ゴルジ体**が発達している。

問 39 ○　細胞内構造体のうち、**小胞体**、**リボソーム**および**リソソーム**は微細な構造であるため電子顕微鏡でのみ観察が可能である。

以下の記述を読み、正しいものには○、誤っているものには×をつけよ。

問 40 check✓ □□□

ある水生植物の葉を顕微鏡で観察したところ、緑色の粒子が図の矢印ように移動するのがみられた。この現象は動物細胞でもよく観察される。

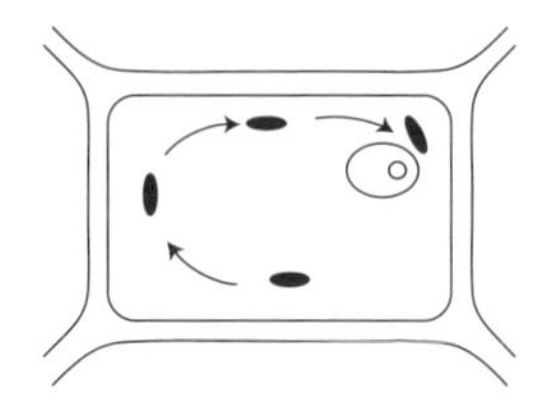

問 41 check✓ □□□

植物の組織で師部と木部の位置関係は、茎と根でも同じように観察される。

問 42 check✓ □□□

右の図のXの部分の主なはたらきは木部と師部を隔てることである。

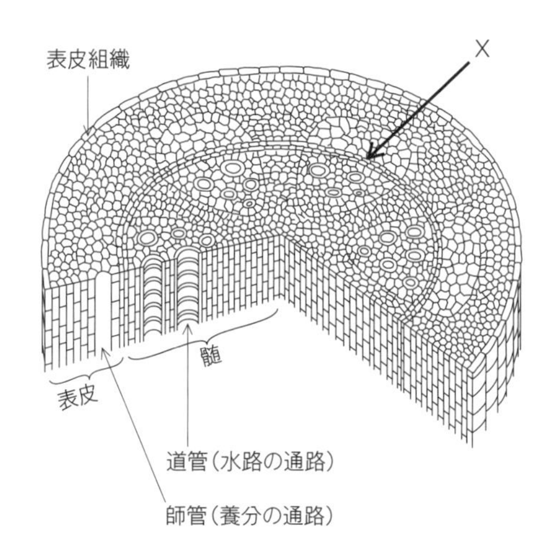

問 43 check✓ □□□

次の図のミドリムシが光源に向かう場合、進行方向は矢印の方角である。

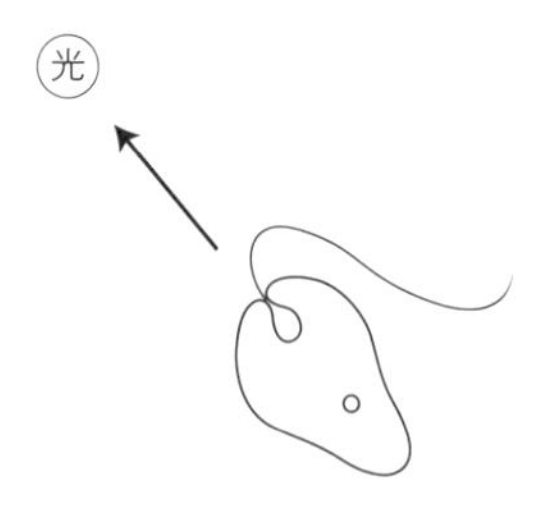

問 44 check✓ □□□

血液に含まれる赤血球、白血球、血小板において、最も数が多いのは赤血球である。

問 40 × 設問文は**原形質流動**の説明であり、この現象は**植物細胞**で観察することができる。**動物細胞**ではきわめて観察がしにくい現象である。

問 41 ○ 師部と木部の位置関係は、茎でも根でも師部が**外側**、木部が**内側**である。

問 42 × Xは**形成層**である。**形成層**の主なはたらきは、分裂を盛んに行い外側に師部、内側に木部の細胞を作り、茎を肥大成長させることである。

問 43 ○ ミドリムシは、べん毛の付け根に**眼点**という光を感じる器官がある。したがって光源に向かうときは**眼点**のある方向に向かっていく。

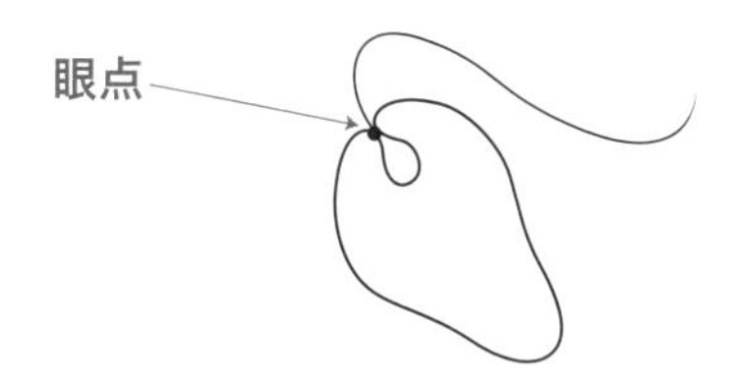

問 44 ○ **赤血球**は成人男性で血液1mm^{3}中に500万個、成人女性で450万個といわれ、血球成分では最も多い。一方、**白血球**は6,000～8,000個、**血小板**は20～50万個である。

以下の記述を読み、正しいものには○、誤っているものには×をつけよ。

問 45 check✓ □□□
血液に含まれる赤血球、白血球、血小板において、肝臓で破壊されるのは赤血球だけである。

問 46 check✓ □□□
動物の 3 大体液とは、血液、だ液、組織液の 3 種類である。

問 47 check✓ □□□
血液中の血糖値はほぼ 0.1%に保たれている。

問 48 check✓ □□□
血液凝固を阻止する方法の 1 つに、採血した血液をガラス棒でかき回す方法がある。

問 49 check✓ □□□
胃液に含まれるペプシンは、脂肪を分解する消化酵素である。

問 50 check✓ □□□
だ液に含まれるアミラーゼはデンプンをグルコースに分解する。

問 51 check✓ □□□
消化酵素は体内でのみはたらきを示す。

問 52 check✓ □□□
血糖値を低下させるホルモンは、インスリンのみである。

問 45 ○ 赤血球、白血球、血小板はいずれも脾臓で破壊されるが、肝臓でも破壊されるのは**赤血球**のみである。

問 46 × だ液は不適当である。3大体液とは**血液**、**組織液**、**リンパ液**を指す。これらの関係は、**血液**の液体成分（血しょう）が組織中に浸み出していくと**組織液**と呼ばれるようになり、**組織液**がリンパ管に入ると**リンパ液**と呼ばれる。すなわち存在する場所によって名称が異なるということである。

問 47 ○ 0.1％に保たれていることを**恒常性**という。**恒常性**は、ある作用の結果が、原因にさかのぼってはたらきかけるフィードバックによって調節されている。

問 48 ○ この方法は**物理的手法**として用いられている。このほかに化学的方法としてクエン酸ナトリウムを加えることにより、カルシウムイオンをクエン酸カルシウムとして沈殿させ、除去する方法と、低温にすることでトロンビンなどの酵素のはたらきを抑制する方法が挙げられる。

問 49 × **ペプシン**は胃液に含まれ、タンパク質を分解する消化酵素である。このほかにタンパク質を分解する酵素としては、**トリプシン**、**ペプチターゼ**がある。

問 50 × だ液アミラーゼは**デンプン**に作用し、**マルトース（麦芽糖）**に分解する消化酵素である。

問 51 × **消化酵素**は体内で生成されるが、体外においても温度や pH の条件が整えばはたらきを示すことができる。

問 52 ○ 血糖値を上げるホルモンには**糖質コルチコイド**、アドレナリン、**グルカゴン**、**チロキシン**、**成長ホルモン**がある。

問題

以下の記述を読み、正しいものには○、誤っているものには×をつけよ。

問 53 check✓ □□□

瞳孔を広げるはたらきがあるのは交感神経の作用である。

問 54 check✓ □□□

心臓の拍動を促進させるのは副交感神経の作用である。

問 55 check✓ □□□

両生類の変態を促進させるチロキシンは、経口投与しても作用を失わない。

問 56 check✓ □□□

大脳の機能が失われている状態を脳死という。

問 57 check✓ □□□

脳全体のなかで中脳がよく発達している動物は鳥類である。

問 58 check✓ □□□

両親の血液型がAB型とO型の場合、生まれてくる子の血液型に両親と同じ血液型はいない。

問 59 check✓ □□□

第一子の出産において、母親の血液型がRh−で体内にいる子の血液型がRh＋の場合、拒絶反応が起きる。

問 53 ○ 交感神経は動物が興奮状態にあるときにはたらく神経系である。興奮状態にあるとき、呼吸は促進され、瞳孔は大きく広がり、膀胱の筋肉は弛緩する。

問 54 × 副交感神経は安静状態にあるときにはたらく神経である。したがって、心臓の拍動を抑制するはたらきをなす。逆に促進させるのは交感神経である。

問 55 ○ チロキシンは甲状腺から分泌されるホルモンであるが、性状はアミノ酸系なので経口投与しても効果に変わりはない。経口投与ができないホルモンはタンパク質系の成長ホルモンなどである。

問 56 × 大脳が機能停止状態になっても栄養を補給し続ければ、生命維持が可能なので脳死とはいわない。日本での脳死とは、すべての脳(間脳、延髄、中脳、小脳、大脳)の機能が失われている状態を指す。

問 57 ○ 中脳は目の運動を支配する。鳥類が小さい昆虫などを遠方から探すことができるのは中脳がほかの脳の部分よりも発達しているからである。

問 58 ○ 両親がAB型とO型である場合、遺伝子型はABおよびOOであるため、この間に生まれる子はA型かB型しか生まれてこない。

問 59 × 生まれてくる子が第一子の場合は拒絶反応は起きない。これは第一子目の出産時にはRh＋の抗体が母体内に形成されるだけだからである。しかし第二子目には母体内の免疫機能がはたらき、抗原抗体反応による拒絶反応が起こる。

問 60 check✓ □□□

ある植物の根端を光学顕微鏡で検鏡したところ、下図のような細胞が観察された。この植物の体細胞における染色体数はいくらか。

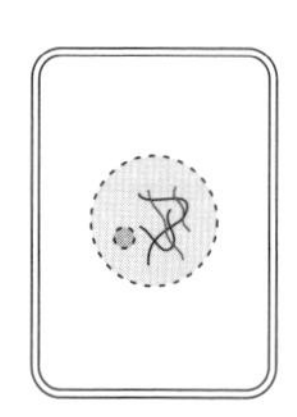
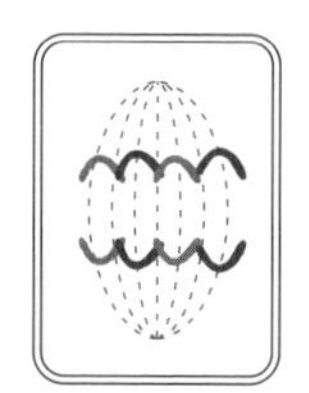
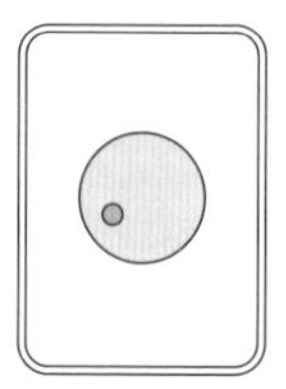
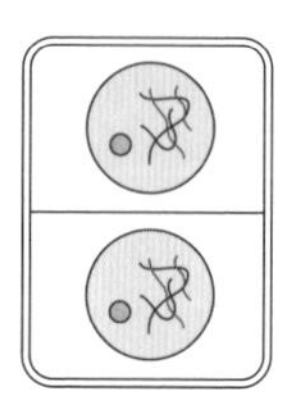

1 2
2 4
3 6
4 8
5 12

問 61 check✓ □□□

葉緑体とミトコンドリアの類似点に関する次の記述のうち、誤っているものはどれか。

1 両者とも 2 重膜構造をとる。
2 両者とも楕円形で、大きさもほぼ同じである。
3 両者とも ATP の合成を行うことができる。
4 両者とも原核生物には存在しない。
5 両者ともオリジナルの DNA を持つ。

問 60　正解　2

問題の図は、左から順に、前期、後期、間期、終期、中期となっている。このうち染色体を観察するのに適しているのは、染色体が赤道面に並ぶ中期である。よって、正解は **2** の **4** 本である。

この時期の染色体は動原体(染色体の中心部)を基に裂け目があり、2本あるようにみえるので注意が必要である。また、後期の染色体からも判断できるが、それらは染色分体の状態なので、片側だけを数えるとよい。

問 61　正解　2

細胞小器官のうち、葉緑体、ミトコンドリアは、ともに完全な二重の生体膜構造をとることから、もとは別の生物であったと考えられている。これを共生説という。この説を裏づける事実として、両者はオリジナルのDNAを持つ。また、原核生物の出現は 35 億年前で、真核生物の出現が 15 億年前なので、原核生物には両者はみられない。一方、葉緑体にも、水素伝達系に似たはたらきがあるので、ミトコンドリア同様ATPの生成が行われている。

一方、両者とも楕円形を呈するが、大きさは葉緑体がおよそ 10 μ m、ミトコンドリアがおよそ 2 μ m である。

地学 問題

以下の記述を読み、正しいものには○、誤っているものには×をつけよ。

問1 check✓ □□□
岩石が長い間空気にさらされて、表面から崩れていく現象を浸食という。

問2 check✓ □□□
流水によって海に運ばれた、れき、砂、泥のうち河口から離れた沖合いに堆積するものはれきである。

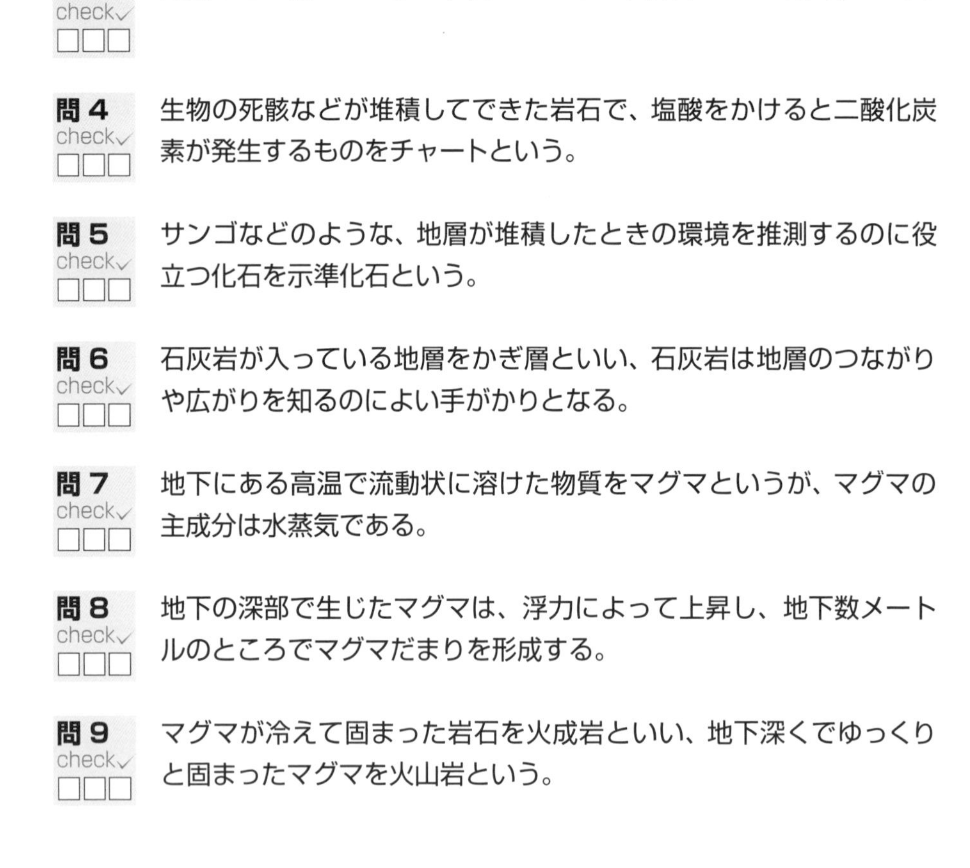

問3 check✓ □□□
海底などに積もった砂が堆積してできた堆積岩のことを砂岩という。

問4 check✓ □□□
生物の死骸などが堆積してできた岩石で、塩酸をかけると二酸化炭素が発生するものをチャートという。

問5 check✓ □□□
サンゴなどのような、地層が堆積したときの環境を推測するのに役立つ化石を示準化石という。

問6 check✓ □□□
石灰岩が入っている地層をかぎ層といい、石灰岩は地層のつながりや広がりを知るのによい手がかりとなる。

問7 check✓ □□□
地下にある高温で流動状に溶けた物質をマグマというが、マグマの主成分は水蒸気である。

問8 check✓ □□□
地下の深部で生じたマグマは、浮力によって上昇し、地下数メートルのところでマグマだまりを形成する。

問9 check✓ □□□
マグマが冷えて固まった岩石を火成岩といい、地下深くでゆっくりと固まったマグマを火山岩という。

問1 × この現象は浸食ではなく**風化**という。浸食とは流水のはたらきなどによって陸地が削られていく現象である。

問2 × 河口に近いほうから順に**重い**ものが堆積し、**軽い**ものは沖合いに堆積するので、沖合いに堆積するものは**泥**である。

問3 ○ れきが堆積してできた岩石を**れき岩**、泥が堆積してできた岩石を**泥岩**という。

問4 × 塩酸をかけて二酸化炭素が発生するものは**石灰岩**で、**チャート**は塩酸をかけても気体が発生しない。

問5 × 環境を推測するのに役立つ化石は**示相化石**といい、地層が堆積した時代を知るのに役立つ化石のことを**示準化石**という。

問6 × **かぎ層**には凝灰岩や化石が含まれていて、地層のつながりや広がりを知ることができる。

問7 × **マグマ**とは地下に存在する造岩物質（メルト）を主体とする流動物体である。地下にあって水蒸気を主成分とするものは**火山ガス**である。

問8 ○ 浮力を失って停滞したマグマがたまる場所を**マグマだまり**という。**マグマだまり**の内圧が高まったり、マグマに溶け込んでいたガス成分が気化して発砲するなどして、噴火が生じる。

問9 × マグマが冷えて固まった岩石は**火成岩**であるという記述は正しいが、**火成岩**の一種の**火山岩**とはマグマが地表近くで、急に冷えて固まった岩石のことである。マグマが地下深くでゆっくり冷えて固まった岩石は**深成岩**という。

問題

以下の記述を読み、正しいものには○、誤っているものには×をつけよ。

問 10 check✓ □□□
火山岩のように、大きな粒の部分と細かい粒でできた岩石のつくりを斑状組織という。

問 11 check✓ □□□
深成岩のように、同じくらいの大きさの粒がきっちりと組み合わさっている岩石のつくりを等粒状組織という。

問 12 check✓ □□□
震度とは地震の全体としての規模を表わす数値であり、震源のエネルギーが大きければ大きいほど数値は大きくなる。

問 13 check✓ □□□
震源の真上の地表の地点のことを地震の震源地という。

問 14 check✓ □□□
初期微動が始まってから主要動が始まるまでの時間を、初期微動継続時間という。

問 15 check✓ □□□
地層のくい違いを断層といい、過去数百万年間にずれたことのある断層を活断層という。

問 16 check✓ □□□
地震はプレートが沈み込む場所（海溝）付近に多く発生するが、ここで生じる地震は直下型地震である。

問 17 check✓ □□□
地球の表面をおおっている厚さ 70km ～ 200km 程度の岩石の層を地殻という。

問10 ○ 火山岩は、**石基**という結晶になれなかった細かい粒の部分と、**斑晶**というまばらに含まれる大きな粒（結晶）の部分からできている。火山岩には**流紋岩**、**安山岩**、**玄武岩**などがある。

問11 ○ 深成岩はマグマが数十万年という時間をかけてゆっくり固まってできた岩石で、粒のそろったつくりである。深成岩には**花こう岩**、**閃緑岩**、**ハンレイ岩**がある。

問12 × これは**マグニチュード**のことである。震度とは観測地点での地震による揺れの大きさの程度のことである。震度は**10段階**に分かれている。

問13 × 震源の真上の地表の地点は**震央**という。地震のときにはじめにくる小さな揺れは**初期微動**、あとからくる大きな揺れを**主要動**という。

問14 ○ 初期微動継続時間が長ければ長いほど震源から遠いということが確認できる。また、初期微動を伝える波を**P波**、主要動を伝える波を**S波**という。

問15 × **活断層**とは約200万年前から現在までに動いたことがあり、今後も動く可能性のある断層のこと。**活断層**ではプレートの影響でひずみが生まれ、地震が起こりやすくなっている。

問16 × プレートの境界にひずみが起こり、ズレが発生することで起こる地震を**プレート境界型地震**（**プレート海溝型地震**）という。**直下型地震**（**活断層型地震**）は、内陸における活断層のズレで生じる地震のことである。

問17 × 地球の表面の岩石の層を**プレート**といい、地殻と上部マントルの一部からできている。**プレート**には**大陸プレート**と**海洋プレート**があり、日本付近では**海洋プレート**が沈み込んでいる。

地学　問題

以下の記述を読み、正しいものには○、誤っているものには×をつけよ。

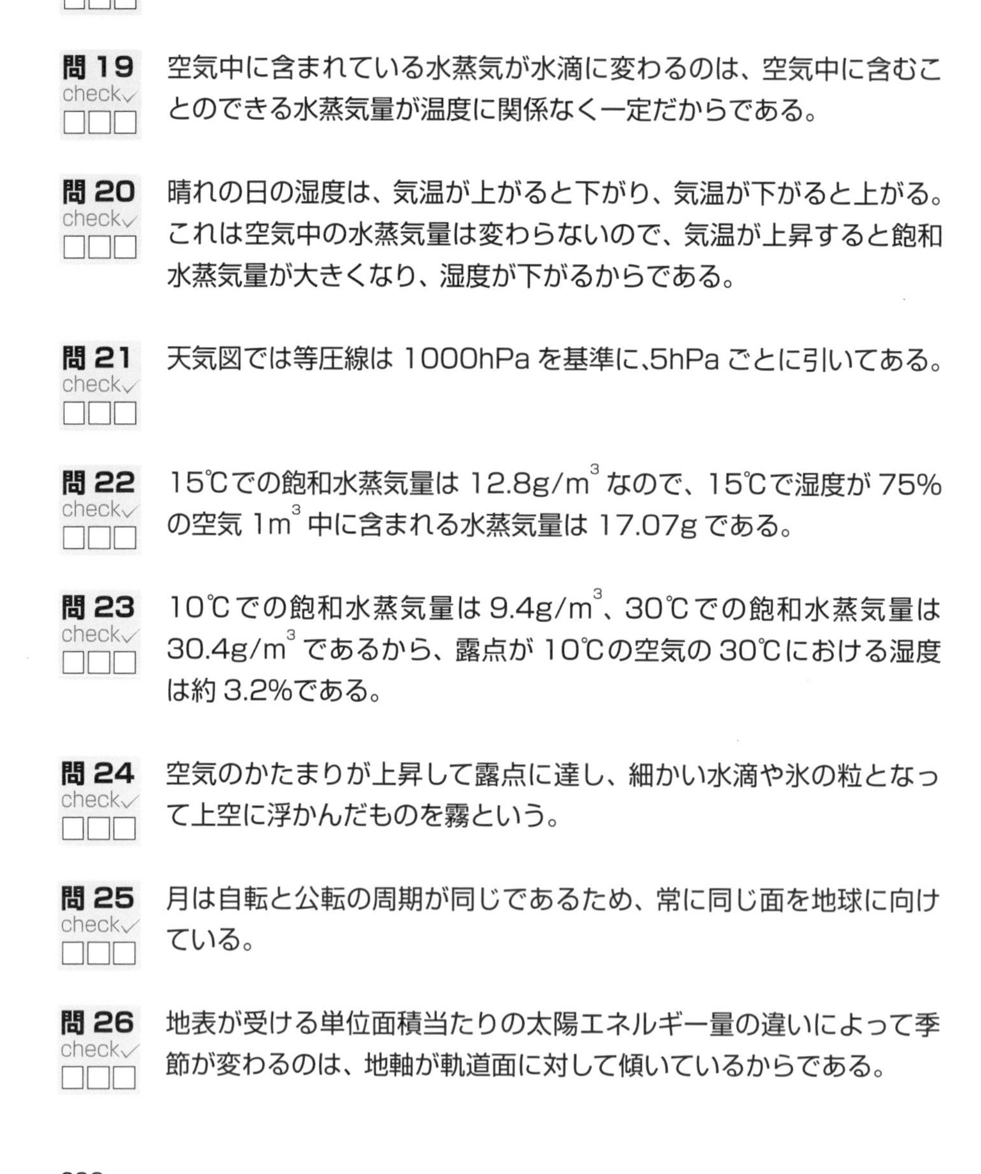

問 18 check✓ □□□

地表付近で温められた空気は、上昇気流となって、上空に昇るにつれて圧縮される。

問 19 check✓ □□□

空気中に含まれている水蒸気が水滴に変わるのは、空気中に含むことのできる水蒸気量が温度に関係なく一定だからである。

問 20 check✓ □□□

晴れの日の湿度は、気温が上がると下がり、気温が下がると上がる。これは空気中の水蒸気量は変わらないので、気温が上昇すると飽和水蒸気量が大きくなり、湿度が下がるからである。

問 21 check✓ □□□

天気図では等圧線は 1000hPa を基準に、5hPa ごとに引いてある。

問 22 check✓ □□□

15℃での飽和水蒸気量は 12.8g/m^3 なので、15℃で湿度が 75%の空気 1m^3 中に含まれる水蒸気量は 17.07g である。

問 23 check✓ □□□

10℃での飽和水蒸気量は 9.4g/m^3、30℃での飽和水蒸気量は 30.4g/m^3 であるから、露点が 10℃の空気の 30℃における湿度は約 3.2%である。

問 24 check✓ □□□

空気のかたまりが上昇して露点に達し、細かい水滴や氷の粒となって上空に浮かんだものを霧という。

問 25 check✓ □□□

月は自転と公転の周期が同じであるため、常に同じ面を地球に向けている。

問 26 check✓ □□□

地表が受ける単位面積当たりの太陽エネルギー量の違いによって季節が変わるのは、地軸が軌道面に対して傾いているからである。

問 18 × 上空は気圧が低いために、上昇すると空気は膨張する。

問 19 × 温度によって空気中に含むことのできる水蒸気量は変化する。上空へ行くほど気温は下がるため、露点に達した空気中の水蒸気が水滴になるのである。

問 20 ○ 晴れの天気の場合、気温と湿度は、逆の関係を示す。

問 21 × 天気図では等圧線は 4hPa ごとに引いてある。また等圧線 20hPa ごとに太線にして引く。

問 22 × 湿度は次の計算式で求めることができる。
湿度＝空気 1m³ 中に含まれている水蒸気量[g/m³]÷同じ温度における飽和水蒸気量[g/m³]× 100[%]
これに、湿度＝ 75、飽和水蒸気量＝ 12.8 を代入して計算すると、水蒸気量＝ 9.6g である。

問 23 × 露点が10℃である空気は1m³ 中に含まれる水蒸気は9.4g なので、30℃の飽和水蒸気との割合を計算すると 9.4 ÷ 30.4 × 100 ≒ 30.92%となる。

問 24 × これは雲の説明である。霧とは地表付近の空気がその場所で冷やされて露点に達し、細かい水滴になって空気中に浮かんだものである。

問 25 ○ 月は自転と公転の周期が同じなので常に同一面を見ていることになる。周期は約 27.3 日である。

問 26 ○ 日本では季節の違いにより気候が異なるが、これは地軸が地球の軌道面に対して傾いていることが原因である。なお、地軸の傾きは 23.4° である。

地学　問題

以下の記述を読み、正しいものには○、誤っているものには×をつけよ。

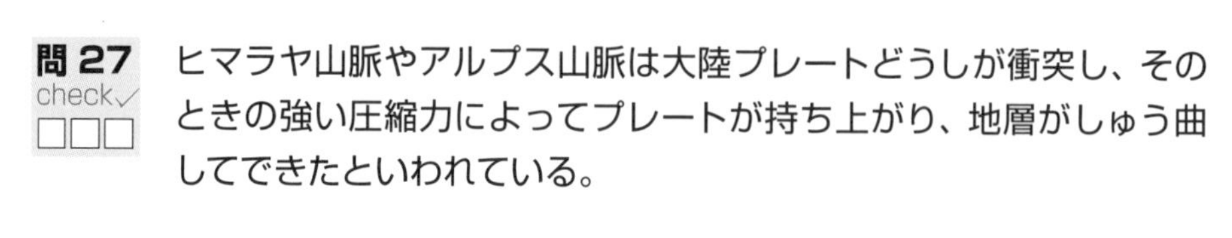

問 27 check✓ □□□

ヒマラヤ山脈やアルプス山脈は大陸プレートどうしが衝突し、そのときの強い圧縮力によってプレートが持ち上がり、地層がしゅう曲してできたといわれている。

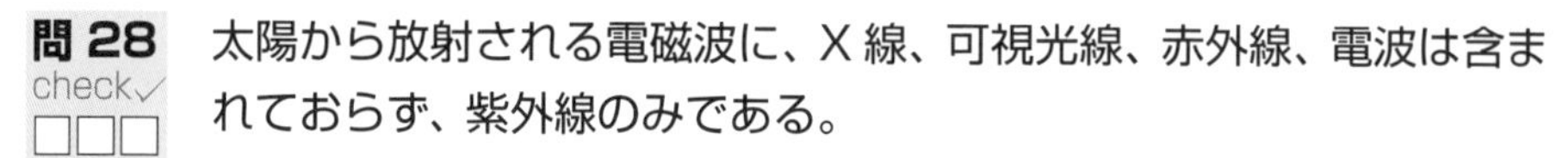

問 28 check✓ □□□

太陽から放射される電磁波に、X 線、可視光線、赤外線、電波は含まれておらず、紫外線のみである。

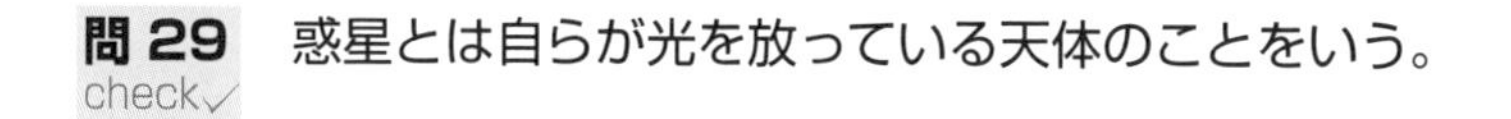

問 29 check✓ □□□

惑星とは自らが光を放っている天体のことをいう。

問 30 check✓ □□□

太陽は、直径が地球の直径の 109 倍あり、質量では地球の 6400 倍もある天体である。

問 31 check✓ □□□

P 波 8.1km/s、S 波 3.6km/s のとき、初期微動継続時間が 10 秒の地点の震源までの距離は 2.25km である。

問 32 check✓ □□□

流紋岩や花こう岩をつくる鉱物は、長石、石英、カンラン石である。

問 33 check✓ □□□

生物の死骸などの石灰分が堆積してできた岩石を石灰岩という。

問 34 check✓ □□□

大昔の生物の死骸、足跡やすみかの跡が地層の中に取り残された化石を示相化石という。

問 27 ○　大陸はプレートの上に乗っており、プレートはマントル上に浮かぶ島のようなもので、1年に 8 cmずつ動いているといわれている。

問 28 ×　太陽から放射される電磁波には、紫外線のほかに X 線、可視光線、赤外線、電波なども含まれている。紫外線は生物の DNA を損傷し、赤外線は地球放射の際に CO_2 に取り込まれ温室効果を生み出す。

問 29 ×　惑星とは、恒星のまわりを公転する天体である。太陽系には8つの惑星（水星・金星・地球・火星・木星・土星・天王星・海王星）がある。

問 30 ×　太陽の直径は約140 万kmでおよそ地球の 109 倍に相当する。この点は正しいが、太陽の質量は地球の質量の約33万倍である。また、太陽の表面温度は約6000℃といわれている。

問 31 ×　求める距離を X と置いて考える。
（距離÷速さ）＝時間の公式を用いて方程式を作ると
$(X \div 3.6) - (X \div 8.1) = 10$ となる。これを解くと、$X = 64.8$km である。

問 32 ×　流紋岩や花こう岩をつくる鉱物は長石、石英、黒雲母である。

問 33 ○　石灰分とは炭酸カルシウムを主成分とするもので、サンゴやフズリナなどとともに堆積した。

問 34 ×　生き物の生活した跡の化石を生痕化石という。

問 35 check✓ □□□

地球大気の標準的な鉛直温度分布に関して、対流圏では地表面付近の温度が最も高い。この原因として最も重要なものを選べ。

1 地表面では、常に地球内部からの熱エネルギーが放出されているため。
2 地表面では、人間活動によって熱が発生するため。
3 太陽放射エネルギーの約半分は、大気を通し地表面まで到達するため。
4 地表面近くでは、地衡風の運動エネルギーが摩擦によって熱エネルギーとなるため。
5 二酸化炭素の温室効果による熱の放散が抑制されているため。

問 36 check✓ □□□

赤道をはさんで南北 10°の範囲に比較的雲の多い帯状の部分がある。この付近を赤道（熱帯）収束帯といい､年間を通して雨量が多い。その理由として最も適当なものを選べ。

1 赤道付近は台風の発生が多いため。
2 赤道付近は下降気流帯が形成されるため。
3 季節風が吹き込むため。
4 赤道付近は低圧帯が形成されているため。
5 地軸が 23.4°傾いているため。

問 35 正解 3

3 ○ 地球が暖かいのは、基本的に**太陽の放射エネルギー**による。このエネルギーは大気中で **20%**前後吸収され、**30%**前後は大気や地表から反射されるため、実際に地表に到達する量は約 **50%**である。

1 × **地殻熱流量**のことで、問題にならないほど小さい。

2 × **人間活動**によって発生する熱は全地球的にみて無視できる。

4 × **地衡風**の運動エネルギーが摩擦によって熱エネルギーとなる量は無視できるほど小さい。

5 × 鉛直温度分布に関して、**温室効果**との関連はない。

問 36 正解 4

赤道収束帯は、**北東貿易風**と**南東貿易風**とが合流し、そこに収束帯をつくる。上昇気流となった地上付近は、空気の量が少なく低気圧となる。積乱雲の雲の帯は赤道をはさんだ低緯度の雲の帯となる。また、赤道付近は転向力がはたらかないので台風の発生はない。

よって **4** が正解である。

◆ニュートンの運動の３法則を復習しよう！

第１法則－慣性の法則

力が加わらないとき、物体の運動状態は変わらない。静止していれば静止のまま、運動していたものは、等速度で運動する。

第２法則－運動の法則

質量 m の物体に力 F を加えたときに生じる加速度を a とすると、運動の方程式は $ma = F$ である。

第３法則－作用・反作用の法則

作用と反作用は同じ作用線上にあって、大きさが等しく、向きが反対である。

◆元素記号を覚えよう！

H —— 水素
He —— ヘリウム
Li —— リチウム
Be —— ベリリウム
B —— ホウ素
C —— 炭素
N —— 窒素
O —— 酸素
F —— フッ素
Ne —— ネオン
Na —— ナトリウム
Mg —— マグネシウム
Al —— アルミニウム
Si —— ケイ素
P —— リン
S —— 硫黄
Cl —— 塩素
Ar —— アルゴン
K —— カリウム
Ca —— カルシウム
Zn —— 亜鉛

◆ヒトのホルモンについて基本を復習しよう！

内分泌腺		ホルモンの種類	働き
脳下垂体	前葉	成長ホルモン	成長を促進
		甲状腺刺激ホルモン	甲状腺の機能を促進
		副腎皮質刺激ホルモン	副腎皮質の機能を促進
	後葉	バソプレシン	腎臓での水の再吸収を促進、血圧上昇
甲状腺		チロキシン	物質の代謝、とくに異化の促進
副甲状腺		パラトルモン	血液中のカルシウム量を調節
すい臓	α細胞	グルカゴン	血糖量を増加
	β細胞	インスリン	血糖量を減少
副腎	皮質	糖質コルチコイド	血糖量を増加
		鉱質コルチコイド	血液中の Na^+ と K^+ の量を調節
	髄質	アドレナリン	血糖量を増加、交感神経と協調

第4章

国語

数学

国語　問題

問 1 check✓ □□□

A～Eの下線を付けた部分を漢字にした場合、その使い分けが最も適当な組合せはどれか。

A　時間をはかる。
B　便宜をはかる。
C　角度をはかる。
D　暗殺をはかる。
E　審議会にはかる。

	A	B	C	D	E
1	計	量	測	謀	諮
2	測	諮	量	計	図
3	計	図	測	謀	諮
4	測	諮	計	図	謀
5	計	諮	図	計	量

問 2 check✓ □□□

A～Eの下線を付けた部分を漢字にした場合、その使い分けが最も適当な組合せはどれか。

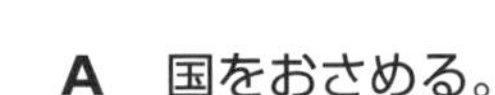

A　国をおさめる。
B　品物をおさめる。
C　身をおさめる。
D　予定をかえる。
E　命にかえる。

	A	B	C	D	E
1	治	納	修	変	代
2	治	収	修	変	代
3	修	納	収	変	換
4	修	収	納	代	換
5	収	納	治	代	換

問1 正解 3

同訓異字の使い分けでは、その漢字が用いられている熟語を考えるとわかることが多い。「はかる」には主に6通りの漢字があり、次のように使い分ける。

計る→数や時間をはかる。時計の計の字である（計り知れない）。ただし、量、測とも熟語を作り（計量、計測）、また計画の計でもある。

測る→長さや角度をはかる。測量の測で、物差しを使ってはかるものに用いる。（面積を測る・速度を測る）

量る→重さや体積をはかる。容量の量の字である。（目方を量る・マスで量る）また、推し量るという意もある。（推量・情状酌量）

図る→実現しようとする。意図の図の字である。（解決を図る・合理化を図る）

謀る→たくらむ。陰謀、深謀遠慮の謀である。（悪事を謀る）

諮る→意見をもとめる。諮問の諮である。（会議に諮る・部下に諮る）「はかる」の中では最も用法が狭いので、これを先に決定するとよい。

問2 正解 1

「おさめる」には主に4通りの漢字があり、次のように使い分ける。

修める→学ぶ、習得する。学んで身を正す。（学問を修める）

治める→取り仕切る。（領地を治める・反乱を治める）政治、治安の「治」。

納める→支払う。しまい込む。（税金を納める・倉に納める・棺に納める）納入、納屋という熟語を思い浮かべるとよい。納豆の納でもある。

収める→取り入れる。（成果を収める・紛争を収める・目録に収める・権力を収める）目録に収めるは収録すること。紛争を収めるは事態を収拾すること。用例が多いので、問題を解くときには後回しにするのがよい。

「かえる」には次のような使い分けがある。

変える→変化する。（形を変える・位置を変える）変形、変更などの熟語がある。

代える→かわりにする。（挨拶に代える）交代、代理、代名詞などの熟語がある。

替える→あるものを止めて別のものにすることで、「代える」とほぼ同じ。（振り替える）代替、交替などの熟語がある。

換える→とりかえる。（乗り換える・円をドルに換える）交換、換言などの熟語がある。

問 3 check✓ □□□

次の各組の下線を付けた漢字の書き表わし方が 2 つとも正しいものはどれか。

1. 東京を<u>起点</u>として半径 15 キロ圏内。
   東京を東海道線の<u>基点</u>とする。
2. <u>意義</u>のある人生を送る。
   判決に<u>異義</u>を申し立てる。
3. 兄弟なのに性格は<u>対称</u>的だ。
   人間の体は左右<u>対照</u>ではない。
4. <u>衆知</u>を集めて協議した。
   <u>周知</u>の事実になっている。
5. 出馬要請を<u>固持</u>している。
   武力を<u>誇示</u>する。

問３ 正解 ４

１ ×　上下が逆になっている。「**起点**」は出発点の意で、終点の対義語である。「**基点**」は基準点の意であり、中心といい換えられる。半径というときは基点であり、線路であれば起点である。

２ ×　上は正しいが下が誤っている。「**意義**」は意味・価値の意であり「意義のある人生」は正しい。一方、「**異義**」は違った意味の意であり、下は「**異議**」（他人と違った議論や意思の意）と書くのが正しい。「**義**」は意味･価値の意（正義・義務）、「**議**」は話し合う・意見を述べるの意（議論・抗議）である。

３ ×　上下が逆になっている。「**対称**」は向かい合ってつり合う意で、主に図形で用いる（線対称）。「**対照**」は両者を並べて違いが認められる意である（比較対照・好対照）。兄弟を比較するときは対照であり、左右とあるときは対称である。なお「**対象**」は目標とするもの・相手の意である。

４ ○　上下とも正しい。「**衆知**」は多くの人の知恵の意で、「**周知**」は広く知られているの意である。「衆知を集める」「周知の事実」はともに熟した表現である。なお「**衆**」は多い・多くの人の意で（観衆）、「**周**」は広くいきわたる・いきとどいているの意である（周到）。

５ ×　下は正しいが上が誤っている。「**固持**」は自分の意見を固く守って換えないことであり、「要請を」とあるなら「**固辞**」（かたく辞退することの意）であるべきである。「**誇示**」は誇らしげに示すこと。

問4　check✓ □□□

次の各組の下線を付けた漢字の書き表わし方が2つとも正しいものはどれか。

1　門戸を開放する。
　政策の一貫である。
2　快心の笑みを浮かべる。
　精魂が尽き果てた。
3　責任を転化する。
　野菜を促成栽培する。
4　後学のために見ておく。
　特異な事件を解決する。
5　代金は月末に決裁する。
　アンケートに回答する。

問5

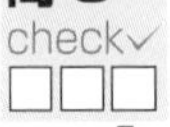

次の各文のうち漢字の用法がすべて正しいものはどれか。

1　激薬の服作用で後遺症が残った。
2　処生術に長けた人物だ。
3　事件の経緯を細大漏らさず報告する。
4　国家財政は破端の危機に瀕している。
5　絶滅が危惧されている野性動物。

問4 正解 4

1 × 上は正しいが下が誤っている。「開放」は開け放つ意で「市場開放」「運動場を開放する」「開放的」などと用い、解き放ち自由にする意の「解放」「人質の解放」「任務から解放される」などと使い分ける。「一貫」は初めから終わりまでの意で「終始一貫」「一貫性」などと用いる。正しくは「一環」で、全体の中の一部分の意で「～の一環として」などと用いる。

2 × 上下とも誤っている。「快心」は「会心」の誤り。「精魂」はたましいの意で「精魂をこめる」などと用いる。尽きるのは「精根」で勢力と根気のこと。

3 × 下は正しいが上が誤っている。「転化」は他の状態に変わることで「質量転化」などと用いる。正しくは「転嫁」で、「失敗の責任を部下に転嫁する」などと用い、罪や責任を他になすりつけること。「促成」は自然の成長を促すことであり、短期間で仕上げる意の「速成」と誤らないこと。

4 ○ 上下とも正しい。「後学」は将来自分の役に立つ知識や学問。また、後からその学問を専攻する学者の意である(この場合の対義語は先学)。

5 × 下は正しいが上が誤っている。「決裁」は権限を持つ者が部下の出した案の可否を決めること。代金の授受を行い売買取引を終了するのは「決済」である。「回答」は質問、照会に対して返事をすること。問題を解いて答えるのが「解答」。

問5 正解 3

1 × 「劇薬」が正しい。ただし「劇」も「激」もはげしい意である。また「副作用」が正しい。「服用」の「服」は茶や薬をのむこと。

2 × 「処世術」が正しい。世に処する術であって、生きる術ではない。「長(た)ける」はすぐれる・日が高く上るの意。

3 ○ 「経緯」はいきさつ。本来、「経」は縦糸、「緯」は横糸の意で、東経・北緯という語に今も残る。「細大漏らさず」は細かいことも大きいこともすべての意。

4 × 「破綻」が正しい。やぶれほころびる。また「危機に瀕する」は熟した表現で、危険が間近に迫っていること。

5 × 「野生動物」が正しい。「野生」は山野に自然に生育していること。「野性」は教育などで変えられていない、荒っぽい性質。「危惧」は心配すること。

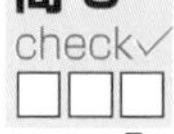

問6　次の各文のうち漢字の用法がすべて正しいものはどれか。

check✓ □□□

1　排棄物を再利用する循環型社会を目指す。
2　常軌を逸した行為に閉口する。
3　人事移動もなく大禍なく過ごす。
4　事態は窮迫し予断を許さない。
5　完壁を期そうと肝に銘じる。

問7　次の各文のうち漢字の用法がすべて正しいものはどれか。

check✓ □□□

1　混乱した事態の拾収を図る。
2　深夜の交通事故で重症を負う。
3　博士過程で群論を専攻する。
4　文化勲賞を受与する。
5　何の変哲もない町が変貌していた。

問6 正解 2

1 × 「**廃棄物**」が正しい。「**廃**」はすたれる・すてるの意、「**排**」は外へ押し出す意で「**排気**」と用いる。「**循環**」は「**循**」も「**環**」もめぐる意。

2 ○ 「**常軌を逸する**」は常識はずれの言動をとること。「**軌**」は軌道・通り道の意。「**閉口する**」は悩まされ困り果てること。

3 × 「**人事異動**」が正しい。(この問題と直接の関係はないが「**異同**」は相違の意) また「**大過なく**」が正しい。わざわいではなく、あやまちである。

4 × 「**急迫**」が正しい。差し迫ること。「**窮迫**」は困りきること(窮乏)。「**予断**」は前もって判断することで「**予断を許さない**」は熟した表現。

5 × 「**完璧**」が正しい。美しいもの、完全なものには「**玉**」を使う。「**土**」ではない。また「**肝に銘じる**」は正しい。**銘ずる**は深く刻み付ける意。

問7 正解 5

1 × 「**収拾**」が正しい。ほかに「**売買**」なども前後が逆にならないように。「**事態**」「**図る**」はともに正しい。

2 × 「**重傷**」が正しい。「**重症**」は病気の程度が重いことで、怪我に限らない。「**負う**」はこれでよい(負傷)。

3 × 「**博士課程**」が正しい。「**課程**」は習得すべき内容の範囲と順序。「**過程**」は進行の段階。「**専攻**」はこれでよい。

4 × 「**文化勲章**」が正しい。「**勲章**」は国家から与えられる記章。また、**受け取る**のではなく**授け与える**ので「**授与**」が正しい。

5 ○ 「**何の変哲もない**」は熟した表現で、ありふれていること。「**変貌**」は様子・相貌が一変すること。

問8 **次の各文のうち漢字の用法がすべて正しいものはどれか。**

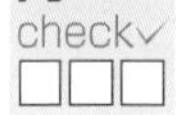

1　業績を過少評価された。
2　異国で非業の最期を遂げる。
3　観客の興奮は最高調に達した。
4　前後策を講じる必要がある。
5　放蕩に身を持ち崩して惰落する。

問9 **A～Eの熟語の意味が正しいものの組合せはどれか。**

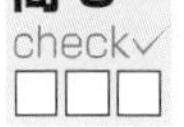

A　敷衍――意味を押し広げて、説明を展開すること。
B　嚆矢――物事の最初。
C　杜撰――自分勝手な主張をすること。
D　無辜――物事に無知なこと。
E　上梓――弓矢の達人のこと。

1　AとB
2　BとC
3　BとD
4　CとE
5　DとE

問8 正解 2

1 × 「過小」が正しい。実際以上に小さく見積もる様子。「過少」は少なすぎて必要量（額）に達しない様子。「過少」の反対は「過多」、「過小」の反対が「過大」。「業績」は事業の実績で、正しい。

2 ○ 「非業（ひごう）」は前世の因縁によって定まった運命ではない不慮の災難。「非業の最期」は熟した表現。「遂げる」は正しい。「未遂」なら未だ遂げず。

3 × 「最高潮」が正しい。クライマックス。「最高潮に達する」は熟した表現。「絶好調」というときは調。「絶頂」は頂。

4 × 「善後策」が正しい。後始末の手段のこと。「善後策を講じる」は熟した表現で、「講じる」は意味を明らかにする・手立てを考えるの意。

5 × 「堕落」が正しい。「堕」は落ちるの意。「惰」は怠ける・それまでの状態が続く意（惰性・怠惰）。「放蕩」は酒色などで身を持ち崩すこと。

問9 正解 1

A 「敷衍」は「ふえん」と読み、意味をおしひろげること。また、言葉を加えて詳しく説明すること。「衍」は広げるの意。「師の説を敷衍する」のように用いる。

B 「嚆矢」は「こうし」と読み、物事のはじめ・最初。嚆矢とは空を切って音を出す矢のことで、昔の中国で、合戦の初めに、かぶら矢を敵陣に向けて射かけたことによる。「～は彼をもって嚆矢とする」のように用いる。

C 「杜撰」は「ずさん」と読み、典拠が正確でなく、誤りが多い著作。転じて、手をぬいたところが多く、いいかげんなさま。宋の杜黙（ともく）の詩が韻律に合わなかったという故事による。「ずさんな工事」というように用いる。

D 「無辜」は「むこ」と読み、罪のないこと。「辜」は罪の意。「無辜の民」というように用い、たまたまその時代に生まれ合わせたために、罪もなく戦火などの被害にあう人々を指す。

E 「上梓」は「じょうし」と読み、書物を出版すること。昔、梓（あずさ）を書物の版木に用いたことによる。

問 10 check✓ □□□

次の熟語の読みとして正しいものの組合せはどれか。

	市井	掉尾	捏造	猜疑
1	いちい	ちょうび	ひづくり	せいぎ
2	いちい	たくび	どぞう	せいぎ
3	しい	たくび	どぞう	さいぎ
4	しせい	ちょうび	ねつぞう	さいぎ
5	しせい	とうび	ねつぞう	せいぎ

問 11 check✓ □□□

次の熟語の組合せのうち、互いに対義語となっていないものはどれか。

1 栄枯――盛衰
2 違反――遵守
3 穏健――過激
4 潜在――顕在
5 拙速――巧遅

問 10 正解 4

「市井」は「**しせい**」と読み、町の意。井戸のあるところに人が集まって住んだことから。

「掉尾」は「**ちょうび**」と読み、慣用では「**とうび**」とも読む。尾を振る意から、物事の最後になって勢いづくこと。また物事の終わり。

「捏造」は「**ねつぞう**」と読み、実際にはありもしないことを、事実であるかのようにでっち上げること。

「猜疑」は「**さいぎ**」と読み、他人を疑ったりねたんだりする意。

問 11 正解 1

1 × 「**栄枯盛衰**」は四字熟語としても用いるが、**栄枯**の栄と枯、**盛衰**の盛と衰がそれぞれ**対義語**となっており、**栄枯**と**盛衰**はどちらも、人や社会には盛んなときもあれば衰えるときもあるという意味である。

2 ○ 「**遵守**」(じゅんしゅ)は規則を守ることであるから、「**違反**」と**対義語**となっている。なお「**違反**」は法律、規則、契約などに背くこと、「**違犯**」は主に法律に背くことで、背くものの範囲が異なる。

3 ○ 「**穏健**」は考え方などが穏やかなこと、「**過激**」は極端なことであるから、**対義語**となっている。

4 ○ 「**潜在**」は表面にそれと見える形では存在しないが、内部に潜んで存在すること、「**顕在**」は表面にそれと見える形で現れていることであるから、**対義語**である。

5 ○ 「**拙速**」は出来はまずいが仕上がりは早いこと、「**巧遅**」はその逆に、出来はよいが仕上がりが遅いこと。「**拙**」はつたない(拙劣・拙者)「**巧遅**は**拙速**に如かず」などと用い、互いに**対義語**である。

問 12　**次の四字熟語のうち表記の正しいものの数を選べ。**

check✓ □□□

絶対絶命　暗中模錯　自我自賛　無我夢中
疑信暗鬼　大器晩成　巧言礼色　大胆不適

1　1個
2　2個
3　3個
4　4個
5　5個

問 13　**次の四字熟語とその説明の組合せとして、誤っているものを選べ。**

1　明鏡止水――邪念がなく、心境が静かに澄んでいること。
2　曖昧模糊――物事がはっきりせず、ぼんやりしていること。
3　一蓮托生――自力で悟りを得ようとせず、すべてを仏に任せること。
4　曲学阿世――真理に背いて、世間の人に気に入られる説を唱えること。
5　捲土重来――一度敗れたものが再び勢力を盛りかえすこと。

問12 正解 2

「絶対絶命」→「絶体絶命」が正しい。書き誤りやすいものの代表であろう。体を絶って命を絶つのである。四字熟語は前2文字と後2文字に分けて構造を考えるとわかりやすくなる。
「暗中模錯」→「暗中模索」が正しい。暗闇の中で手探りすることで、転じて、手がかりがないままいろいろ試みること。「未知の分野で暗中模索だった」のように用いる。
「自我自賛」→「自画自賛」が正しい。自分の描いた画に自分で賛（人や物をほめたたえる文章・讃）を書くこと。転じて、自分で自分をほめること。
「無我夢中」→このままで正しい。物事に夢中になって我を忘れた状態になること。
「疑信暗鬼」→「疑心暗鬼」が正しい。「疑心暗鬼を生ず」の4文字が独立して用いられるようになったもの。疑う心があると、何でもないものにまで恐れや疑いの気持ちを抱くの意。
「大器晩成」→このままで正しい。大きな器ほど完成させるのに時間がかかる意から、大人物は普通より遅く大成するということ。
「巧言礼色」→「巧言令色」が正しい。「論語」の「巧言令色鮮（すくな）し仁」の4文字が独立して用いられるようになったもの。言葉を飾り、表情をとりつくろうこと。
「大胆不適」→「大胆不敵」が正しい。大胆で不敵だ（敵になるものがないかのように恐れを知らない）の意。

問13 正解 3

1 ○ 「明鏡止水」（めいきょうしすい）は、鏡のように澄み切った心で、正しい。「山紫水明」（自然の風景が美しいこと）と混同しないこと。
2 ○ 「曖昧模糊」（あいまいもこ）は、2つの意味の両様にとれ、はっきりしないという意味。「模糊」は、ぼんやりしてはっきりしないという意味。（模は暗中模索の模）
3 × 「一蓮托生」（いちれんたくしょう）は、仏教で、死後に極楽の同じ蓮の花の上に生まれ変わること。転じて、最後まで行動や運命をともにすること。
4 ○ 「曲学阿世」（きょくがくあせい）は、学を曲げて世におもねる（気に入られるためにへつらう）意。権力者や世間の人に取り入ろうとする学者をののしっていうことが多い。
5 ○ 「捲土重来」（けんどちょうらい）は、土煙を巻き上げるほどの勢いで、重ねて攻め上って来ることから、再び力を取り戻すこと。

問 14 check✓ □□□

次の四字熟語A～Fとこれらの持つ意味を適切に表わしている語句のうち正しい組合せはどれか。

A 同床異夢――同盟
B 南船北馬――争乱
C 朝三暮四――詭弁
D 傍目八目――静観
E 換骨奪胎――改作
F 臥薪嘗胆――努力

1 A C E
2 B D F
3 B D E
4 A B E
5 C E F

問14 正解 5

正しい組合せを選ぶ問題では、一つでも自信のある知識があれば、検討しなければならない選択肢をすぐに減らすことができる。確実な知識を少しでも増やすよう努めるべきである。

A「**同床異夢**」は、同じ床に寝ていても異なる夢を見ていることから、行動をともにしながら意見や考え方を異にしていること。国家間の関係を表わすのにしばしば用いる語ではあるが、**同盟**とするのはやや無理がある。

B「**南船北馬**」は、絶えず旅行して回ること。中国では南部は河川や湖沼が多いので船で、北部は山が多いので馬で旅行したことから。意味としては、**東奔西走**（忙しく走り回ること）が比較的近い。

C「**朝三暮四**」は、表面的な相違にばかり目が行き結果が同じになることに気づかない、愚かなこと。ある人が猿にトチの実を朝に三つ、暮れに四つ与えるといったら怒ったので、朝に四つ暮れに三つやるといい直したところ喜んだという故事による。「**詭弁**」は間違っていることを、正しいと思わせるようにしむけた議論のことで、人の側から見ればそういえる。

D「**傍目八目**」（**おかめはちもく**）は、「**岡目八目**」とも書き、第三者の方が当事者よりも情勢がよく判断できること。他人が打っている碁をはた（傍）から見ている人の方が、打っている本人より八手ほど先が読めるということから。「**静観**」ではない。

E「**換骨奪胎**」は、もともとは詩に関する言葉で、先人の発想・形式をそのまま受け継ぎながら、一部を変えて自分の作品とすること。詩作品から離れて、他人の作品の焼き直しの意でも用いられる。「**改作**」はこの語の意として適当である。

F「**臥薪嘗胆**（**がしんしょうたん**）」は、中国の春秋時代、越王勾践に父を討たれた呉王夫差は、常に薪（たきぎ）の上に寝て復讐の志を奮い立たせ、ついに仇を報いた。敗れた勾践は室内に胆（きも）を掛けてこれを嘗（な）め、その苦さで敗戦の恥辱を思い出し、今度は逆に夫差を滅ぼしたという故事による。「史記」にある。目的を達するため苦労を重ねることで、「**努力**」とほぼ一致する。

問15　次のことわざのうち、左右の意味が異なる組合せを一つ選べ。

1　弘法も筆の誤り――河童の川流れ
2　虻蜂取らず――二兎を追うものは一兎をも得ず
3　人間万事塞翁が馬――禍福は糾える縄の如し
4　虎穴に入らずんば虎子を得ず――君子危うきに近寄らず
5　朱に交われば赤くなる――水は方円の器に随う

問16　次のA～Eの格言のうち、お互いに意味の似通っているものを選べ。

A　馬の耳に念仏
B　釈迦に説法
C　毛を吹いて疵を求む
D　猫に鰹節
E　猫に小判

1　AとC
2　CとD
3　AとE
4　BとC
5　BとE

問15 正解 4

1 ○ **「弘法も筆の誤り」「河童の川流れ」「猿も木から落ちる」「上手の手から水がもれる」**などは、いずれも名人でも失敗することがある意のことわざである。

2 ○ **「虻(あぶ)蜂取らず」「二兎(と)を追うものは一兎をも得ず」**はどちらも、欲張るとかえって一つも手に入らない意のことわざである。反対の意味を表わす言葉に**「一石二鳥」「一挙両得」**がある。

3 ○ **「人間万事塞翁(さいおう)が馬」「禍福は糾(あざな)える縄の如し」**は、どちらも人生ではいつ福が災いに転じ災いが福に転じるかわからない意である。

4 × **「虎穴(こけつ)に入らずんば虎子(こじ)を得ず」**は、虎の住む穴に入るような危険を冒さなければ望むものを手に入れることはできないの意。「虎の子」は大切なものをいう。一方、**「君子危うきに近寄らず」**は、君子は身を慎むものであるから、最初から危険な場所には近づかないの意で、ほぼ逆のことを述べている。なお、**「盲(めくら)蛇に怖じず」**という言葉もあり、ものの恐ろしさがわからないものは無鉄砲なことをするの意。

5 ○ **「朱に交われば赤くなる」「水は方円の器に随(したが)う」**はどちらも、人は付き合う仲間、置かれた環境によってよくも悪くもなるの意。**「麻の中の蓬(よもぎ)」**も同義。

問16 正解 3

A **「馬の耳に念仏」**は、①無知なので、ためになる話を聞いても関心を示さないこと。②人の忠告に従う気もなく聞き流すこと。**「馬耳東風」**と同じ。①のほうは**「猫に小判」「豚に真珠」**と同義である。

B **「釈迦に説法」**は、十分に知り尽くしている者に教えようとすることで、愚かさをたとえた言葉。

C **「毛を吹いて疵(きず)を求む」**は、毛を吹き分けてまで皮膚の傷を探し出そうとすることで、他人の欠点をことさら見つけようとすること。また、そうすることでかえって自分の欠点をさらけ出してしまうこともいう。

D **「猫に鰹節」**は、猫のそばに大好物である鰹節を置くことで、安心できないことのたとえである。

E **「猫に小判」**は、どんなに貴重なものでも、その価値がわからない者には何の役にも立たないこと。

問 17 check✓ □□□

次のことわざの組合せのうち、左右の意味が類似でも反対でもなく、無関係なものの組はどれか。

1 情けは人のためならず——人を呪わば穴二つ
2 泣きっ面に蜂——弱り目に祟り目
3 濡れ手で粟——漁夫の利
4 寄らば大樹の蔭——鶏口となるも牛後となるなかれ
5 餅は餅屋——良薬は口に苦し

問 17　正解　5

1　反対である。「**情けは人のためならず**」は、他人に親切にしておくと、めぐりめぐって自分にもよい報いが来るということ。(情けをかけると相手が自立しないので、かえって相手のためにならない、という意ではない。仏教の因果応報の考え方である。)一方、「**人を呪わば穴二つ**」は、人に害を与えると自分も同じように害を受けるという意味である。ここで「穴」というのは墓穴のことで「穴二つ」とは呪われた者と呪った者の双方の墓穴のこと。

2　類似である。「**泣きっ面に蜂**」「**弱り目に祟り目**」はどちらも不運に不運が重なること。

3　類似である。「**濡れ手で粟(あわ)**」は、濡れた手で粟をつかむと粟粒が手についてくることから、苦労せずに利益を得ること。「**一攫千金**」に近い。一方、「**漁夫の利**」は、当事者同士が争っている間に、第三者が利益を横取りすることで、ほぼ同義といえる。

4　反対である。「**寄らば大樹の蔭**」は、頼るならば大きなものに頼るべきだという意。一方、「**鶏口となるも牛後となるなかれ**」は、大きな集団で低い地位に甘んじているよりも、小さな集団の長になるほうがよいということ。同じ意味の言葉に「**鯛(たい)の尾より鰯(いわし)の頭**」という言葉がある。なお、「**長いものには巻かれよ**」は、勢力のあるものには逆らわずに従っていた方が得策であるの意で、「**寄らば大樹の蔭**」とは別物。

5　無関係である。「**餅は餅屋**」は、餅は餅屋のついたものが一番うまいということで、その道のことは専門家に任せるのがよいということ。一方、「**良薬は口に苦し**」は、良い薬は苦くて呑みにくいがすぐれた効き目があるということ。この言葉は「論語」の「良薬は口に苦けれども病に利あり、忠言は耳に逆らえども行いに利あり」から出ており、諫めの言葉は聴くに抵抗があるが自分のためになるという内容とセットになっている。「**金言耳に逆らう**」ともいう。

問 1
check✓
□□□

$x = \dfrac{\sqrt{7}-\sqrt{3}}{\sqrt{7}+\sqrt{3}}$，$y = \dfrac{\sqrt{7}+\sqrt{3}}{\sqrt{7}-\sqrt{3}}$ のとき，$x^2 + y^2$ の値は次のどれか。

1　18
2　20
3　23
4　25
5　28

解答・解説

問 1　x^2, y^2 をそのまま計算しても，x^2 の分母は $10 + 2\sqrt{21}$，y^2 の分母は $10 - 2\sqrt{21}$ になってしまい，分母が異なるので足し算ができない。しかたないので再び分母をそろえようとすると，数字が大きくなってしまい面倒である。そこで $x^2 + y^2$ を $x + y$ と xy で表わす。

$x^2 + y^2 = x^2 + y^2 + 2xy - 2xy = (x^2 + 2xy + y^2) - 2xy = (x + y)^2 - 2xy$
と変形し，これに $x + y$，xy を計算したものを代入する。

$$x + y = \frac{\sqrt{7}-\sqrt{3}}{\sqrt{7}+\sqrt{3}} + \frac{\sqrt{7}+\sqrt{3}}{\sqrt{7}-\sqrt{3}} = \frac{(\sqrt{7}-\sqrt{3})^2 + (\sqrt{7}+\sqrt{3})^2}{(\sqrt{7}+\sqrt{3})(\sqrt{7}-\sqrt{3})} \overset{\text{注1)}}{=} \frac{2(7+3)}{7-3}$$

$$= \frac{20}{4} = 5$$

$$xy = \frac{\sqrt{7}-\sqrt{3}}{\sqrt{7}+\sqrt{3}} \times \frac{\sqrt{7}+\sqrt{3}}{\sqrt{7}-\sqrt{3}} = \frac{(\sqrt{7}-\sqrt{3})(\sqrt{7}+\sqrt{3})}{(\sqrt{7}+\sqrt{3})(\sqrt{7}-\sqrt{3})} = 1$$

よって，$x^2 + y^2 = (x + y)^2 - 2xy = 5^2 - 2 \times 1 = 23$　　**正解　3**

注 1) 下にある「覚えておきたい公式」の 2 を使う。

【覚えておきたい公式】

1. $x^2 + y^2 = (x + y)^2 - 2xy$　〔$x^2 + y^2 = x^2 + y^2 + 2xy - 2xy$ と変形します〕
   $x^2 + y^2 = (x - y)^2 + 2xy$　〔$x^2 + y^2 = x^2 + y^2 - 2xy + 2xy$ と変形します〕
2. $(x + y)^2 + (x - y)^2 = 2(x^2 + y^2)$〔計算すると $2xy$ が相殺されます〕
3. $(x + y)^2 - (x - y)^2 = 4xy$　〔計算すると x^2，y^2 が相殺されます〕

問 2 check✓ □□□

$3x^2+5x+1=0$ の2つの解をα, βとするとき, $\alpha^2\beta+\alpha\beta^2$の値は次のどれか。

1 $\frac{5}{9}$　**2** $-\frac{5}{9}$　**3** $\frac{9}{5}$

4 $-\frac{9}{5}$　**5** $\frac{1}{15}$

解答・解説

問 2　解の公式でα, βを求めてから$\alpha^2\beta+\alpha\beta^2$に代入すると計算が大変になる。$\alpha$と$\beta$の値は　$\frac{-5\pm\sqrt{13}}{6}$ となり, これを代入することになるからである。2つの解の和や積を扱う問題は「解と係数の関係」として考えるとよい。

$3x^2+5x+1=0$　の 2 つの解をα, βとするとき, 解と係数の関係から[注1)]

$\alpha+\beta=\frac{-5}{3}$, $\alpha\beta=\frac{1}{3}$となるので,

$\alpha^2\beta+\alpha\beta^2\overset{注2)}{=}\alpha\beta(\alpha+\beta)=\frac{1}{3}\times\left(\frac{-5}{3}\right)=-\frac{5}{9}$

正解　2

注 1) 2 次方程式 $ax^2+bx+c=0$ の 2 つの解をα, βとすると, $\alpha+\beta=-\frac{b}{a}$, $\alpha\beta=\frac{c}{a}$ となる。
注 2) $\alpha\beta$, $\alpha+\beta$ の値を利用できるように, $\alpha^2\beta+\alpha\beta^2$ を因数分解した。

【解と係数の関係について】

2 次方程式 $x^2-5x+6=0$ を解くのに, $(x-2)(x-3)=0$ と因数分解をして $x=2, 3$ と答えを出していました。これは逆に, 解が $x=2, 3$ となる 2 次方程式は、
$(x-2)(x-3)=x^2-(2+3)x+2\times3=x^2-5x+6=0$ であるということです。
いま, 2 解をα, βとしてもとの方程式 $x^2+mx+n=0$ をつくると,
$(x-\alpha)(x-\beta)=x^2-(\alpha+\beta)x+\alpha\beta=x^2+mx+n=0$ ですから,
$m=-(\alpha+\beta)$, $n=\alpha\beta$ と, 解と係数に関係があることがわかります。
2 次方程式の一般の形$ax^2+bx+c=0$では, 両辺をaで割った $x^2+\frac{b}{a}x+\frac{c}{a}=0$ を考えれば, $\frac{b}{a}=-(\alpha+\beta)$, $\frac{c}{a}=\alpha\beta$ となります。
これは非常に有益な事実です。因数分解の後, 符号を逆にしたものが解だったわけですから, $\alpha+\beta=\frac{-b}{a}$ に注意して使ってください。($\alpha\beta=\frac{c}{a}$ は負×負で符号は変わりません。)

問 3 check✓ □□□　4 次方程式 $x^4 + 4x^3 - 2x^2 - 12x + 9 = 0$ の整数解の個数として正しいものは次のどれか。

1　0 個　**2**　1 個　**3**　2 個　**4**　3 個　**5**　4 個

解答・解説

問 3　2 次方程式 $ax^2 + bx + c = 0$ なら，$a(x-\alpha)(x-\beta)$と因数分解したα，βが解だが,これがともに整数であれば整数解は 2 個ということになる。(ただし，α，βが同じ数字で，$a(x-\alpha)^2$ となるときには 1 個と数える。)

本問は 4 次方程式だから，これが $a(x-\alpha)(x-\beta)(x-\gamma)(x-\delta)$のように因数分解できるかどうか確かめることになるが，x にある数αを代入してみて「$=0$」となれば，$(x-\alpha)$が積に含まれる――つまり$(x-\alpha)$で割り切れる――という因数定理を利用する。

与式$=f(x)=x^4 + 4x^3 - 2x^2 - 12x + 9 = 0$ に 1 を代入してみると，注 1)

$f(1) = 1 + 4 - 2 - 12 + 9 = 0$ となるから，与式は$(x-1)$で割り切れ，

$f(x) = (x-1)(x^3 + 5x^2 + 3x - 9)$となる。注 2)

さらに $g(x) = x^3 + 5x^2 + 3x - 9$ に1を代入すると，注 3) $g(1) = 1+5+3-9=0$ となるから，$g(x)$は$(x-1)$で割り切れ，$g(x) = (x-1)(x^2+6x+9)$となる。ここで $x^2+6x+9=(x+3)^2$ であるから,結局,与式$=(x-1)^2(x+3)^2$であり，解は1と-3，どちらも整数である。

正解　3

注 1) なぜ 1 を代入したかというと，係数をみていて，正のもの (1，4，9) と負のもの (2，12) の和が等しかったから，$x=1$ ならば代入して 0 になるとわかったのである。

注 3) 同様に，正の係数が 1，5，3，負の係数が 9 なので1を代入した。何を代入すると「$=0$」になるかはその場の思いつきなので，± 1，± 2，± 3 などを試す。

注 2)

$$
\begin{array}{r}
x^3 + 5x^2 + 3x - 9 \\
x-1 \,\big)\, \overline{x^4 + 4x^3 - 2x^2 - 12x + 9} \\
x^4 - x^3 \qquad\qquad\qquad \\
\hline
5x^3 - 2x^2 \qquad\qquad \\
5x^3 - 5x^2 \qquad\qquad \\
\hline
3x^2 - 12x \qquad \\
3x^2 - 3x \qquad \\
\hline
-9x + 9 \\
-9x + 9 \\
\hline
0
\end{array}
$$

【整式の割り算について】

たとえば，3 次の整式 $f(x)=x^3+px^2+qx+r=0$が$(x-\alpha)$を因数(=積)に持つなら，$f(x)=(x-\alpha)(ax^2+bx+c)$と書けるから，$f(x)$は下のように確かに$(x-\alpha)$で割り切れ(約分でき)ます。

$$\frac{f(x)}{(x-\alpha)} = \frac{\cancel{(x-\alpha)}(ax2+bx+c)}{\cancel{(x-\alpha)}} = ax^2+bx+c$$

因数定理を手短にいえば，$f(x)$が$(x-\alpha)$で約分できる(積の形になっている) ⇄ x にαを代入したとき$(x-\alpha)$の部分が 0 になる ⇄ $f(\alpha)$ 全体が 0，ということです。

問 4 check✓ □□□

長さ 60 ㎝の閉じた紐で長方形を作る。面積が最大となるとき，その値として適当なものは次のどれか。

1　121cm²
2　169cm²
3　225cm²
4　289cm²
5　361cm²

解答・解説

問 4　周の長さが決まっているので，縦と横が 1 つの変数（文字）で表わせ，面積は縦×横なので，2 次関数となる。あとは平方完成するだけである。

図より，縦 1 辺と横 1 辺を足すと 30 ㎝になる。
縦を x センチとすると，横は $(30-x)$ ㎝で，
面積は $x(30-x)$ ㎝² となる。これを $f(x)$とする。
$f(x)=x(30-x)=-x^2+30x=-(x^2-30x)$
$=-\{(x-15)^2-225\}=225-(x-15)^2$
これが最大となるのは，$x=15$ ㎝のときで，面積は225 ㎝² になる。

正解　3

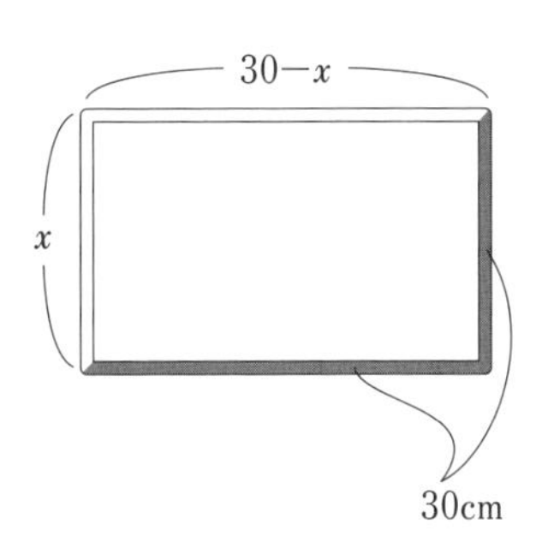

【2 次関数の最大最小】

2 次関数の最大最小値は，$a\pm(\quad)^2$ の形にして求めます。
$(\quad)^2$ は必ず 0 以上なので，$a+(\quad)^2$ の形のとき，a が最小値になり，$a-(\quad)^2$ のとき，a が最大値になります。$(\quad)^2$ をつくることを平方完成するといいます。
この，$a\pm(\quad)^2$，たとえば，$3+(x-2)^2$ を y とすれば，(2, 3) が $y=(x-2)^2+3$ の頂点となります。

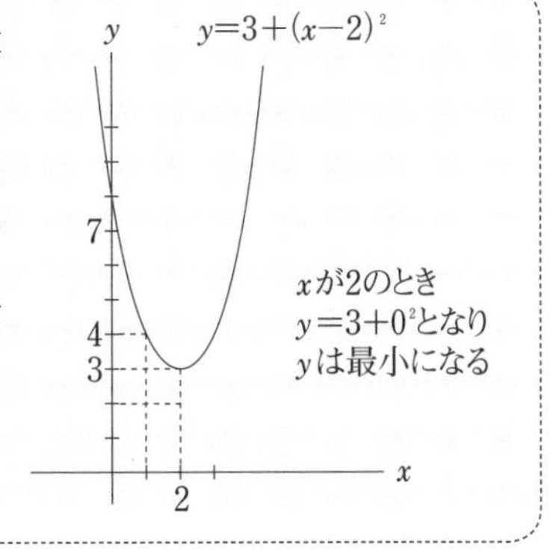

問 5 2次関数 $y = x^2 - 2ax - a + 2$ の y の値が常に正となるときの a の範囲はどれか。

check✓ □□□

1 $-2 < a < 1$ **2** $a < -2, 1 < a$ **3** $-8 < a < 4$
4 $a < -8, 4 < a$ **5** すべての実数

解答・解説

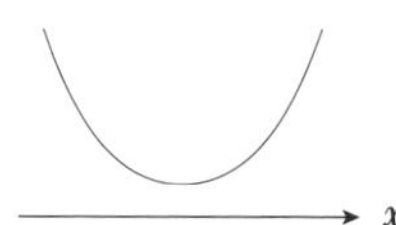

問 5 x の2次関数 $y = ax^2 + bx + c$ の「y の値が常に正になる」とは,x 軸の下側にグラフが存在しないということなので,$a > 0$(グラフが下に凸)のときには右図のようになる。これは2次方程式 $ax^2 + bx + c = 0$ が解を持たない(=グラフが x 軸と交わらない)ということと同じなので, 判別式 $D = b^2 - 4ac$ を用いる。

$x^2 - 2ax - a + 2 = 0$ の判別式を考えると
$D = (-2a)^2 - 4 \times 1 \times (-a + 2) = 4a^2 + 4a - 8 = 4(a + 2)(a - 1)$
解を持たないためには $D < 0$ であればよいから,$(a + 2)(a - 1) < 0$ であればよい。a が1より大きい数(たとえば2)だとすると, 正×正で「$D > 0$」となってしまうので不適。-2 と1の間にある数(たとえば0)だとすると, 正×負で「$D < 0$」となって,こちらは適するので $-2 < a < 1$ となる。(実はこれは, 検算に使うやり方で, 正しいやり方はp.235 問6解説のようにする。)

正解 1

【2次関数と2次方程式の関係について】

$ax^2 + bx + c = 0$ は2次方程式, $y = ax^2 + bx + c$ は2次関数です。「$= 0$」と「$y =$」が違います。x が変わっていくと y はどう変わるかというのが関数ですから,関数には x と y が出てきます。
さて,x に 0, ±1, ±2, ±3,……などの数字を代入して y の値を計算し,その (x, y) を座標上に記入していくと, $y = ax^2 + bx + c$ のグラフが描けます。
このグラフと x 軸が交わるとき, x 軸は $y = 0$ でしたから, 交点の x の値は, x がいくつだったら $y = ax^2 + bx + c = 0$ が成り立つかを表わします。
いい換えると, 次のようになります。
x に数字を代入してそのときの y の値を求め, x と y の組を作り, グラフを描く。

↑↓

y の値を決めれば,そのときの x 値がわかる($y = 0$(x 軸)とすれば方程式の解がわかる)。
ですから, グラフが x 軸($y = 0$)に交わらなければ, 方程式は解を持ちません。本問で「常に正となる」とは0にはならないということですから, 解の存在しない条件 $D < 0$ を求めたわけです。(問6参照)

問 6 check✓ □□□

2 次方程式 $x^2-2(k+1)x+k+7=0$ が実数解を持つように k の値を定めたい。このときの k のとる範囲として適当なものは次のどれか。

1　$-3 \leqq k \leqq 2$　　**2**　$k \leqq -3,\ k \geqq 2$　　**3**　$-2 \leqq k \leqq 3$

4　$k \leqq -2,\ k \geqq 3$　　**5**　$k=\pm 6$

解答・解説

問 6　p.232 問 3 と違って，今度は整数解ではなく実数解である。実際に因数分解するわけではない。また，p.234 問 5 では実数解を持たない（グラフが x 軸と交わらない）条件を求めたが，今度はその逆である。

2 次方程式 $ax^2+bx+c=0$ が実数解を持つのは、判別式 $D=b^2-4ac \geqq 0$ のときである。与えられた 2 次方程式では，$a=1$，$b=-2(k+1)$，$c=k+7$ になっており，これを D に代入すると，a, b, c が k と数字に置き換わるので，k の式になる。

判別式 $D=\{-2(k+1)\}^2-4\times1\times(k+7)=4(k^2+2k+1)-4(k+7)$

$=4k^2+4k-24=4(k^2+k-6)=4(k+3)(k-2)$

$D \geqq 0$ となるためには，$(k+3)(k-2) \geqq 0$ であればよい。

$y=k^2+k-6$ のグラフを考えれば，

$(k+3)(k-2) \geqq 0$ となるのは，$k \leqq -3,\ k \geqq 2$ のときである。　**正解　2**

【解とグラフの関係について】

2 次方程式 $ax^2+bx+c=0$ の解は，2 次関数 $y=ax^2+bx+c$ のグラフと x 軸との交点でした。すると，グラフと解の個数には 3 通りの関係があることがわかります。

$D>0$（解は 2 個）　　$D=0$（解は 1 個）　　$D<0$（解はない）

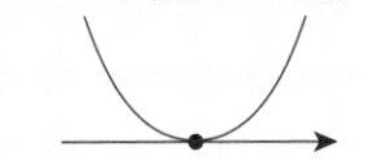

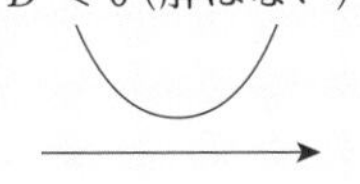

いま，$D>0$ の図で，

$y=(k+3)(k-2) \geqq 0$ となるのは

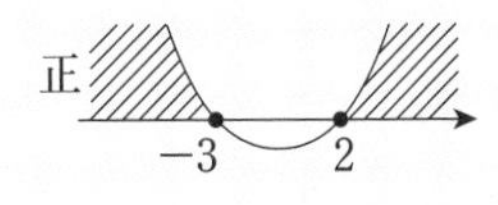

$k \leqq -3,\ k \geqq 2$

$y=(k+3)(k-2) \leqq 0$ となるのは

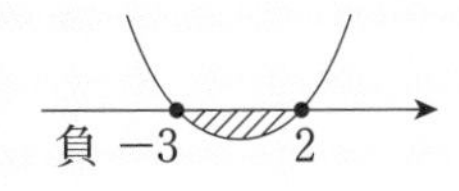

$-3 \leqq k \leqq 2$

問 7 check✓ □□□

関数 $y = 2x^2 + 3x + 6$ のグラフを, x 軸方向に 1, y 軸方向に−4 平行移動したグラフを表わす式は次のどれか。

1 $y = 2x^2 + 5x + 15$
2 $y = 2x^2 - x + 1$
3 $y = 2x^2 + 5x + 7$
4 $y = 2x^2 - x + 9$
5 $y = 2x^2 + 4x + 2$

解答・解説

問 7 $y = 2x^2 + 3x + 6$ の頂点を求めて, $\left(\frac{-3}{4}, \frac{39}{8}\right)$ とし, それを x 軸方向に 1, y 軸方向に − 4 平行移動した $\left(\frac{-3}{4} + 1, \frac{39}{8} - 4\right)$, すなわち $\left(\frac{1}{4}, \frac{7}{8}\right)$ を頂点とする 2 次関数の式を求めるというやり方は面倒である。x の代わりに $x - 1$, y の代わりに $y + 4$ を代入するという方法をとる。

$(y + 4) = 2(x - 1)^2 + 3(x - 1) + 6$ を計算して,
$y + 4 = 2(x^2 - 2x + 1) + 3x - 3 + 6$
$y + 4 = 2x^2 - 4x + 2 + 3x - 3 + 6$
$y = 2x^2 - x + 1$

正解 2

【2 次関数の平行移動について】

一般に, $y = f(x)$ を x 軸方向に p, y 軸方向に q 移動したものは, $y - q = f(x - p)$ と書き表わせます。
中学校以来おなじみの $y = x^2$ のグラフを, x 軸方向に 1, y 軸方向に 2 移動し, 移動する前と移動した後のグラフを考えます。平行移動したものは同じ形, 大きさなのですから,移動後のものをどうすればもとに戻るか考えてみます。
$y = x^2$ のグラフを y 軸方向(縦)に 2 移動するということは, 移動後のグラフからみて, y の値を 2 減らせば, もとのグラフと重なります。
次に, x 軸方向(横)に 1 移動するということは, 移動後のグラフからみて, x の値を 1 増やすと, もとのグラフに重なります。
よって, 移動後の式は, $y - 2 = (x - 1)^2$ であればよいわけです。

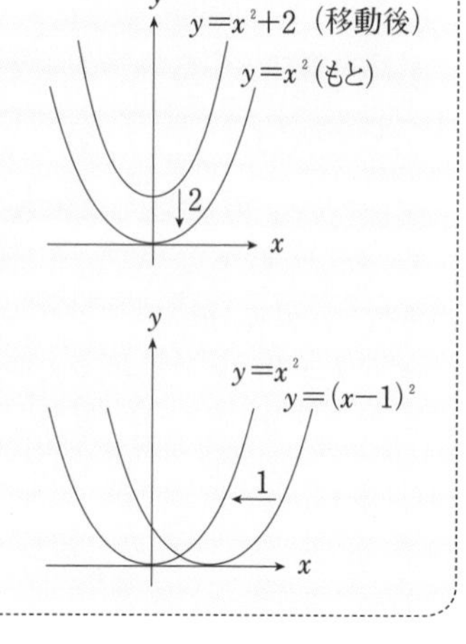

問 8 check✓ □□□

$\sin\theta - \cos\theta = \frac{1}{2}$ のとき，$\sin^3\theta - \cos^3\theta$ の値は次のどれか。

1 $\frac{1}{8}$ **2** $\frac{-1}{8}$ **3** $\frac{3}{8}$ **4** $\frac{11}{16}$ **5** $\frac{-11}{16}$

解答・解説

問 8 もちろん，$\sin^3\theta - \cos^3\theta = (\sin\theta - \cos\theta)^3$ ではない。
因数分解の公式 $a^3 - b^3 = (a-b)(a^2+ab+b^2)$ を用いれば，
$\sin^3\theta - \cos^3\theta = (\sin\theta - \cos\theta)(\sin^2\theta + \sin\theta\cos\theta + \cos^2\theta)$ …… ＊ となる。

$\sin\theta - \cos\theta = \frac{1}{2}$ より，$(\sin\theta - \cos\theta)^2 = \sin^2\theta - 2\sin\theta\cos\theta + \cos^2\theta = \frac{1}{4}$
$\sin^2\theta + \cos^2\theta = 1$ であるから，$1 - 2\sin\theta\cos\theta = \frac{1}{4}$
移項して 2 で割ると，$\sin\theta\cos\theta = \frac{3}{8}$
これを＊に代入して，$\sin^3\theta - \cos^3\theta = \frac{1}{2} \times (1 + \frac{3}{8}) = \frac{11}{16}$

正解 4

【覚えておきたい展開・因数分解の公式】

$a^3 + b^3 = (a+b)(a^2 - ab + b^2)$
$a^3 - b^3 = (a-b)(a^2 + ab + b^2)$

【覚えておきたい三角比の公式】

定義より
$\frac{\sin\theta}{\cos\theta} = \tan\theta$ …… (1)
三平方の定理より
$\sin^2\theta + \cos^2\theta = 1$ …… (2)
また，(2) の両辺を $\cos^2\theta$ で割ると，
$(\sin\theta/\cos\theta)^2 + \cos^2\theta/\cos^2\theta = 1/\cos^2\theta$
$\tan^2\theta + 1 = 1/\cos^2\theta$ …… (3)

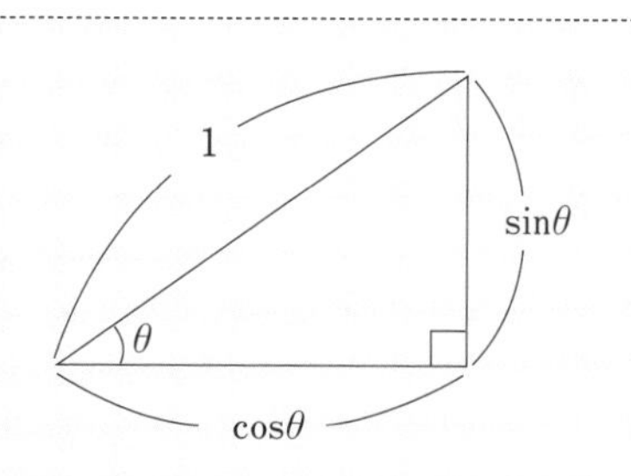

問 9 check✓ □□□

△ ABC において，AB = 5，BC = 7，CA = 8 のとき，△ ABC の面積は次のどれか。

1 $5\sqrt{2}$　**2** $5\sqrt{3}$　**3** $5\sqrt{6}$　**4** $10\sqrt{2}$　**5** $10\sqrt{3}$

解答・解説

問 9　三角形の面積 S は，$\frac{1}{2}\times AB\times AC\times \sin A$ で求められる。この問題では sinA が与えられていないが，3 辺の長さがわかっているので余弦定理から $\cos\theta$ を求め，$\sin^2\theta+\cos^2\theta=1$ から $\sin\theta$ が求められる。

$a^2=b^2+c^2-2bc\ \cos A$ より，$49=64+25-2\times 8\times 5\cos A$

$\cos A=\frac{64+25-49}{80}=\frac{1}{2}$

$\sin^2 A+\cos^2 A=1$ より，$\sin^2 A+(\frac{1}{2})^2=1$　$\sin^2 A=1-\frac{1}{4}$

$\sin A=\frac{\sqrt{3}}{2}$

よって，$S=\frac{1}{2}\times 5\times 8\times \frac{\sqrt{3}}{2}=10\sqrt{3}$

正解　5

【三角形の面積の公式】

三角形 ABC の面積 S は，底辺×高さ×$\frac{1}{2}$ でしたが，

高さhは,$h=AC\times\frac{h}{AC}=AC\times\sin A$ と表わせるので，

$S=\frac{1}{2}\times AB$（底辺）$\times AC\sin A$（高さ）となります。

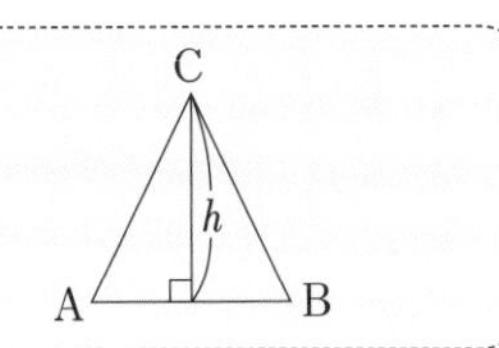

【3 辺のわかっている三角形の面積】

3 辺の長さを a，b，c として，「解答」と同じ計算をした結果が，「ヘロンの公式」として知られています。

$x=\frac{a+b+c}{2}$ として $S=\sqrt{x(x-a)(x-b)(x-c)}$ というものです。

ためしに，これによって計算してみると，

$x=\frac{5+7+8}{2}=10$

$S=\sqrt{10\times(10-5)(10-7)(10-8)}=\sqrt{10\times5\times3\times2}=\sqrt{300}=10\sqrt{3}$ となります。

問 10 check✓ □□□

右図のように，∠OAB＝75°，∠OBA＝60°，∠OAC＝60° ∠OCA＝90°，AB＝6 cmの三角錐がある。
OC の長さは次のどれか。

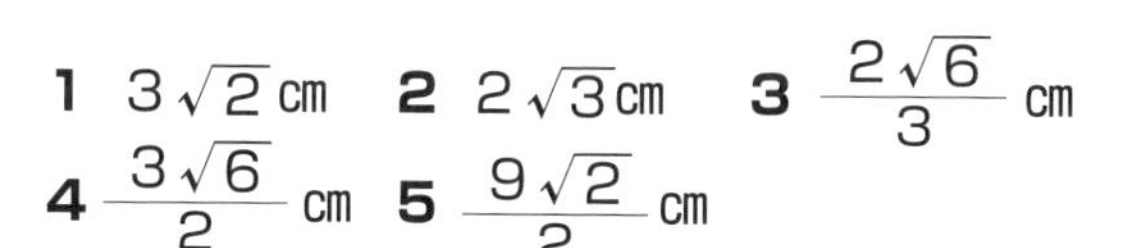

1　$3\sqrt{2}$ cm　2　$2\sqrt{3}$ cm　3　$\frac{2\sqrt{6}}{3}$ cm
4　$\frac{3\sqrt{6}}{2}$ cm　5　$\frac{9\sqrt{2}}{2}$ cm

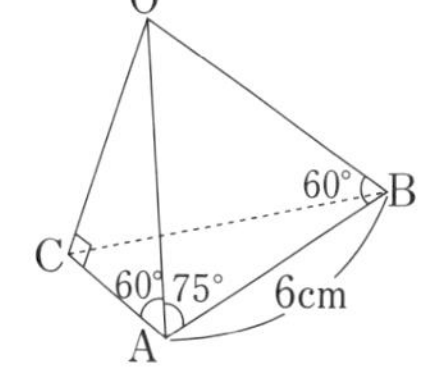

解答・解説

問 10　長さは AB しか与えられていないので，△ OAB に注目する。この三角形は角度が 2 つわかっているので，180°から引けばすべての角度がわかる。計算を速く進めるために，三角定規の形を利用しよう。75°ときたら，30°と 45°に分解する。

△ OAB の点 A から辺 OB に垂線を引き,その足を H としたのが右下図である。
△ ABH は 30°，60°，90°の直角三角形なので，
BH：AB：AH ＝ 1：2：$\sqrt{3}$
AB が 6 cmであるから，BH ＝ 3 cm，AH ＝ $3\sqrt{3}$ cm である。
また，△ AHO は 45°，45°，90°の直角二等辺三角形なので，
AH：HO：OA ＝ 1：1：$\sqrt{2}$
AHが$3\sqrt{3}$ cmであるから，HO＝$3\sqrt{3}$ cm，OA＝$3\sqrt{6}$ cmである。
次に，△ OAC に着目すると，これも 30°，60°，90°の直角三角形で，
CA：OA：OC ＝ 1：2：$\sqrt{3}$
OA が $3\sqrt{6}$ であるから，2：$\sqrt{3}$ ＝ $3\sqrt{6}$：OC
OC ＝$\sqrt{3} \times \frac{3\sqrt{6}}{2} = \frac{9\sqrt{2}}{2}$ となる。

O　1　$\sqrt{2}$　1　×$3\sqrt{3}$　H　45°　A　30°　60°　B　×3　$\sqrt{3}$　1　2

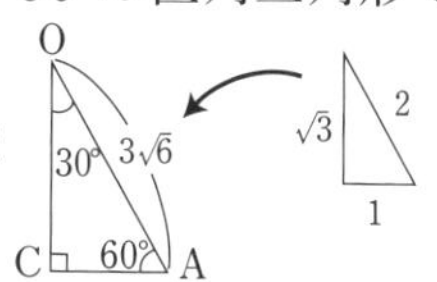

正解　5

【正弦定理について】

△ OAB は 2 つの直角三角形に分割しましたが，角度がわかっているので正弦定理も使えます。正弦定理は
$\frac{a}{\sin A} = \frac{b}{\sin B} = \frac{c}{\sin C} = 2R$（R は外接円の半径）と表わされ、2 角と 1 辺がわかっているなら（残りの角もわかるので）すべての辺がわかります。
この三角形では，$\frac{OB}{\sin 75°} = \frac{OA}{\sin 60°} = \frac{6}{\sin 45°}$ で，OA:sin60° = 6:sin45° ですから，
$OA = \frac{6\sin 60°}{\sin 45°} = 6 \times \frac{\sqrt{3}}{2} \div \frac{1}{\sqrt{2}} = 3\sqrt{6}$ になります。

◆四字熟語に強くなる！

- ・悪事千里（アクジセンリ）→ 悪行はすぐ世間に知れ渡ること
- ・異口同音（イクドウオン）→ 皆が同じ意見を言うこと
- ・意味深長（イミシンチョウ）→ 言外に別の意味が隠されていること
- ・玉石混交（ギョクセキコンコウ）→ よいものとそうでないものが混じっている様子
- ・有象無象（ウゾウムゾウ）→ 種々雑多なくだらない連中
- ・五里霧中（ゴリムチュウ）→ 深い霧の中のように手がかりがないさま
- ・言語道断（ゴンゴドウダン）→ 言葉も出ないほどひどいこと
- ・針小棒大（シンショウボウダイ）→ 物事を大げさに言うこと
- ・単刀直入（タントウチョクニュウ）→前置きなしに話の本題に入ること
- ・東奔西走（トウホンセイソウ）→ 忙しく走り回ること
- ・不即不離（フソクフリ）→ つかず離れずの関係
- ・傍若無人（ボウジャクブジン）→ 何の遠慮もなくわがまま勝手に振舞うこと
- ・有名無実（ユウメイムジツ）→ 名前だけで実質がともなわないこと
- ・論功行賞（ロンコウコウショウ）→ 功績の大小で賞が与えられること
- ・一期一会（イチゴイチエ）→ 一生に一度の出会い
- ・一朝一夕（イッチョウイッセキ）→ わずかの時日
- ・一日千秋（イチジツセンシュウ）→ 待ち遠しいこと
- ・七転八倒（シチテンバットウ）→ のた打ち回るような苦しみ
- ・八面六臂（ハチメンロッピ）→ 一人で何人分もの働きをすること
- ・千載一遇（センザイイチグウ）→ またとないチャンス

◆基本知識をおさえておこう！

三平方の定理 → 直角三角形の直角をはさむ2辺の長さを a、b、斜辺の長さを c とすると $a^2+b^2=c^2$ が成り立つ。

円周・円の面積の求め方 → 円周＝直径×π　円の面積＝半径×半径×π

多角形の内角の和の求め方 → n 角形の内角の和＝$180°\times(n-2)$

$y=ax^2$ のグラフは？ → 放物線で、軸は y 軸、頂点は原点、$a>0$ のとき下に凸、$a<0$ のとき上に凸

$y=a(x-p)^2+q$ のグラフは？→ $y=ax^2$ のグラフを、x 軸方向に p, y 軸方向に q だけ平行移動した放物線で、軸は直線 $x=p$, 頂点は点 $(p.\ q)$

第5章

数的推理
判断推理

問 1
check✓
□□□

下は各マスに1～25の数字が入り、全部埋めると、縦、横、対角線の和がすべて同じになる魔方陣と呼ばれるものである。A～Cに入る数の組合せとして正しいものはどれか。

15	22	9	A	
		21	8	20
19		13	25	B
6	18		12	24
C	10	17		11

	A	B	C
1	14	1	7
2	23	3	2
3	1	4	14
4	3	5	16
5	16	7	23

問 1　問題に明記されていないが、1～25 の数字は重複することなく一つずつ入る。魔方陣の問題ではいきなり空所を考えずに、まず縦、横、対角線の和がいくつになるのか考える。各列の和はどれも等しいから、25 マスの和がわかれば、それぞれその5分の1になることを利用して解く。

1＋2＋3＋……＋ 25 ＝ 325 なので、各列（縦、横、対角線）の和は、それぞれ 325 ÷5＝ 65 とわかる。

さて、欠けている数字が一つだけの列、例えば

6	18		12	24

の列に注目すると、列の和が 65 だから、空欄は5 であり、同様に対角線と 22 の縦列を埋めていくと、

15	22	9	A	
2	14	21	8	20
19	1	13	25	B
6	18	5	12	24
C	10	17		11

のようになり、Bは7 とわかる。

正解　5

【補足】

1＋2＋3＋……＋n の和Sは、$S=\dfrac{n(n+1)}{2}$ で表わされます。
考え方は、 1＋2＋3＋……＋ 24 ＋ 25 ＝S　と置くと
25 ＋ 24 ＋ 23 ＋……＋2＋1＝S　でもありますから、上下を足して、
26 ＋ 26 ＋ 26 ＋……＋ 26 ＋ 26 ＝2S　……＊
Sは＊の半分で、$\dfrac{26\times25}{2}$＝ 325（2Sには 26 が 25 個ある）となります。

問 2
check✓
□□□

1 周が 480 mある池のある地点に赤・青・白の 3 本の旗を立て、そこから赤は 8 m、青は 6 m、白は 4 mの間隔で旗を立てていく。旗を立て終わったとき、1 本だけ旗の立っている地点は何箇所あるか。

1　60 地点
2　80 地点
3　81 地点
4　160 地点
5　161 地点

【着想】

解答ではやや違った解き方をしていますが、最小単位である 24 mの中に赤、青、白の旗がどのように立っているか考え、そのパターンが 480 ÷ 24 ＝ 20 回あると考えるのもよい方法です。図のように、最小単位の中に1本だけ立っている地点は4つありますから、4× 20 ＝ 80 地点です。前の単位の最後の赤白青がつぎの単位の最初の赤白青となり、1周して閉じます。

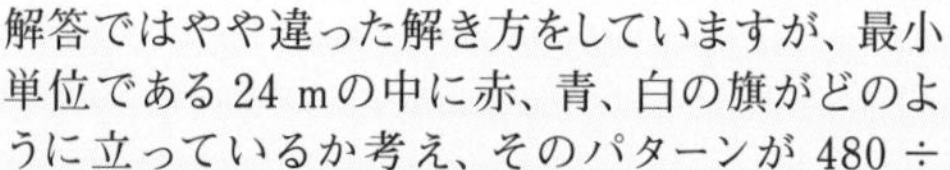

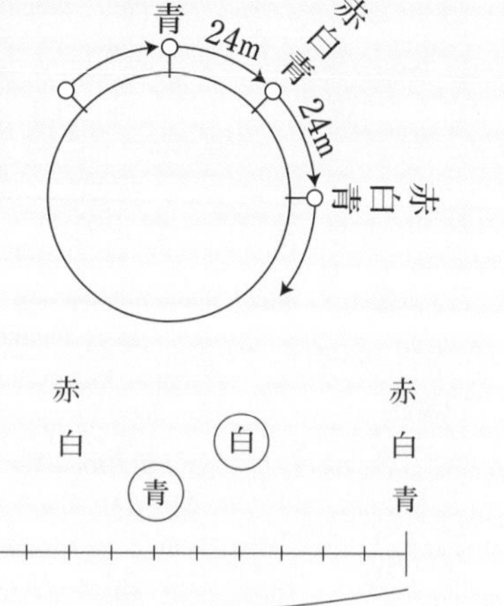

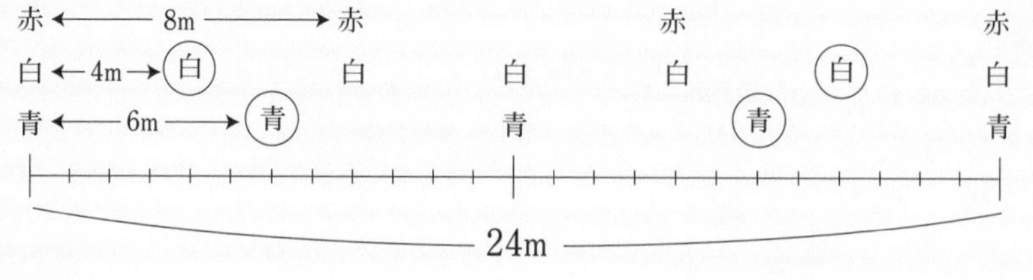

問２　8、6、4はいずれも480の約数なので、1周して戻ってきた地点に再び3本の旗が立つ。1周の中に赤・青・白の旗がそれぞれ何本あるかわかるから、ベン図を描いて1本だけ旗の立っているところを数えてしまうのが手っ取り早い方法である。

4、6、8の最小公倍数は24だから、24 mおきに20地点で白青赤3色の旗が立つ。
4、6の最小公倍数は12だから、12 mおきに40地点で白青の旗が立つが、赤が立たず白青2色だけの地点は40 − 20 ＝ 20地点である。
6、8の最小公倍数は24だから、24 mおきに20地点で青赤の旗が立つが、白が立たずに青赤2色だけの地点は20 − 20 ＝ 0地点である。
4、8の最小公倍数は8だから、8mおきに60地点で白赤の旗が立つが、青が立たずに白赤2色だけの地点は60 − 20 ＝ 40地点である。

また、赤は8mおきだから60本、青は6mおきだから80本、白は4mおきだから120本立っている。

これをベン図にしてみると右のようになり、1本だけ旗の立っている箇所は
40 ＋ 40 ＋0＝ 80地点となる。

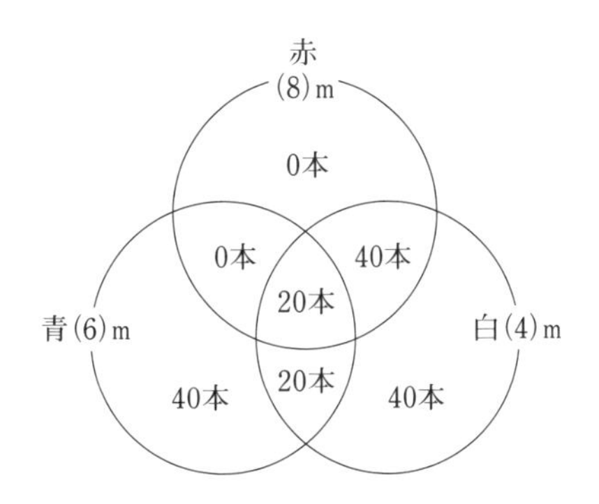

正解　2

問 3
check✓
□□□

あるデモに 700 人以上 750 人以下の人が集まった。このデモ隊は、3 列に並ぶと最終列が 1 人になり、4 列に並ぶと最終列が 3 人になり、5 列に並ぶと最終列が 2 人になった。
このデモ隊が 7 列に並んだ場合、最終列は何人になるか。

1　2 人
2　3 人
3　4 人
4　5 人
5　6 人

【着想】

余りの問題では周期性を利用します。3 で割って 1 余り、4 で割って 3 余り、5 で割って 2 余る数は、それぞれ 3 つおき、4 つおき、5 つおきに現われるのですから、それらが同時に現われるのは、3、4、5 の最小公倍数である 60 おきです。
また、次のことも知っておくと便利です。
(1) a を 7 で割ったら 5 余り、b を 7 で割ったら 3 余った場合、a ＋ b を 7 で割ると 1 余ります。a 人の最終列が 5 人で、b 人の最終列が 3 人なら、a ＋ b 人を並べると、余りが 5 ＋ 3 ＝ 8 人ですから、最終列の人同士でもう 1 列余分に作れて 1 人余ります。

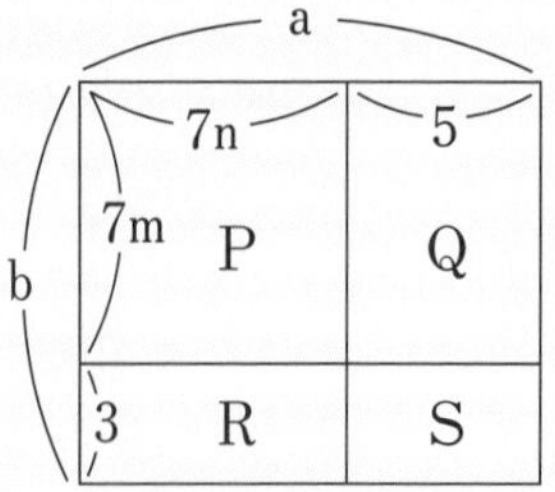

(2) a を 7 で割ったら 5 余り、b を 7 で割ったら 3 余った場合、a×b を 7 で割ると 1 余ります。それは図のように、P ＝ 7n×7m、Q ＝ 7m×5、R ＝ 7n×3 の各領域はすべて 7 で割り切れるので、領域 S ＝ 5×3 ＝ 15 が余りを決めるからです。

問 3　3 列に並んで最終列が 1 人になったというのは、3 で割って余りが 1 になったということである。(1 人を除けば 3 で割り切れる。)
3 で割って 1 余る数は 3 つおきに出てくる。同様に、4 で割って 3 余る数は 4 つおきに現われ、5 で割って 2 余る数は 5 つおきに現われる。この周期性を利用する。

3 で割って 1 余る数＝ 1,4, (7) ,10,13,16、19,……,64, (67) ,70,……
4 で割って 3 余る数＝ 3, (7) ,11,15,19,23,27,……,63, (67) ,71,……
5 で割って 2 余る数＝ 2, (7) ,12,17,22,27,32,……,62, (67) ,72,……

したがって、3 で割って 1 余り、4 で割って 3 余り、5 で割って 2 余る数は、最小のものが 7 で、その後は、3、4、5 の最小公倍数である 60 おきに現われる。
700 ＝ 60×11 ＋ 40 だから、最初の 7 の後、12 回目が、700 を超える最小の公倍数になる。よって、7 ＋ 60×12 ＝ 727 人が、このデモ隊の人数である。
これを 7 で割ると商が 103 で余りが 6 となる。

正解　5

問 4 check✓ □□□ 正の整数 N を 5 進法、7 進法で表わすと、それぞれ 3 桁の数 abc、cab になるという。このとき、正の整数 N の値はいくつか。

1 44
2 55
3 66
4 77
5 88

【着想】

5 進法の 312 や、2 進法の 101 を 10 進法に直すには、次のようにします。

$5^2(=25)$　$5^1(=5)$　$5^0(=1)$　　$2^2(=4)$　$2^1(=2)$　$2^0(=1)$

3　1　2　　1　0　1

$25\times3 + 5\times1 + 1\times2 = 82$　　$4\times1 + 2\times0 + 1\times1 = 5$

同様に 10 進法の 768 は

$10^2(=100)$　$10^1(=10)$　$10^0(=1)$

7　6　8

$100\times7 + 10\times6 + 1\times8 = 768$

ですが、これは、768 円が、100 円玉 7 枚、10 円玉 6 枚、1 円玉 8 枚の合計だと考えると当然のことです。(10進法ですから 500円硬貨、50円硬貨、5円硬貨は考えません。)
5 進法では、1 円玉、5 円玉、25 円玉、125 円玉……の体系を考えているのです。

問 4　なにはともあれ、5 進法の abc、7 進法の cab を、慣れ親しんでいる 10 進法に直して考えるとよい。すると連立方程式になるはずだが、式が 2 つ、未知数が 3 つなので解けない。そこで場合分けが必要になる。(肢の 44、55……、88 をそれぞれ 5 進法、7 進法に直してしまう手もある。)

5 進法の abc、7 進法の cab を 10 進法に直すと、(【着想】参照)
$25a + 5b + c = N$……①　$49c + 7a + b = N$……②
①②で N は同じものだから、$25a + 5b + c = 49c + 7a + b$
移項して、$18a + 4b = 48c$
2 で割って、$9a + 2b = 24c$……③
これを満たす a、b、c の組は無数にあるが、abc が 5 進法であることに注意すると、a、b、c はそれぞれ 0 ～ 4 のいずれかである。

ここで c を 0 とすると、a と b も 0 になるから、具合がよくない。(abc、cab の 5^2、7^2 の桁は 0 にならないと考えてもよい。)
また、c を 3 と考えると右辺は 72 で、a と b を最大の 4 としても左辺は 44 にしかならないので、c は 1 か 2 のいずれかである。そこで c によって場合分けして考える。

$c = 1$ の場合
$9a + 2b = 24$ だから、$a < 3$ で、$a = 2$、$b = 3$ のとき③は成り立つ。
$c = 2$ の場合
$9a + 2b = 48$ だから、$a = 4$ としてみると、$b = 6$ となり、成り立つ組合せはない。

これで $a = 2$、$b = 3$、$c = 1$ とわかる。これを① (または②) に代入して N を求めると、$N = 25 \times 2 + 5 \times 3 + 1 = 66$

正解　3

問5 check✓ □□□

容器Aには7%の食塩水が700g、容器Bには13%の食塩水が300g入っている。いま、A、B2つの容器から同じ重さだけ食塩水を汲み出して、互いに他方の容器に入れたところ、2つの容器の食塩水は同じ濃度になった。何gの食塩水を入れ替えたのか。

1 97g
2 112g
3 145g
4 176g
5 210g

問 5 濃度(食塩水)の問題では、食塩が何 g あるのかに目を付けるとよい。食塩水の重さに％をかけて 100 で割れば食塩の重さになる。
この問題では、同じ重さの食塩水を交換し合ったのだから、入れ替えた後も、容器 A は 700g、容器 B は 300g のままである。すると、食塩が A、B に 7:3 に分けられていればいいのである。

容器 A には、$\frac{7\times700g}{100}=49g$ の食塩が、容器 B には、$\frac{13\times300g}{100}=39g$ の食塩が入っているから、AB 合わせて 88g の食塩がある。
等量(重さ)を交換し合ったのだから、容器 A、B に入っている食塩水の重さは 700g、300g のままである。また、交換した後、等濃度になっているのだから、

$$\frac{\text{A の食塩 (ag)}}{\text{A の食塩水 (700g)}}=\frac{\text{B の食塩 (bg)}}{\text{B の食塩水 (300g)}}$$ で、

a:b = 7:3 である。実際に a、b の重さを求めると、
$a=\frac{88\times7}{10}=61.6g$、$b=\frac{88\times3}{10}=26.4g$ になる。

さて、容器 A では、49g から 61.6g へと 12.6g 増えたわけであるが、これは容器 A の食塩水と容器 B の食塩水を交換した結果である。100g ずつ入れ換えたなら、容器 A は、7g が出ていって、13g が入ってくるから、差し引き 6g が増加する。
そこで移し変えた量を x と置くと、$\frac{6}{100}\times x=12.6$ より($\frac{6}{100}$ は 1g 入れ換えたときの増加量)、$x=210g$ となる。

正解 5

【補足】

移し変えた結果、A、B とも同じ濃度になったわけですが、これは全部混ぜて均一にしてしまったときの濃度と同じものです。このとき、A と B は 7:3 で混ぜています。(ちなみに、移し変えた後の濃度は、(49 + 39)/(700 + 300)×100 = 8.8%とわかります。)
いま、容器 A に着目すると、7%の食塩水と 13%の食塩水の比が 7:3 になっているはずですから(全部混ぜた 1000g の食塩水を容器 A と容器 B に分けたと考えてください。)容器 A の 700g のうちの 3/10 が容器 B からきた 13%の食塩水だったはずです。
そこで移し変えた量は、700×3/10 = 210g と考えることもできます。P252【補足】に続く

問6 check✓ □□□

125人の受験者のうち、25人が合格した。合格者の平均点と不合格者の平均点との差は30点で、受験者全体の平均点は51点であった。このとき合格者の平均点は何点か。

1 66点
2 69点
3 72点
4 75点
5 78点

【補足】（P251【補足】より続く）

一般に、掛け算をするものでは、一方の比がわかれば、他方はその逆比となります。
問5の濃度の問題も、「食塩の量＝濃度×食塩水の量」でしたから、(13 − 7) %×3/10 = 1.8%を7%に足して、8.8%が平均。移動する食塩の量Aは、(8.8 − 7) %×700g = 12.6gのようにして求めることもできたわけです。

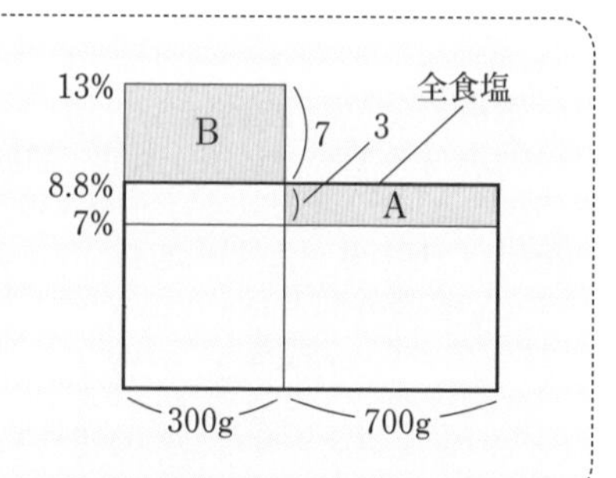

問 6　平均の問題では、割る前の合計点で考えるのが普通である。

受験者が 125 人いて、その平均点が 51 点であれば、125 人全員が 51 点をとったと考えて、総点数は $51 \times 125 = 6375$ 点である。

合格者の平均点を x 点とすれば、合格者 25 人の総得点は $25x$ 点である。不合格者の平均点は $(x - 30)$ 点で、100 人いるから、その総得点は $(x - 30) \times 100$ 点となる。
「合格者の総得点＋不合格者の総得点＝受験者全員の総得点」だから、
$25x + 100(x - 30) = 125 \times 51$
$125x = 9375$ より、$x = 75$

正解　4

【補足】

この問題は特に難しいことはないのですが、次のような考え方も理解してください。
いま、縦を得点、横を人数として総得点を図示してみます。「総得点＝平均点×人数」でしたから、総得点は面積で表わされることになります。合格者の総得点と不合格者の総得点をならしたものが平均点ですから、斜線部 A と斜線部 B の面積は等しくなります。
ところで、A の横が 25、B の横が 100 で、1:4 ですから、A の縦と B の縦はその逆比 4:1 になるはずです。合格者と不合格者の平均点の差が 30 点でしたから、4 に相当するのは 30 点を 5 つに分けたうちの 4 つ、つまり $30 \times 4/5 = 24$ 点で、合格者の平均は $51 + 24 = 75$ 点となります。

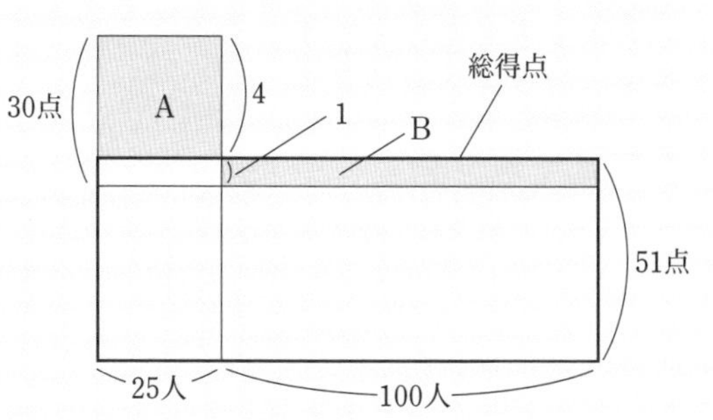

問 7 check✓ □□□

長さが 210m、180m、140m で、それぞれ一定の速さで走る列車、A、B、C がある。A は C に追いついて追い越すのに 14 秒かかり、B は C に追いついて追い越すのに 16 秒かかる。A が B に追いついて追い越すのにかかる時間は何秒か。

1　18 秒
2　21 秒
3　36 秒
4　60 秒
5　78 秒

【着想】

動いている 2 つのものに関する問題では、一方からみて、もう一方がどのようにみえるか考えるのが基本です。一方を静止していると考えて、もう一方の相対的な運動を考えます。
2 つのものが同方向に動いているなら、相対速度は差になりますし、逆方向に動いているなら、相対速度は和になります。
例えば、P が Q の 90m 前方にあり、同方向に分速 50m と分速 80m で移動しているなら、1 分あたり 30m 差が縮まりますから、3 分で追いつくことになります。逆に、P と Q が 260m 離れていて互いに近づいてくるときには、1 分あたり 130m 近づきますから、2 分で出会うことになります。

問７　AがCに追いついて追い越すとは、図–1のような位置関係をいう。Aの先頭(○印)がCの後尾(△印)に追いついてから、Aの後尾がCの先頭を離れるまでに､Aは C よりも 140 ＋ 210 ＝ 350m 多く移動している(図–2 参照)。その間、Aの速さをa、Cの速さをcとすれば、AはCからみて(a − c)の速さで進んでいる。

なお、速さ、時間、距離の関係は､「距離＝速度×時間」である。この両辺を速度で割れば「時間＝距離／速度」になり、時間で割れば「速度＝距離／時間」になる。

列車A、B、Cの速さをそれぞれ a、b、c とする。
AがCに追いついて追い越す過程で、AはCに対し、(a − c) m/ 秒の速さで 210 ＋ 140 ＝ 350m 進み、14 秒かかっている。これを式にすると、
$a - c = \frac{350}{14} = 25$m/ 秒……①
同様に、BがCに追いついて追い越す過程では、$b - c = \frac{320}{16} = 20$m/ 秒……②

求めるものは、AがBに追いついて追い越すまでの時間だから、①−②によって a − b を作ると、a − b ＝ 25 − 20 ＝ 5
これはAはBよりも毎秒 5m 速く進んでいることを表わしている。
毎秒 5m で、210 ＋ 180 ＝ 390m 進むのに要する時間は、390/5 ＝ 78 秒となる。

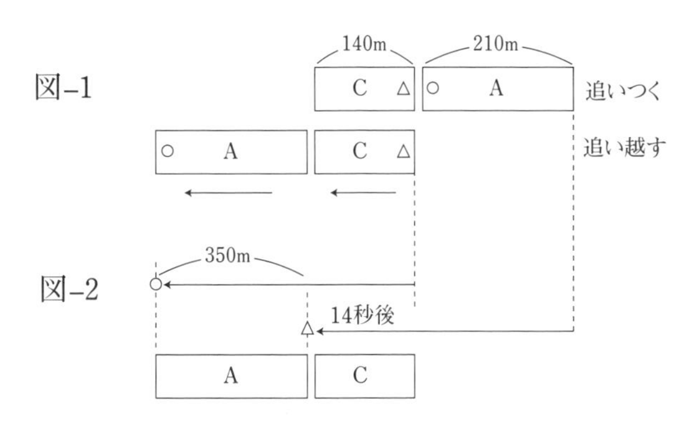

正解　5

問 8
check✓
□□□

ある人が A 地点から川の上流にある B 地点に向かってボートを漕いだ。A 地点を出発して 18 分後に、下流に向かって流れてくる浮き輪とすれ違ったが、そのまま漕ぎ続けて B 地点に到着した。到着するとすぐに折り返して、再び A 地点に向かったところ、ボートは浮き輪と同時に A 地点に到着した。
この人が静止した水面でボートを漕ぐ速さは毎時 4km で、川の流れは毎時 1.5km であった。A 地点から B 地点までの距離はいくらか。

1　1.125 ㎞
2　1.250 ㎞
3　1.375 ㎞
4　1.500 ㎞
5　1.625 ㎞

問 8　速度の問題では、**距離**か**時間**に関して立式するのが基本である。混在する距離、時間、速度を統一しなければならないが、その際、**単位**も合わせる必要がある。分で表わされたものは、60 で割れば時間になる。

まず、上流に向かって漕ぐ速度と浮き輪とすれ違うまでの時間から、浮き輪とすれ違った地点までの距離がわかる。その距離がわかれば、浮き輪が A 地点に到着するまでの時間(＝この人が B 地点で折り返して A 地点に到着するまでの時間)がわかる。

ここでは、単位は時速に合わせたほうが楽である。
上流に向かってボートを漕ぐ速度は、$4-1.5=2.5$ km / 時で、下流に向かってボートを漕ぐ速度は、$4+1.5=5.5$ km / 時である。
2.5 km / 時で 18 分 $\left(=\frac{18}{60}\right.$ 時間) 漕いだのだから、A 地点から浮き輪とすれ違った地点(M 地点とする)までの距離は、$2.5\times\frac{18}{60}=\frac{45}{60}=0.75$ kmである。すると、浮き輪は川の流れと同じ速度で流れていくから、この距離を逆に M 地点から A 地点まで浮き輪が移動するのに要する時間は、$\frac{0.75}{1.5}=0.5$ 時間(＝ 30 分)となる。

ここで、「浮き輪が A 地点に到着するまでの時間＝この人が B 地点で折り返して A 地点に到着するまでの時間」だから、M 地点から B 地点までの距離を $x$km と置くと、時間の式が立てられ、$\frac{x}{2.5}+\frac{x+0.75}{5.5}=0.5$ となる。
$2.5=\frac{5}{2}$ 、$5.5=\frac{11}{2}$、$0.75=\frac{3}{4}$ として計算すると、$x=\frac{5}{8}$ km
これと 0.75km を合わせて、$\frac{3}{4}+\frac{5}{8}=\frac{11}{8}=1.375$ kmとなる。

正解　3

【補足】

距離＝速度×時間と積の形をしていますから、逆比を使うことを考えてみます。
行きの速さ:帰りの速さ＝ 2.5:5.5 ＝ 5:11 で、同じ距離を往復しているのですから、行きにかかった時間:帰りにかかった時間＝ 11:5 になります。
ところで、ボートが AB 間を往復するのにかかる時間は18＋30＝48分$\left(=\frac{48}{60}\right.$時間) ですから、行きにかかった時間は、$48\times\frac{11}{16}=33$分です。毎時 2.5km で$\frac{33}{60}$時間移動したのですから、AB 間の距離＝ $2.5\times\frac{33}{60}=\frac{5}{2}\times\frac{11}{20}=1.375$km となります。

問 9
check✓
□□□

6,000m 離れた A、B 両駅の間を、毎分 300m で 2 台のケーブルカーが往復している。ケーブルカーは A、B 両駅で 5 分ずつ停車し、常に同時に A 駅と B 駅を出発する。
ある人が A 駅から B 駅に向かって、ケーブルカー沿いの道を歩いたところ、30 分ごとに A 駅から B 駅に向かうケーブルカーに追い越された。
1 台のケーブルカーが A 駅を出て 12 分後に、この人が A 駅を出発したとしたら、この人は B 駅に着くまでに前後から来るケーブルカーと何回すれ違うか。

1　7 回
2　8 回
3　9 回
4　10 回
5　11 回

【着想】
何時何分に出会うかの正確な時間を知るには、それぞれの直線の式を求めて連立方程式を解く必要がありますが,回数だけなら図の概略が描ければ求めることができます。

問 9 2 台のケーブルカーとこの人が、ある時間にどこにいるか、グラフ(ダイアグラムという)を描いて確かめる。ダイアグラムを描くには、普通、縦軸を位置(距離)、横軸を時間にする。グラフの交点は、同じ時間に同じ位置にいたこと、つまり出会ったことを意味する。

2 台のケーブルカーを P、Q とする。P、Q が A 駅、B 駅から出発する時間を原点にとりダイアグラムを描くと、図–1 のようになる。
いま簡便のために、この人が P と同時に A 駅を出発したと考えると、最初にこの人を追い越すのは Q で、Q は分速 300m だから、300×(30 − 25) = 1500mA 駅から離れた地点である(図–2 の太線部に着目)。すると、この人の歩く速さは 1500/30 = 50 で、毎分 50m とわかる。

毎分 50m で 6000m 離れた B 地点に到着するには、6000/50 = 120 分かかるから、P が A 駅を出発して 12 分後にこの人が A 駅を出発したなら、B 駅にこの人が到着するのは、132 分後ということになる(図–1)。それを描き入れて交点を数えると 10 回(前から来るケーブルカーと 6 回、後ろから来るケーブルカーと 4 回)すれ違うことがわかる。

図–1

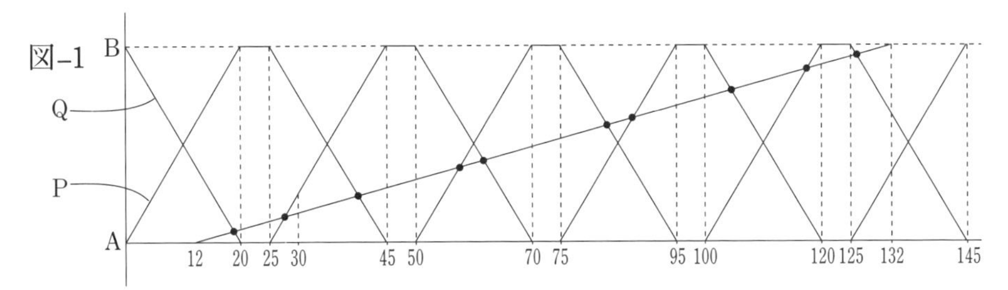

図–2

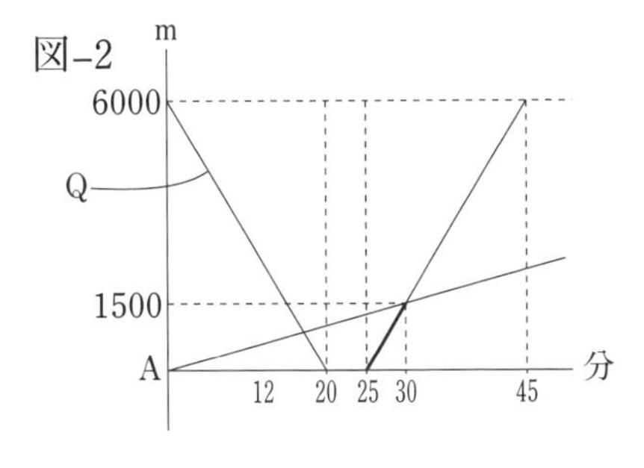

正解 4

問 10 check✓ □□□

10 円硬貨、50 円硬貨、100 円硬貨を用いて 3000 円を支払う方法は何通りあるか。ただし使わない硬貨があってもよいものとする。

1　835 通り
2　900 通り
3　961 通り
4　1023 通り
5　1831 通り

問 10　どうしてよいのかすぐわからないときは、とりあえず話を単純化してみるとよい。まず最初に、10 円硬貨だけを用いて支払う方法、次に 10 円硬貨と 50 円硬貨だけを用いて支払う方法を考えてみる。

(1) 10 円硬貨だけを用いて 3000 円を支払う方法は、10 円硬貨 300 枚の 1 通りである。
(2) 50 円硬貨と 10 円硬貨の 2 種を用いて支払う方法は、50 円硬貨を何枚用いるかによって、10 円硬貨の数は自動的に決まるので、50 円硬貨を 1 枚用いる～ 60 枚用いるまでの 60 通りある。(0 枚のときは (1) に含まれる。)
(3) 100 円硬貨、50 円硬貨、10 円硬貨の 3 種を用いて支払う方法は、100 円硬貨を 1 枚用いたときは、残り 2900 円を 50 円硬貨と 10 円硬貨で支払えばよいので、(2) と同様に考えて、50 円硬貨を 0 枚～ 58 枚用いるの 59 通り。
100 円硬貨を 2 枚用いたときは、2800 円を 50 円と 10 円で払えばよいので、50 円硬貨 0 枚～ 56 枚の 57 通り。
以下同様に考えて、100 円硬貨を 29 枚用いる場合は、50 円硬貨 0 ～ 2 枚の 3 通り。
100 円硬貨 30 枚の場合は、50 円硬貨も 10 円硬貨も用いないので、1 通り。
すると、100 円硬貨を用いて支払う方法は、
$59 + 57 + 55 + \cdots\cdots + 3 + 1 = \frac{(59+1)\times 30}{2} = 900$ 通りとなる。

(1) (2) (3) を合わせて、10 円、50 円、100 円で、3000 円を支払う方法は、
$1 + 60 + 900 = 961$ 通りになる。

正解　3

【補足】
手早く数えることができたのは、金額の大きな硬貨の枚数を固定して、そのときに金額の 1 番小さな硬貨を何枚使うかを考えると、その枚数が 1 通りに決まったからです。
(1 番小さな硬貨しか使えなければ、支払う方法は当然 1 通りですから。)
次に、10 円硬貨と 50 円硬貨でとった方法を、100 円硬貨を含めたときに再び使えないかと考えたのがポイントです。今度は 100 円硬貨を 1 枚,2 枚……と固定してみます。
具体的に考えていくとわかりますが、$n \times 100$ 円を 50 円硬貨と 10 円硬貨で支払う方法は、$2n + 1$ 通りあります。
これは重複組合せと呼ばれるもので、例えば、「$x + y + z = 10$ を満たす整数の組はいくつあるか $(x, y, z \geqq 0)$」といった問題を数えるとき (答 66) にも使える考え方です。

問 11 check✓ □□□

穴をあけた赤玉４個、青玉２個、白玉１個にひもを通して１つの首飾りを作る方法は、何通りあるか。

1　8通り
2　9通り
3　10通り
4　11通り
5　12通り

【着想】

丸いテーブルの周りに何人かが座るような、始まりと終わりのはっきりしない並べ方は、始まりに持ってくる人を固定して考えます。すると、残りの人を一列に並べるのと同じになって、n 人を丸く並べる方法は $(n-1)!$ となります。
また、区別できないものを含む順列では、区別できないもの相互を入れ替えたものを１つとみなしますから、同じものが m 個あるなら、$m!$ で割る必要があります。

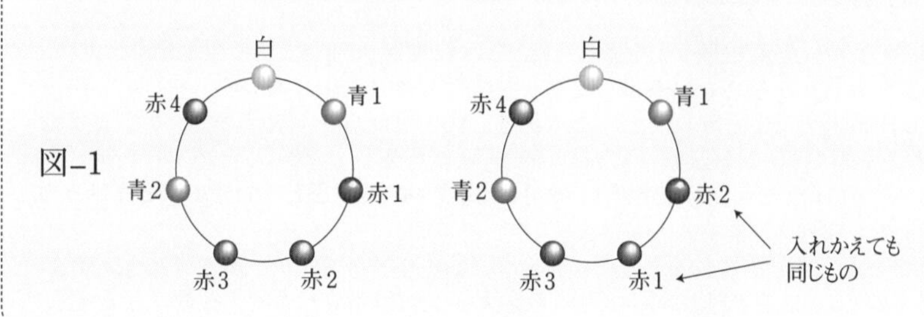

問 11　輪の形に並べるものは、直線状に並べるのと違って、始まりと終わりがはっきりしないので**円順列**といわれるが、この場合は、さらに表裏をひっくり返すことができるので、**数珠順列**といわれている。ひっくり返して同じになるものを 2 度数えてしまわないように、注意が必要である。

回転すると同じものができてしまうので、1 つしかない白を固定して考える。【着想】の図–1 のように、白を頂上にくるように固定すると、残りの 6 つの並べ方は、6！ある。しかし実際には、赤 4 個、青 2 個は区別がつかないので、赤 1、赤 2、赤 3、赤 4 を入れ替えたものを 1 つとみなして 4！で割り、青 1、青 2 を入れ替えたものを 1 つとみなして 2！で割る必要がある。こうして求めた回転しても同じにならないものは、

$\frac{6!}{2!4!} = \frac{6\cdot5\cdot4\cdot3\cdot2\cdot1}{2\cdot1\cdot4\cdot3\cdot2\cdot1} = 15$ 通りである。

次に、図–2 のように**裏返して同じ**になるものは 1 つと数えなければならない。図–3 のように**左右対称**なものは、最初から 2 つに数えていないので、これら 3 通りを除いた 12 通りに対して半分にする。よって、3 ＋ 6 ＝ 9 通りとなる。

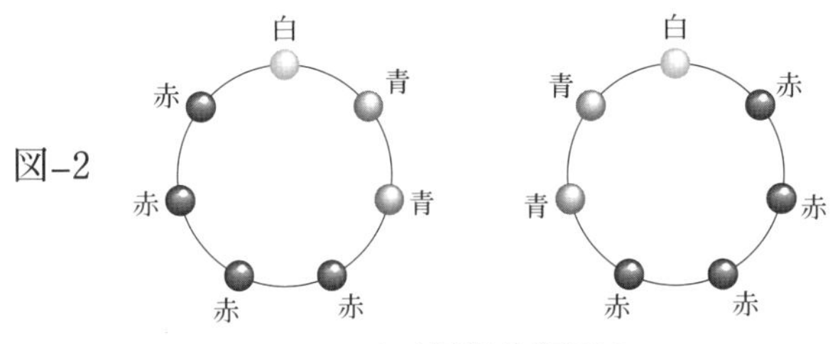

この 2 つは裏返せば同じもの

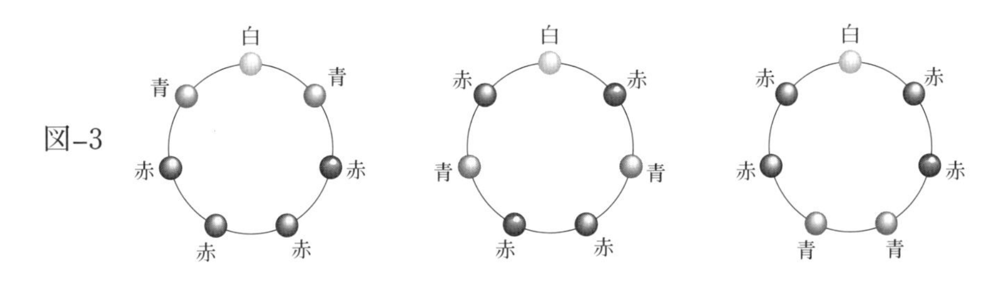

正解　2

問 12 check✓ □□□

1 と書かれた球が x 個、2 と書かれた球が y 個、3 と書かれた球が z 個、計 10 個入った袋がある。この袋の中から 2 つの球を同時に取り出すとき、書かれている数について、その積が 6 である確率は $\frac{2}{15}$、その和が 3 である確率は $\frac{2}{9}$ であるという。
2 と書かれた球の個数 y はいくつか。

1　1 個
2　2 個
3　3 個
4　4 個
5　5 個

【着想】

2 と書かれた 2 個の球をそれぞれ 2a, 2b とし、3 と書かれた 3 個の球をそれぞれ 3a, 3b, 3c とすると、2 と書かれた球と 3 と書かれた球の取り出し方は $2 \times 3 = 6$ 通りあります。この「同時に取った」2 個には順番はありませんから、分母も「組合せ」でなければなりません。10 個の中から 2 個取り出す方法は、最初に取り出したか後から取り出したかは区別しませんから、前後の順番 2 で割って $\frac{10 \times 9}{1 \times 2} = 45$ となります。

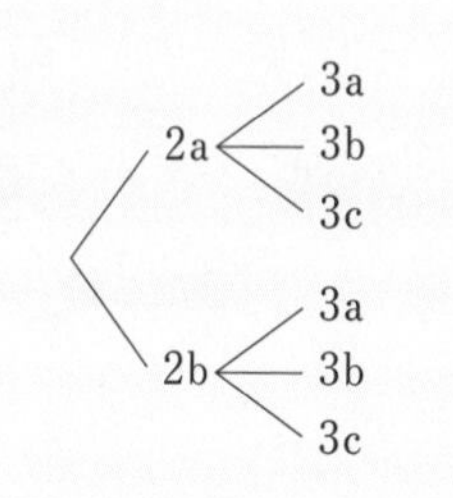

問 12　2 つの球を取り出して、積が 6 になるのは、2 の球と 3 の球を取り出したときしかなく、和が 3 になるのは 1 の球と 2 の球を取り出したときしかない。

10 個のものから 2 つを取り出す場合の数は ${}_{10}C_2 = \frac{10 \times 9}{1 \times 2} = 45$ である。
積が 6 になるのは、2 の球を 1 個、3 の球を 1 個取り出す場合だから、y 個のどれかから 1 個、z 個のどれかから 1 個選ぶ場合の数で、${}_yC_1 \times {}_zC_1 = yz$ 通りある。
また、和が 3 になるのは、1 の球を 1 個、2 の球を 1 個取り出す場合だから、x 個のどれかから 1 個、y 個のどれかから 1 個選ぶ場合の数で、${}_xC_1 \times {}_yC_1 = xy$ 通りある。

以上と与えられている確率とから、$\frac{yz}{45} = \frac{2}{15}$ 、すなわち $yz = 6$……①
また　$\frac{xy}{45} = \frac{2}{9}$ 、すなわち $xy = 10$……②　となる。

$\frac{①}{②}$ により y を消去して x と z の関係を求めると、$\frac{z}{x} = \frac{6}{10} = \frac{3}{5}$ で、$x : z = 5 : 3$ とわかる。x が 10 個、z が 6 個では合計の 10 個を超えてしまうので、$x = 5$ 個、$y = 2$ 個、$z = 3$ 個と決まる。

正解　2

問 13 check✓ □□□

東西に延びる道路が南北の道で結ばれている図のような街路がある。

ある人が地点 P から東に向かい、条件 (1) (2) に従って進むとする。

(1) 西から分岐点に至ったときは、さいころを振り、3 の倍数が出たら東へ直進し、そうでないときは北か南に曲がる。

(2) 北か南から分岐点に至ったときは、無条件に東へ進む。

いま、A、B、C、D に達したとき、それぞれ賞金 900 円、2700 円、1350 円、450 円がもらえるものとすると、この人のもらえる賞金の期待値はいくらか。

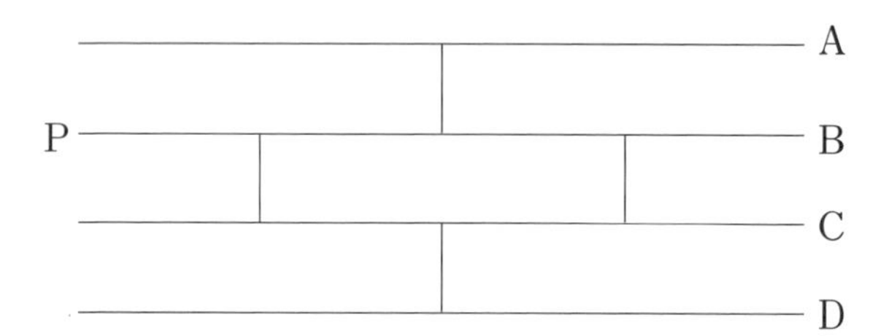

1　900 円
2　1000 円
3　1100 円
4　1200 円
5　1300 円

【着想】
P から出発して到着するのは A か B か C か D のいずれかで、それ以外にはないのですから、それぞれに到着する確率の和は 1 になるはずです。忘れた経路がないかどうか検算をするのに役立ちます。

問 13　期待値の定義に従って、各場合を余さず計算する。選択肢があるので、数え忘れには気づくだろうが、選択肢にある数字になってしまうと、自信を持って間違えるということになりがちである。

各分岐点の曲がり方を図に書き入れたのが下の図である。

A に到達する場合は、

地点 P から各分岐点を、東→北→東と進む場合だけで、

確率は $\frac{1}{3}\times\frac{2}{3}\times 1=\frac{2}{9}$

B に到達する場合は、

東→東→東と進む場合（確率は $\frac{1}{3}\times\frac{1}{3}\times\frac{1}{3}=\frac{1}{27}$）と、

南→東→東→北→東と進む場合（確率は $\frac{2}{3}\times1\times\frac{1}{3}\times\frac{2}{3}\times1=\frac{4}{27}$）で、

確率は合わせて $\frac{5}{27}$

C に到達する場合は、

東→東→南→東と進む場合（確率は $\frac{1}{3}\times\frac{1}{3}\times\frac{2}{3}\times1=\frac{2}{27}$）と、

南→東→東→東と進む場合（その確率は $\frac{2}{3}\times1\times\frac{1}{3}\times\frac{1}{3}=\frac{2}{27}$）で、

確率は合わせて $\frac{4}{27}$

D に到達する場合は、南→東→南→東と進む場合だけで、

確率は $\frac{2}{3}\times1\times\frac{2}{3}\times1=\frac{4}{9}$

期待値は、$900\times\frac{2}{9}+2700\times\frac{5}{27}+1350\times\frac{4}{27}+450\times\frac{4}{9}=1100$ 円となる。

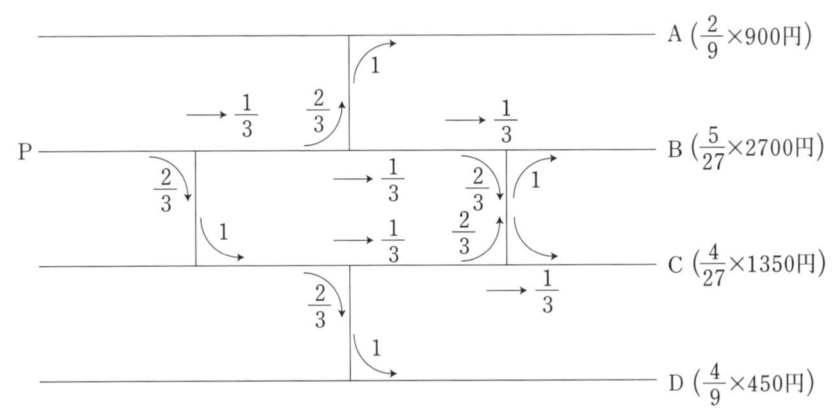

正解　3

5章　数的推理

問 14 check✓ □□□

図で円 O、O′ の共通接線 AB の長さが 4 のとき、色のついた部分の面積はいくらか。

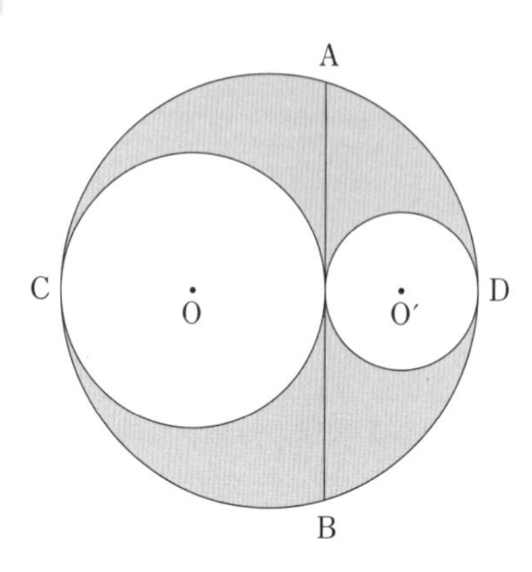

1　π
2　2π
3　3π
4　4π
5　5π

【着想】

この問題はアルキメデスの 3 つの円といわれるものです。
これを解くための基本知識は円の直径の円周角（∠ CAD）は直角になるということです。
円周角は中心角の半分になります。（右図）中心角が 180° ならば、円周角は 90° になります。

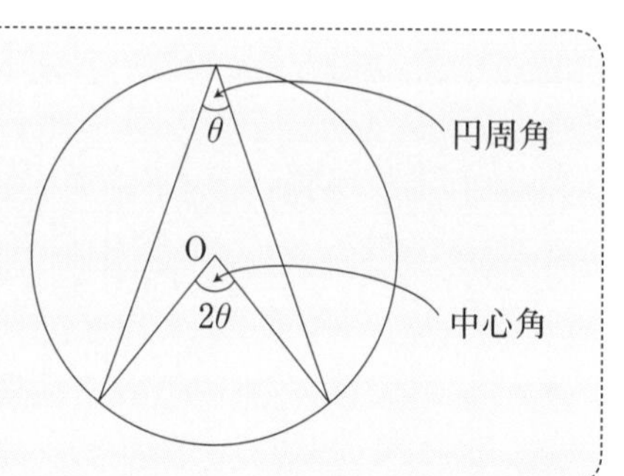

問 14　CD の長さがわからないので、とりあえず円 O と O′ の半径を R、r と置いてみる。そして、**三平方の定理**だとピンとくれば、直角を探すという方針が持てる。

△ ACE で三平方の定理を用いると、$AC^2 = (2R)^2 + 2^2$……①となる。
また、△ ADE で三平方の定理を用いると、$AD^2 = (2r)^2 + 2^2$ ……②となる。

ここで△ ACD に注目すると、CD は大円の直径なので、∠ CAD ＝ 90°となり、△ ACD は直角三角形である。$CD^2 = AC^2 + AD^2$ なので、右辺に①②を代入すると、$CD^2 = (2R)^2 + 2^2 + (2r)^2 + 2^2 = 4R^2 + 4r^2 + 8$ となる。

これで、3 つの円の面積を求めるのに必要な直径（の 2 乗）が求められたことになる。（もともと AC、AD を求めるのに R、r を使ったのだから、これらは相殺されて消えるはずである。）
大円の面積＝$\pi(R + r)^2 = \pi(\frac{1}{2} \times CD)^2 = \pi\frac{1}{4} \times (4R^2 + 4r^2 + 8) = \pi(R^2 + r^2 + 2)$
円 O の面積＝πR^2
円 O′ の面積＝πr^2
よって、求める面積＝ 2π となる。

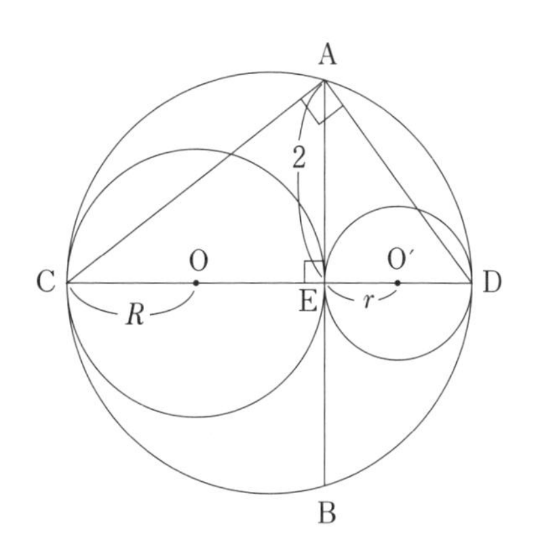

正解　2

問 15
check✓
□□□

図は、AD // BC の台形で、AD : BC = 2 : 3 である。△ CDE の面積が 18cm² のとき、台形 ABCD の面積はいくらか。

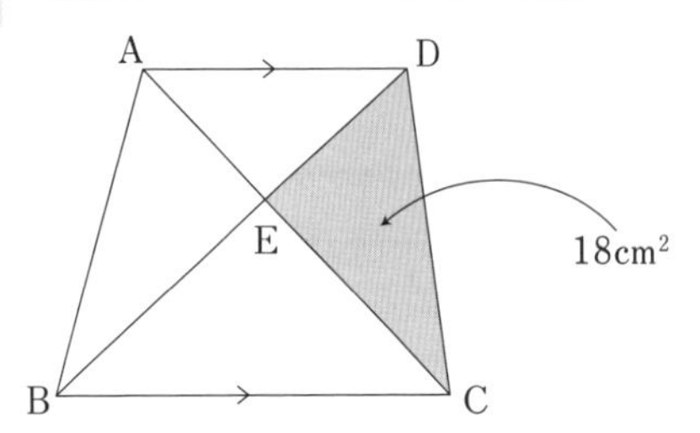

1 54cm²
2 60cm²
3 72cm²
4 75cm²
5 84cm²

【着想】

面積の問題は相似を用いて解く場合が多いです。本問のように、高さが等しく底辺が異なる三角形の場合は、面積比は底辺の比になります。また、相似な三角形同士の面積比は、相似比の 2 乗倍になります。(右図は相似比が 1 : 2 の場合で、面積比は $1^2 : 2^2$)

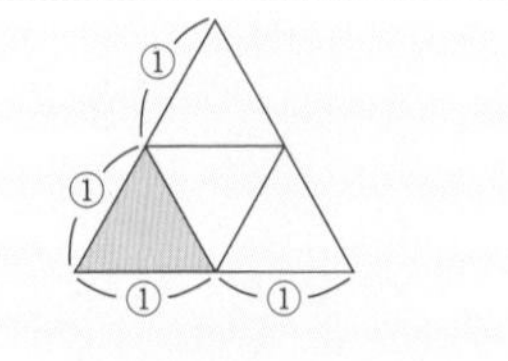

問 15　具体的な数字は台形を 4 分割した 1 つの三角形だけなので、この三角形が台形の何分のいくつになっているのか、比で考える。**上底と下底の比**をどう使うかが、最初に考えることである。

AD // BC だから、∠ ADE ＝∠ CBE、∠ DAE ＝∠ BCE で（対頂角から∠ AED ＝∠ CEB でもよい）、2 角が等しいので、△ AED ∽△ CEB である。その相似比は AD：BC と同じ 2：3 になる。
すると対応する辺はすべて 2：3 のはずだから、AE：EC ＝ 2：3、DE：EB ＝ 2：3 になる（図–1）。

ここで、△ DAC の辺 AC を底辺とみると（図–2）、△ DAE と△ DEC で高さ h は共通なので、面積の比は底辺の比（2：3）になる。すると、△ DAE ＝ 18×2/3 ＝ 12 とわかる。同様に、△ CDB で DB を底辺とみると、△ CDE：△ CBE ＝ 2：3 なので、△ CBE ＝ 18×3/2 ＝ 27 とわかる。

また、△ ABE と△ DCE は、△ ABC と△ DBC から△ EBC を除いたものとなるが、△ ABC と△ DCB は、高さも底辺も等しいので、△ ABC ＝△ DCB であり、△ ABE ＝△ DCE となる。よって△ ABE ＝ 18㎠である（図–3）。
以上から、台形 ABCD の面積は 75㎠となる。

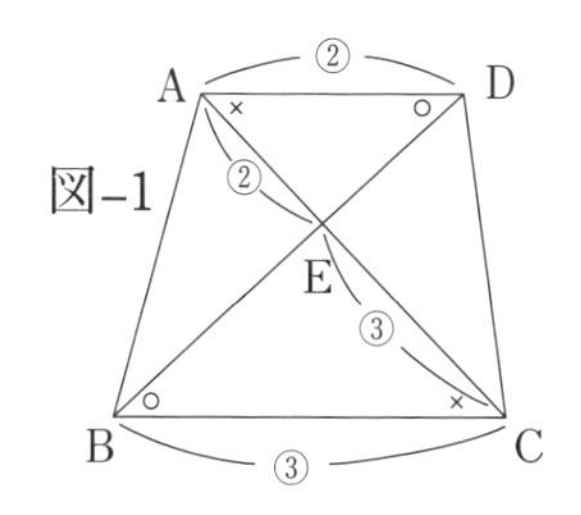

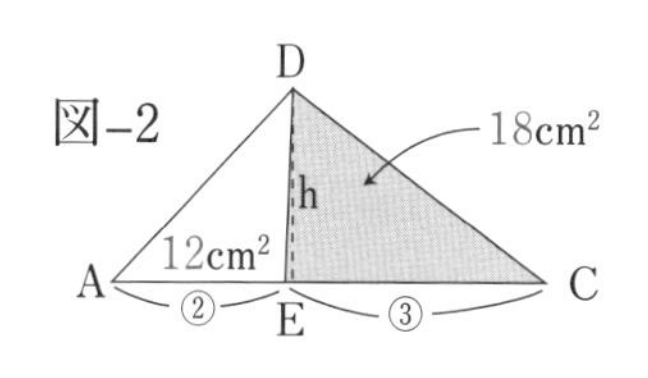

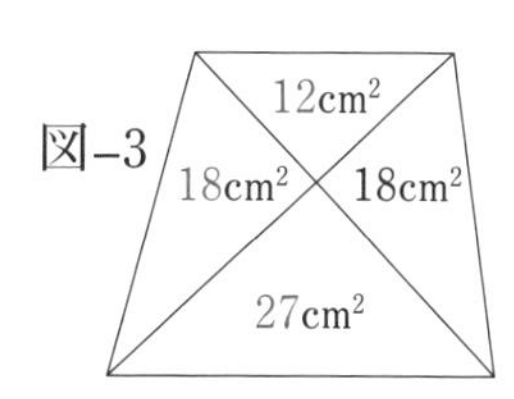

正解　4

問 1 check✓ □□□

「警察」が「8/4　2/2　3/1　12/3」で表わされるとき、「7/1　28/4　7/1　4/2」は、何月と関係が深いか。

1　2月
2　3月
3　5月
4　7月
5　9月

解答・解説

問 1　「警察」は、英字では「keisatu」と 7 文字だが仮名にすると「けいさつ」と 4 文字だから、1 組の数が仮名 1 つに対応していると考えられる。また、「28」という大きな数字があり、これは日本語の子音の数やアルファベットの数よりも大きいので、「/」は割り算の記号だと考えられる。さらに、後ろの数字がいずれも 5 以下なので、これが母音を表わすと考えられる。
1、3 文字目がともに「7/1」なので、4 文字で「●◇●△」となる言葉の見当を付けることも有効である。
「7/1　28/4　7/1　4/2」を割ってみると、「7・1　7・4　7・1　2・2」となり、前の数字を「あかさたなはまやらわ」に、後の数字を「あいうえお」に対応させると、
「7・1　7・4　7・1　2・2」は「**まめまき**」となり、**2 月**と関係が深い。

正解　1

【補足】
暗号問題はどんな暗号があるか知っておくと有利です。
「かたじけない」が表わしているものは、「竹井」「伊原」「池田」「水野」のどれか、などという問題もありますが、たいていは本問のような文字間の対応を見出す問題です。数字と平仮名がどう対応しているか、規則を見つける問題だったわけです。
(ちなみに「かたじけない」は偶数番目の文字だけ読むと「たけい」になり、これはどの文字をどういう順番で読むかを見出す問題。)

問 2 check✓ □□□

次の A ～ D がわかっているとき、確実にいえるものはどれか。

A　クジラは水中に棲む。　　B　クジラは知能が高い。

C　クジラは哺乳類である。　D　変温動物は哺乳類ではない。

1　知能の高い哺乳類は水中に棲む。

2　恒温動物は哺乳類である。

3　クジラは恒温動物である。

4　知能が高い恒温動物はクジラである。

5　水中に棲む恒温動物はクジラである。

解答・解説

問 2　A、B、C は「p ならば q」の形になっているが、D だけは「p ならば q でない」の形をしている。そこで、D の**対偶**（q ならば p でない）をとると、「**尻取り**」がつくれることに注目する。

なお、論理値の問題とはいっても、**1** や **4** のように常識に反するものは（ヒトやオラウータンを思い浮かべれば誤りは明らか）、正解から外すべきである。

「ならば」は一方方向の論理なので、矢印を用いて次のように書ける。

A　クジラ→水中に棲む

B　クジラ→知能が高い

C　クジラ→哺乳類

D　変温動物→哺乳類でない

その対偶：D' 哺乳類→変温動物ではない（**恒温動物**である）

C と D' とにより、「**クジラ→恒温動物**」となるから、**3** が正しい。　**正解　3**

【補足】

「p → q」に対して「q でない→ p でない」を「対偶」といい、「p → q」が正しいなら「q でない→ p でない」も正しい。

例：「蝶は昆虫だ」と「昆虫でないなら蝶ではない」はともに正しい。（昆虫でないものを思い浮かべてください。当たり前のことをいっているとわかります。）

また「尻取り」を作っていくことを「三段論法」といいます。

「p ならば q」「q ならば r」は「p は q に含まれる」「q は r に含まれる」ということですから、「p ならば r」は、これも当然です。

問 3 check✓ □□□

次のア〜ウのことがわかっているとき、論理的に正しいといえるものはどれか。
(ア) A の取引先の中には B の取引先は全くない。
(イ) C の取引先はすべて、B の取引先である。
(ウ) D の取引先の中には、C の取引先が 1 社はある。

1 B の取引先はすべて C の取引先である。
2 B の取引先はすべて D の取引先である。
3 C の取引先の中には A の取引先がない。
4 D の取引先の中には A の取引先がある。
5 D の取引先の中には B の取引先がない。

解答・解説

問 3「すべて」とか「まったく」とか「1 つは」などという語がある場合には、図を描いて考えるとよい。
アの「全くない」は**交わらない**ように、イの「すべて」は**含まれる**ように、ウの「1 つは」は**交わる**ように、図を描く。
(条件からは A と D の関係はわからないので A と D を混じらせて描いておく。)
1 は「い」「に」の部分が B の取引先であって C の取引先ではない。
2 は「い」「ろ」の部分が B の取引先であって D の取引先ではない。
4 は D と A が交わるかどうかはわからないので、「へ」の部分は実はないかもしれない。したがって「正しいといえる」かどうかわからない。
5 は「に」「は」の部分が D の取引先であって B の取引先でもある。
3 は**正しい**といえる。

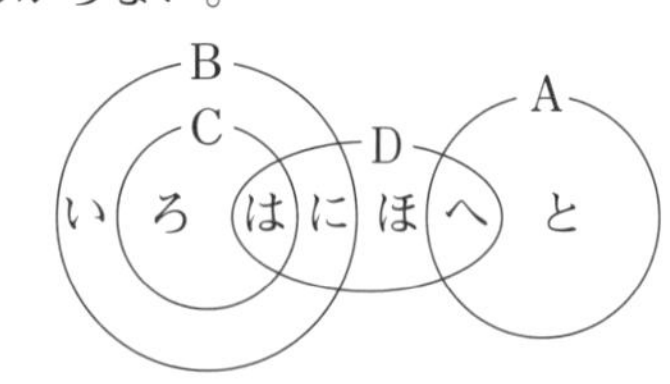

正解　3

【補足】
A と D の関係のように、与えられた条件からはなんともいえないものも、図にしてしまわなければならないことがあります。このときは、「仮にこう描いているだけなのだ」ということを心に留めておかないといけません。

問 4 check✓ □□□

A～Eの5人が自分たちの身長に関して、それぞれ次のように発言したが、1人だけが嘘をついている。

A「EはCより背が高い」　B「AはDより背が高い」
C「BはAより背が高い」　D「AはEより背が高い」
E「BはDより背が高い」

この中で嘘をついていないことが確実なものは誰か。

1 A　**2** B　**3** C　**4** D　**5** E

解答・解説

問 4「嘘つき問題」では、**1人に限定できる項目を本当か嘘かに固定**して、ほかの部分に**矛盾が出ないか**どうか考える(**背理法**)のが常套手段である。

嘘つきは1人だけなので、Aから順に嘘つきだと仮定して、各発言のとおりに並べてみる。

Aが嘘つきのときは、B＞A＞Dということと、C＞E(Aの発言が嘘なので)ということと、A＞Eということがわかるが、これらは矛盾しない。

Bが嘘つきのときは、B＞D＞A＞E＞Cと決定できる。

Cが嘘つきのときは、A＞B＞Dということと、A＞E＞Cということがわかるが、これらは矛盾しない。

Dが嘘つきのときは、B＞A＞Dということと、E＞Aということと、E＞Cということがわかるが、これらは矛盾しない。

Eが嘘つきのときは、A＞E＞Cということと、B＞A＞Dということと、D＞Bということがわかるが、B＞A＞Dと、D＞Bとは矛盾してしまう。

Eを嘘つきだと仮定したらつじつまが合わなくなったのであるから、Eは嘘をついてはいない。

正解　5

【補足】

背の順に並べるというのは、順序関係の問題でもあります。Bが嘘つきのときのように、5人の順番が完全に決定できるときもありますが、できなくてもかまいません。たとえばDが嘘つきのときには、
E＞C
E＞A
B＞A＞D　のように書き並べておけば間に合います。

問 5
check✓
□□□

ある事件について事情を知っているＡ～Ｉが、容疑者について以下のように発言している。このうち本当のことをいっているのは３人で、残りの６人は嘘をいっている。本当のことをいっている３人の組合せとして正しいものはどれか。ただし実行犯が１人であることはわかっている。

Ａ　犯人はＥである。
Ｂ　犯人はＥではない。
Ｃ　自分が犯人である。
Ｄ　犯人はＣかＨである。
Ｅ　自分が犯人である。
Ｆ　犯人はＣである。
Ｇ　犯人はＣではない。
Ｈ　犯人はＣでも自分でもない。
Ｉ　犯人はＥではないし、Ｈは嘘をついていない。

1　Ａ・Ｃ・Ｆ
2　Ａ・Ｄ・Ｇ
3　Ｂ・Ｄ・Ｇ
4　Ｂ・Ｅ・Ｈ
5　Ｃ・Ｇ・Ｉ

問5　A～Iの誰かを、本当のことをいっている人と仮定して、選択肢に矛盾が生じないか考えてみる。その際、「～ではない」となっているB･G･H･Iの発言よりも、「～である」となっているA･C･D･E･Fの発言のほうが限定するのに役立つので、先にこれらに注目する。
Aが本当のことをいっていると仮定すると、Eの発言により、犯人はEだと確定できる。すると、B･C･D･F･Iは嘘をいっていることになるので、**1**および**2**は矛盾を生じる。
Cが本当のことをいっていると仮定すると、犯人はCなので、A･E･G･H･Iは嘘をいっていることになり、**5**は矛盾を生じる。
Eが本当のことをいっていると仮定すると、犯人はEなので、B･C･D･F･Iは嘘をいっていることになり、**4**は矛盾を生じる。
3だけが矛盾を生じない。

正解　3

【補足】
犯人はただ1人ですから、A～Iの各々を犯人と見立てて、A～Iが本当のことをいっているかどうかチェックする手も使えます。(犯人が複数の場合は組合せが多くて困難です。)
本当のことをいっているなら○、嘘をついているなら×として、表をつくってみます。

	A	B	C	D	E	F	G	H	I	
Aが犯人の場合	×	○	×	×	×	×	○	○	○	
B	×	○	×	×	×	×	○	○	○	
C	×	○	○	○	×	○	×	×	×	
D	×	○	×	×	×	×	○	○	○	
E	○	×	×	×	○	×	○	○	×	
F	×	○	×	×	×	×	○	○	○	
G	×	○	×	×	×	×	○	○	○	
H	×	○	×	○	×	×	○	×	×	3人が○なので正解
I	×	○	×	×	×	×	○	○	○	

問6 check✓ □□□

A～Hの8人が目的地に向かって競争をし、次の（あ）～（お）の結果を得た。

（あ）AとHの間に2名ゴールインしている。
（い）Bは3位以内で、A、Fは4位以下だった。
（う）CはE、Gよりも早く到着した。
（え）Bの次にAがゴールインし、Fの次にHがゴールインした。
（お）GはDよりも早くゴールインした。

これらの結果から確実にいえることは次のどれか。

1 Aは5位で､Hは8位である。
2 Bは2位で､Fは5位である。
3 Cは1位で､Hは7位である。
4 Dは5位で､Eは8位である。
5 Gは2位で、Dは8位である。

解答・解説

問6 （あ）～（お）の条件で順位がすべて確定できるわけでないが、一意的に定まるところもある。「確実にいえることはどれか」とあるので、**条件から考えていくの**が自然である。（選択肢を信じて矛盾を導くという方法は、あまり意味がない。）

各条件を見やすく書き並べると、

（あ）A ○○ H　あるいは　H ○○ A〔○○はそこに何かが入ることを示す〕
（い）B（3位以内）＞ AとF（4位以下）〔＞は順位の前後を示す（以下同様）〕
（う）C ＞ EとG
（え）B → A　F → H〔→は連続していることを示す〕
（お）G ＞ D

まず、（い）と（え）から、B（3位）→ A（4位）＞ F → H　である。
さらに（あ）から、A（4）→○→ F（6位）→ H（7位）となる。
ここまでをまとめると、○→○→ B → A →○→ F → H →○　……＊となる。
また（う）と（お）から、C ＞ EとGとD……＊＊である。（E、D、Gの関係は、G ＞ Dなので、E ＞ G ＞ D、G ＞ E ＞ D、G ＞ D ＞ Eのいずれかである。）
＊＊を＊の空いている4ヶ所に順に入れると、**C（1位）**は決定できる。　**正解　3**

【補足】
この問題ではB3位、A4位が非常に強い条件で、順位が確定しましたが、確定するものがない場合には場合分けをして、どんな可能性があるか考えなければならないこともあります。

問7 A～Gの7人が、卓球の総当たり戦を行う。現在15試合が終わっており、次のような結果になっている。

(あ) A、B、C、Dの間では、C対Dの試合を除いて、すべての対戦が終わっている。
(い) A対F、D対Gの試合は引き分けだった。
(う) DとFは5試合を終え、ほかの者は同じ試合数を終えている。
(え) 勝率の高い順に並べると、DFACGBEであった（同率の者はいなかった）。

このとき確実にいえることはどれか。ただし勝率は引き分けを除いて計算している。

1 AはGに勝った。
2 Bは1勝3敗である。
3 Dは3勝1敗1分けである。
4 EはAに負けた。
5 E対Fの試合はまだ行われていない。

解答・解説

問7 15試合が終わったところであるから、トーナメント表の42マスのうち30マスが埋まっている。DとFがそれぞれ5試合しているので、ほかの者は(30－10)試合÷5人で、4試合ずつしている。しかし、DとFは引き分け1試合を含むので、勝率に関係する試合数はA～Gそれぞれ4か3である。これを、トーナメント表の対称性に注意して書き込むと、下のようになる。

＼	A	B	C	D	E	F	G	勝率に関係する試合数・勝敗
A	＼	済	済	済	未	△	未	3戦2勝
B	済	＼	済	済				4戦1勝
C	済	済	＼	未				4戦2勝
D	済	済	未	＼	済	済	△	4戦4勝
E	未			済	＼			4戦0勝
F	△			済		＼		4戦3勝
G	未			△			＼	3戦1勝

＼	A	B	C	D	E	F	G	試合数・勝敗
A	＼	○	○	×	未	△	未	4戦2勝1敗1分け
B	×	＼	済	×				4戦1勝3敗
C	×	済	＼	未				4戦2勝2敗
D	○	○	未	＼	○	○	△	5戦4勝0敗1分け
E	未			×	＼			4戦0勝4敗
F	△			×		＼		5戦3勝1敗1分け
G	未			△			＼	4戦1勝2敗1分け

勝率の高い順に並べていくと、4戦4勝、4戦3勝、3戦2勝、4戦2勝、3戦1勝、4戦1勝、4戦0勝の組合せしかありえず、順位がわかっているので、それぞれの勝数負数が確定できる。

改めて勝敗を書き込むと左下の表のようになり、確かに正しいといえるのは**2**だけである。

正解　2

問 8 check✓ □□□

金、銀、飛車、角、王の将棋の駒が、図のような 5 × 3 のマスの中に 1 つずつ置かれている。次の A ～ E のことがわかっているとき、確実にいえることはどれか。ただし、以下の「接している」には、1 と 2 のように辺で接する場合だけではなく、1 と 7 のように対角線で接する場合も含まれる。

A　王は、銀、角と接し、駒の入っていない 3 つのマスとも接している。

B　金は、駒の入っていない 5 つのマスとだけ接している。

C　銀は、飛車、角、王と接し、駒の入っていない 5 つのマスとも接している。

D　飛車は、銀と接し、駒の入っていない 2 つのマスとも接している。

E　角は、銀、王と接し、駒の入っていない 6 つのマスとも接している。

1	2	3	4	5
6	7	8	9	10
11	12	13	14	15

1　銀がマス 9 にあるとき、王はマス 13 にある。

2　飛車がマス 11 にあるとき、金はマス 10 にある。

3　金がマス 6 にあるとき、銀はマス 8 にある。

4　王がマス 2 にあるとき、金はマス 15 にある。

5　角がマス 3 にあるとき、飛車はマス 1 にある。

問 8 **何か 1 つ決定**できれば芋づる式に決まっていくので、まず、固定できる駒はないか考える。
A ～ E の条件をみると、飛車は四隅のどれかにあり、銀、角は中央の 3 マスのどこかにあるとわかる。また、ほかの駒との隣接関係から、飛車、銀、角の位置関係なら決められると、見当を付ける。
王と金は、5 つのマスと接するので、マス 2、3、4、6、10、12、13、14 のいずれかにある。
銀と角は、8 つのマスと接するので、マス 7、8、9 のいずれかにある。
飛車は 3 つのマスと接するので、マス 1、5、11、15 のいずれかにある。
(飛車、銀) (銀、角) (銀、王) (角、王) がそれぞれ接している。
飛車は四隅にあり、銀は中央の 3 マスにあるので、仮に、飛車をマス 11 に置くと、銀はマス 7 にあることになる。
角は中央の 3 マスにあり、銀と接するので、マス 8 にあることになる。
王は銀、角 2 つと接するので、マス 2、3、13 のいずれかになる。(3 マスのうちどれかは決定できない。)
金はどの駒とも接していないので、マス 10 にあることになる。以上をまとめると次のようになる。ただし、マスは 5 × 3 と対称なので、飛車の位置によって、上下左右に反転させた場合も可となる。

1	王	王	4	5
6	銀	角	9	金
飛	12	王	14	15

1 については、銀がマス 9 にあるとき左右が逆になり、王はマス 3、4、13 にあるので、**誤り。**
2 については、このままの図で、金は確かにマス 10 にあるので、**正しい。**
3 については、金がマス 6 にあるとき左右が逆になり、銀はマス 9 にあるので、**誤り。**
4 については、王がマス 2 にあるときはこのままの図で、金はマス 10 にあるので、**誤り。**
5 については、角がマス 3 にあることはないので、**誤り。**

正解 2

【補足】
位置関係の問題では、限定性の強い条件を見抜くのが肝心で、この問題では、3 通り (マス 7、8、9) の可能性しかない銀、角と、4 通り (マス 1、5、11、15) の可能性しかない飛車を先に決めるのがコツです。

図のような図形（正三角形と半円の組合せ）がすべることなく l 上を転がり、1 回転するとき、点 P の描く軌跡はどれか。

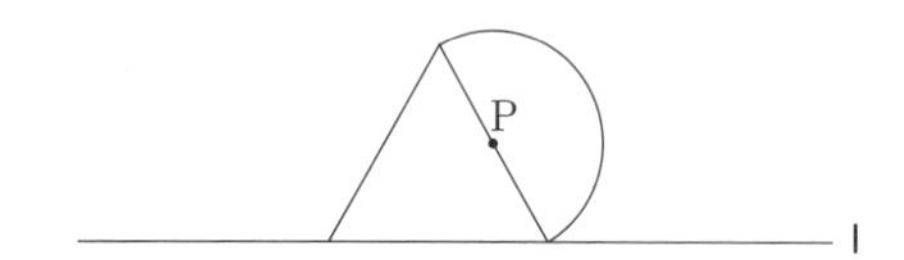

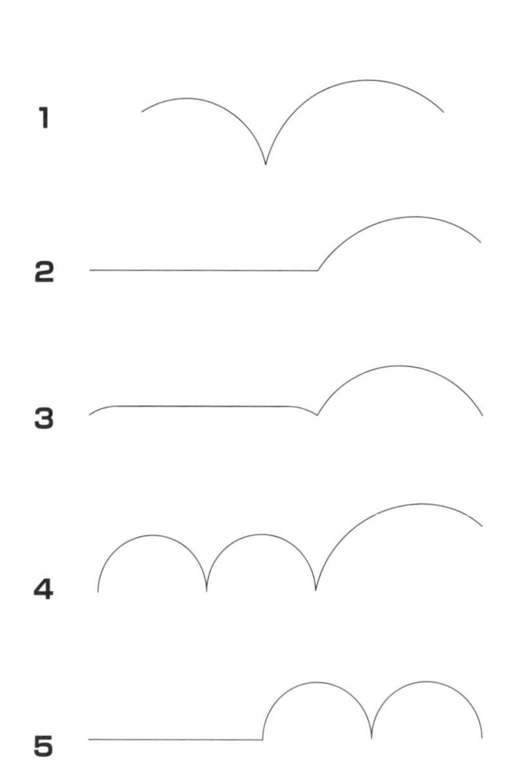

問 9　円が転がるとき、中心は直線運動をする（下図①参照）。
したがって軌跡は、円弧が l に接している間は**直線**、正三角形の角が l に接しているときは**円弧**となる。

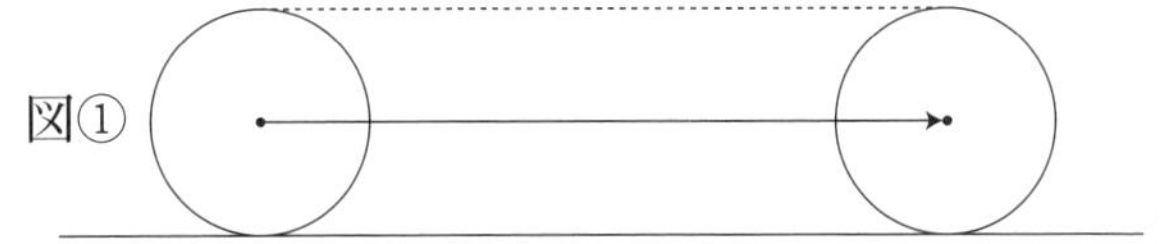

正三角形の 1 辺の長さをを 2a とする。

(1) 最初の状態から半円が直立するまでは、頂点 B を中心とした、半径 a、中心角 30 度の扇形となる。
(2) 半円が直立し、180 度回転する間は、長さ a π の直線となる。
(3) 半円の直立した状態から、辺 AC が l に接するまでは、頂点 A を中心とした、半径 a、中心角 30 度の扇形となる。
(4) 辺 AC が l に接していた状態から、辺 CB が l に接するようになる間は、頂点 C を中心とした、半径 $\sqrt{3}$a、中心角 120° の扇形となる。

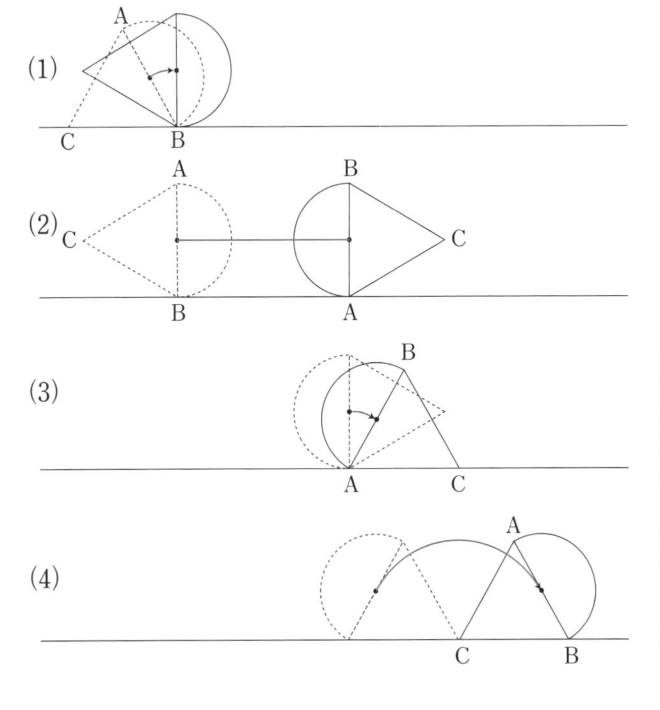

正解　3

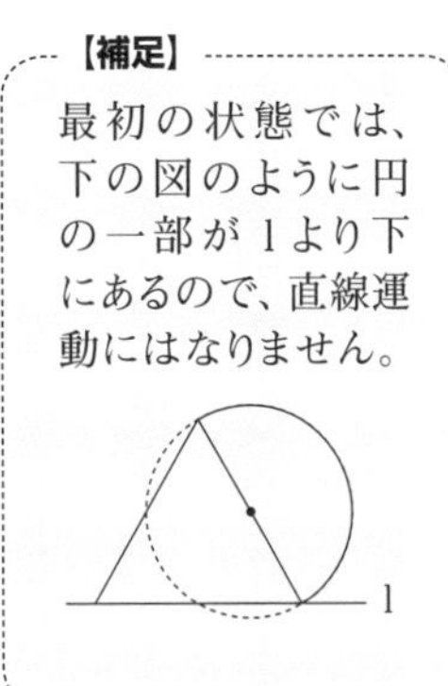

【補足】
最初の状態では、下の図のように円の一部が l より下にあるので、直線運動にはなりません。

問10 check✓ □□□

図のように、縦５個、横６個の点が１㎝間隔に並んでいる。これらの点から４個の点を頂点として選び、正方形を作るとすると、できる正方形はいくつあるか。

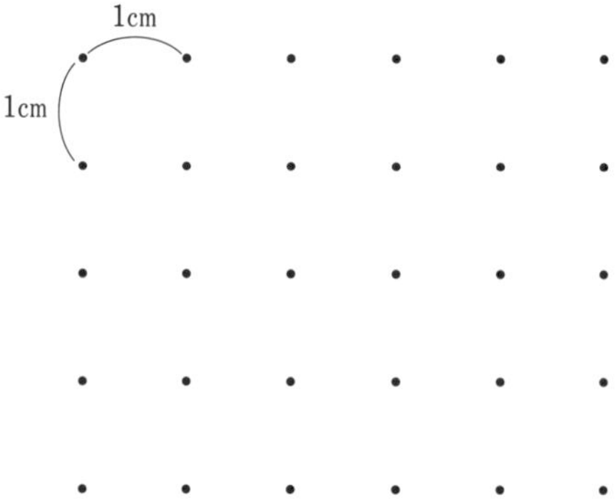

1cm
1cm

1　40個　　**2**　60個
3　62個　　**4**　68個
5　70個

解答・解説

問10　格子点を斜めに結んだときにも正方形ができることを忘れないようにする。その場合、**斜めの正方形**も縦横の正方形に内接して入っていることに注目するとはやく数えられる。

(図①)

1辺の長さが1㎝の正方形は、4×5で20個。
1辺の長さが2㎝の正方形は、3×4で12個。
また、この中には1辺の長さ$\sqrt{2}$の正方形も1個ずつ内接して入っている。(図①)

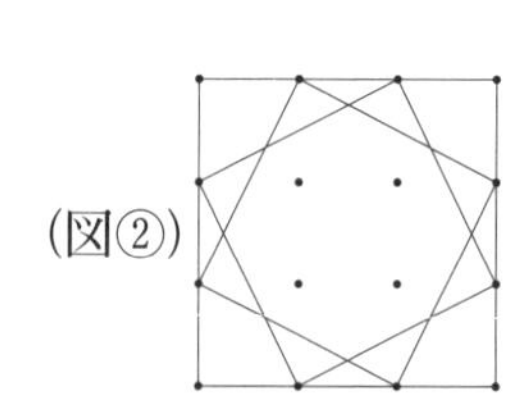
(図②)

1辺の長さが3㎝の正方形は、2×3で6個。
また、この中には1辺の長さが$\sqrt{5}$の正方形も2個ずつ内接して入っている。(図②)

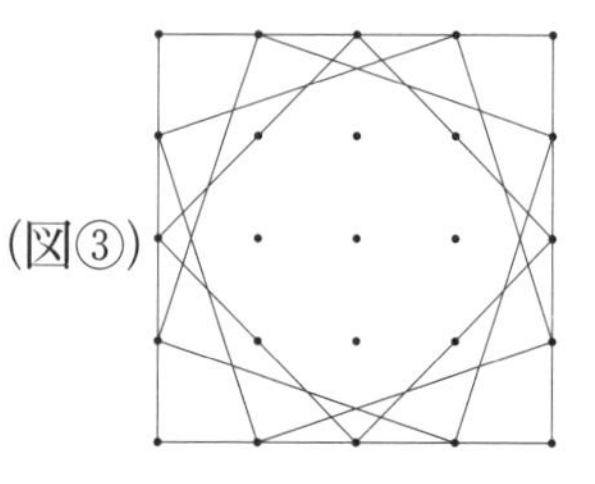
(図③)

1辺の長さが4㎝の正方形は、1×2で2個。
また、この中には1辺が$\sqrt{10}$の正方形2個と、1辺が$2\sqrt{2}$の正方形1個も内接して入っている。(図③)
よって、20＋12×2＋6×3＋2×4＝70個となる。

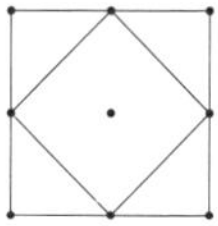

正解　5

【補足】
縦横が辺になっているときと、斜めが辺になっているときを別々に数えてももちろんかまいません。しかし、ある大きさの枠の中に、求める図形が何個あるかと考える方が、楽に数えられます。

問 11　check✓ □□□

図①のような、1 辺 1 cmの正方形 14 個からなる図形がある。これを図②のような 1 cm× 2 cmの長方形のピースで敷き詰める方法は何通りあるか。

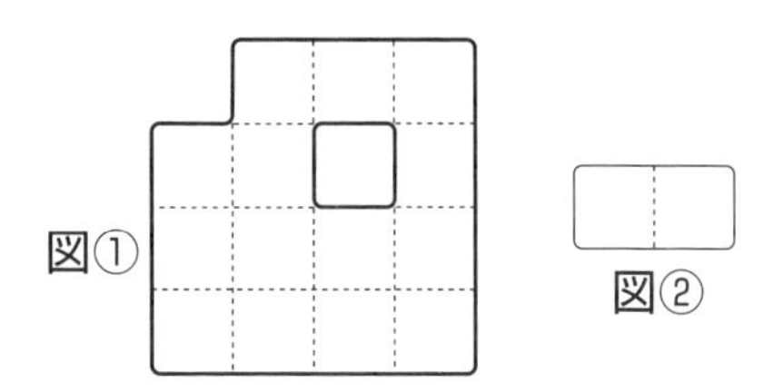
図①　図②

1　6 通り　**2**　7 通り　**3**　8 通り　**4**　9 通り　**5**　10 通り

解答・解説

問 11　選択肢をみればそれほどの数ではないので、数えてしまおう。その際、置き方の可能性が限定されるように**場合分け**をするのがコツである。

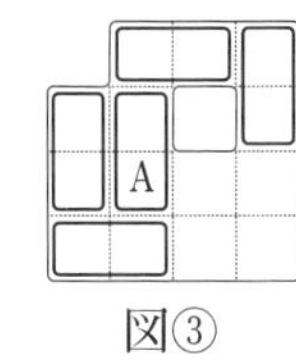

図③

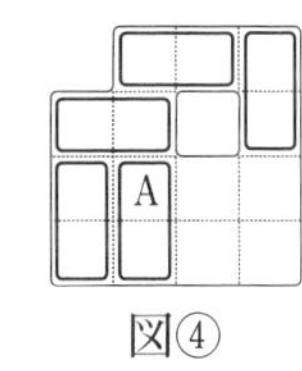

図④

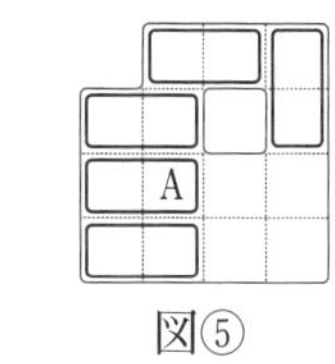

図⑤

A の位置をどのように敷き詰めるかで場合分けをする。
図③のように A がピースの下側となるように置いた場合、図のところまでは自動的に決まり、右下の 4 マスは縦縦と置くか横横と置くかの 2 通りなので、計 2 通り。
図④のように A がピースの上側となるように置いた場合も、図のところまでは自動的に決まるので、右下の 4 マスの置き方によって 2 通り。
図⑤のように A がピースの右側となるように置いた場合も、図のところまでは自動的に決まるので、右下の 4 マスの置き方によって 2 通り。
A がピースの左側となるように置いた場合は、さらに B の位置がピースの下側になるか、左側になるかで、図⑥－ 1、図⑥－ 2 のように各 1 通りに決まる。
以上すべてを合わせると 8 通りになる。　**正解　3**

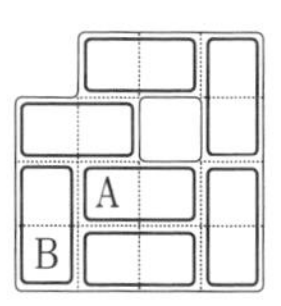

図⑥–1

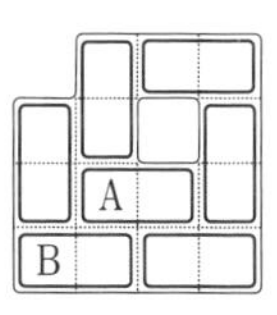

図⑥–2

【補足】

図①に図⑦－ 1 のように市松模様を付けます。ピースもまた同じように塗ります。図⑦－ 1 は、白い部分と着色した部分がピースの置き方の可能性を示しており、白い部分と着色した部分が同数であれば (図の場合は 7 ヶ所ずつ)、必ず図形を埋めることができます。

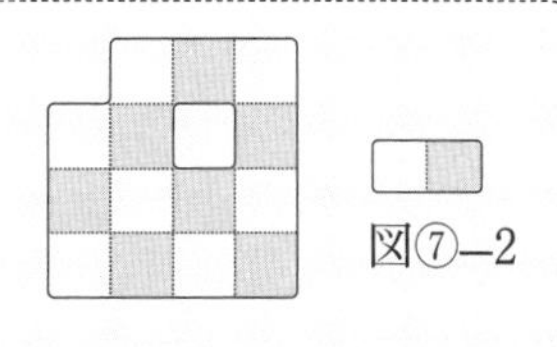
図⑦–2

問 12 check✓ □□□

図のように隣接する３つの面の角を塗った立方体がある。この展開図として正しいものはどれか。

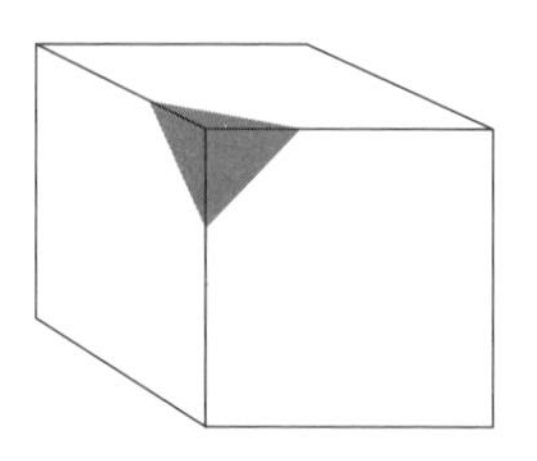

1
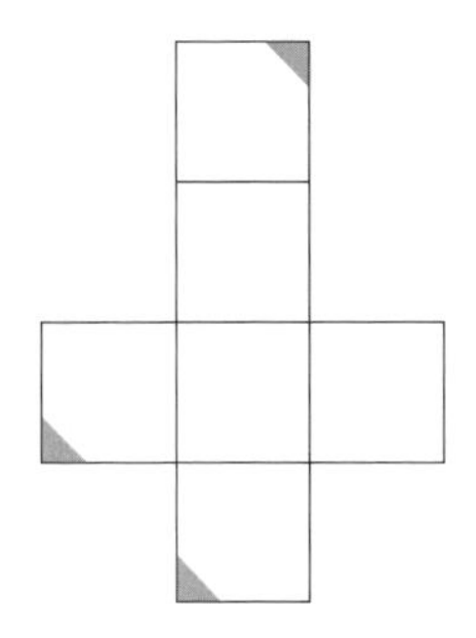

2
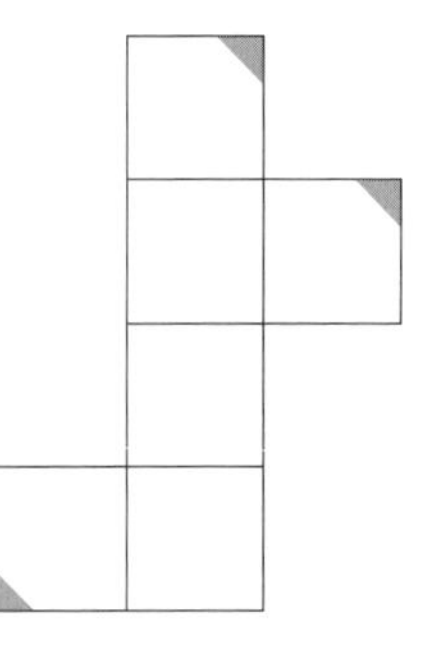

3
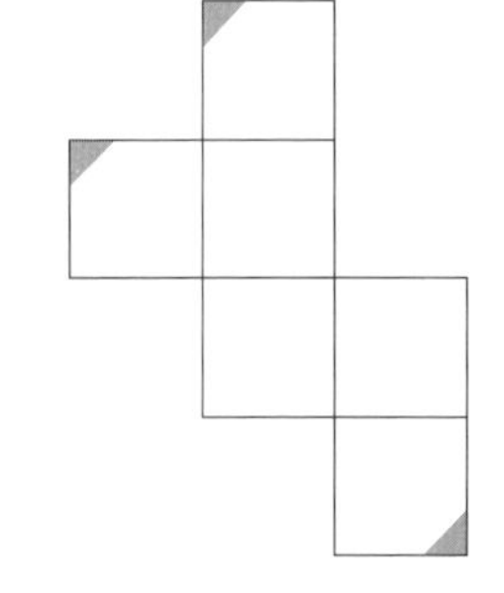

4
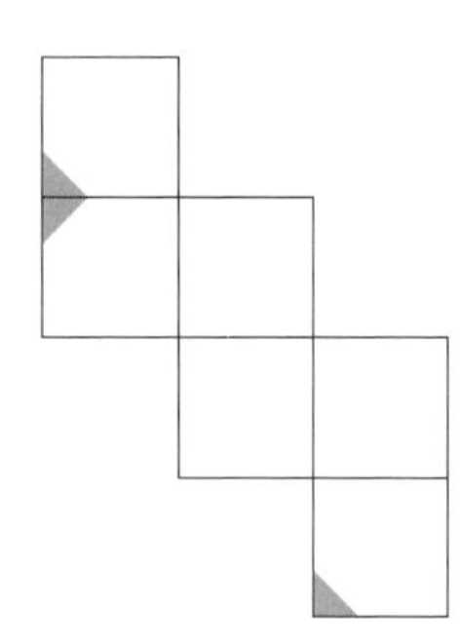

5
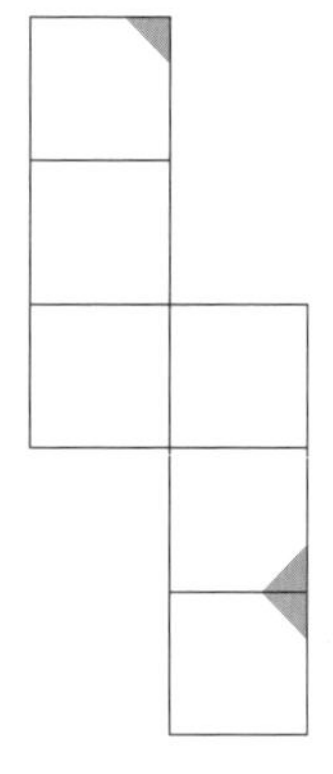

問 12　まず重なり合う辺を確認する。その上で、着色の位置が適切かどうか確かめる。
辺の両端に a、b……の記号を付けて、重なる辺同士を結んでみる。**3** だけが黒く塗った隅が重なる。ちなみに **2** では隅が全く接さず、**1** では図のように辺の逆側に着色されていなければならないことがわかる。(それぞれ正しくは図の点線の位置に着色されていなければならない。)

正解　3

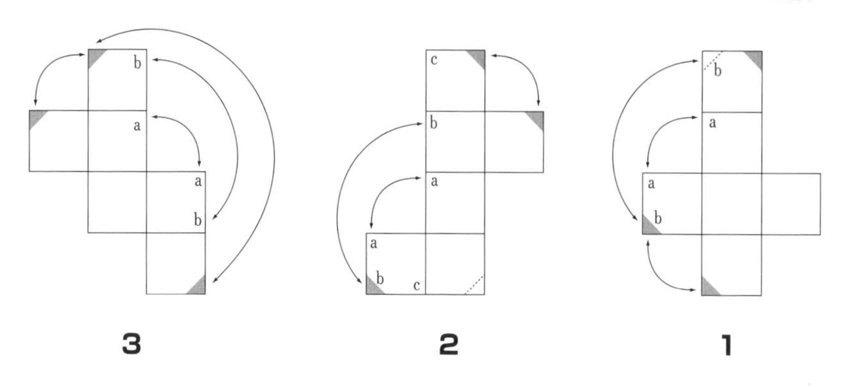

【補足】

選択肢の図の **1** ～ **5** を組み立てればすべて立方体になることからわかるように、立方体の展開図は何通りもあります(11 通り)。そこで、ある展開図を別の展開図に書き換えることを考えましょう。組み立てれば、どうせ辺同士はくっつくのですから、一度くっつけて別のところを切り離してみます。例えば、**4** で ab と付された辺をくっつけて組み立て、代わりに bc を切り離して再び展開図に戻してみます。すると、下部の着色部を除いて、**3** と全く同じものになることがわかると思います。
また **5** で、ab をくっつけた後、bc を切り離してみると、d の部分が着色部と接し、3 つの着色部は接しないことがはっきりします。

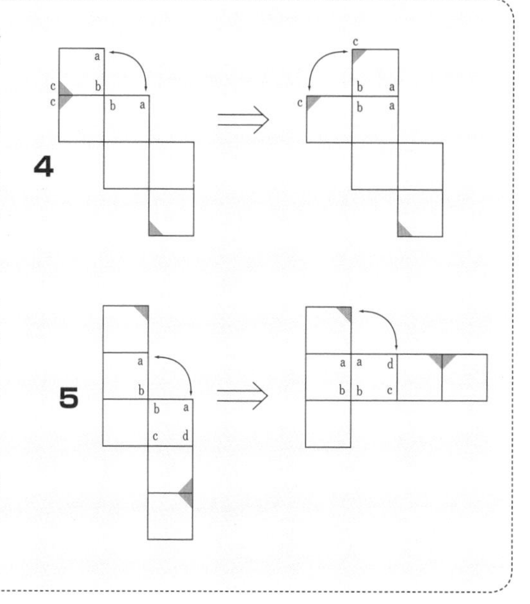

問 13
check✓
□□□

図①のような１辺３㎝の立方体をくりぬいて作った立体がある。図②はこの立体を垂直方向から見た図で、どの面からみても同様に見える。この立体の表面積はいくらか。

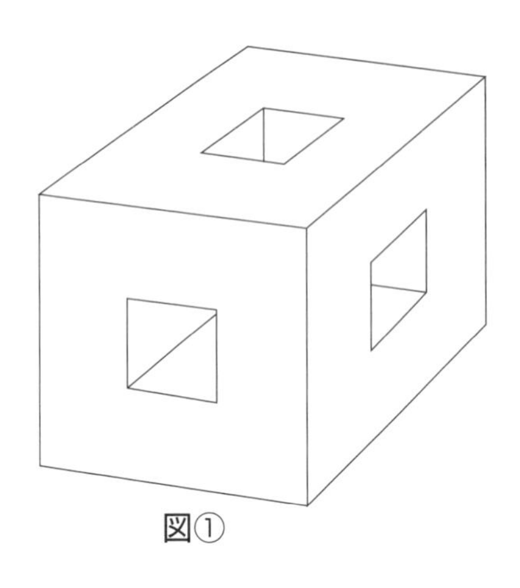
図①

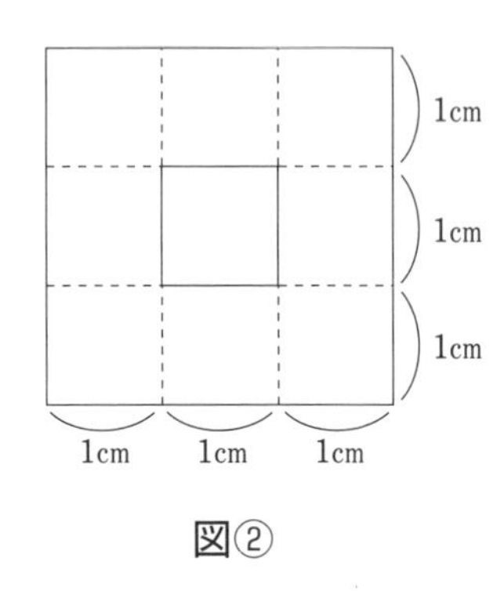

図②

1　60 cm^2
2　68 cm^2
3　72 cm^2
4　76 cm^2
5　78 cm^2

問 13 立方体（サイコロ）をくりぬき、どの面から見ても同様に見える図形だから、答えは 6 の倍数になるはずである。そこで、**ある面から見て表面に出ている部分**を考え、それを 6 倍する。
なお、表面積というのは、この立体をペンキの中に沈め、色のついた部分の面積と同じである。
真上からこの立体を見ることにする。すると視界にさらされている 1 番上の層は図③のようになり、1 辺 1 ㎝の正方形 8 個分である。
次に 1 番上の層を取り除き、2 番目の層を上から見ると、図④のようになるが、この部分すべてが 1 層目の下になっていたので、着色されている部分はない。
最後に、1 番下の層は図⑤のようになり、1 辺 1 ㎝の正方形 4 個分が着色されている。
結局、真上に向いている面で着色されているのは 8 ＋ 4 ＝ 12 個だから、全体では 12×6 ＝ 72 個となる。

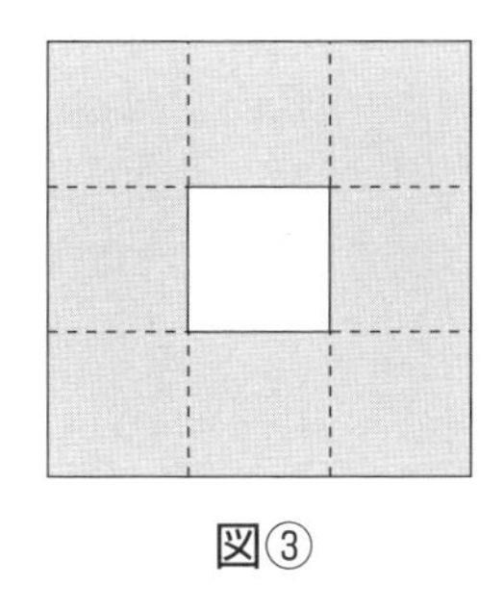
図③

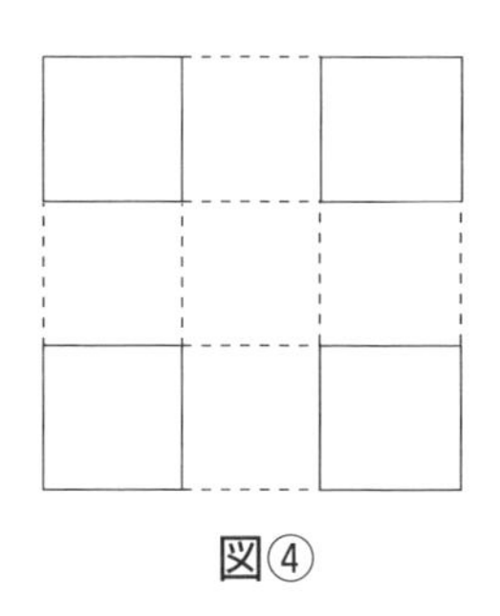
図④

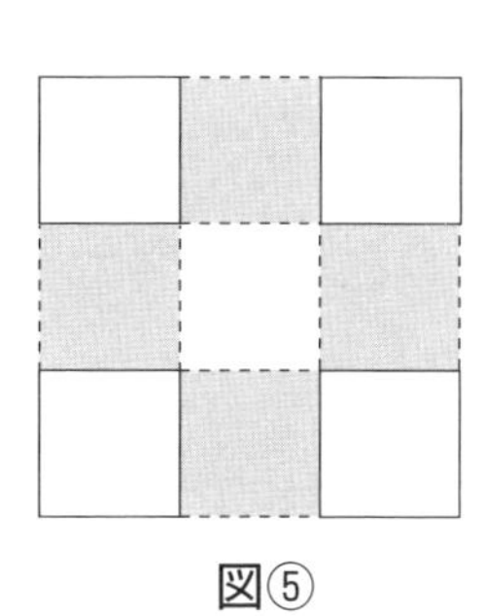
図⑤

正解　3

【補足】
この問題を上手に解くポイントは 2 つありました。1 つは、対称性を利用して数える部分を減らすことでした。そして、もう 1 つは、立体の必要な面をスライスして形状を考えるということです。この方法だと、イメージしにくい図形でも必要な情報を得ることが容易になります。内部の見えない立体が出たらこの方法を使います。

問 14
check✓
□□□

1 辺 1 ㎝の立方体をいくつか積み上げた立体があり、その投影図は次のようであった。
このような投影図を持つ立体のうち、体積が最大のものと最小のものとの差は何 cm^3 か。

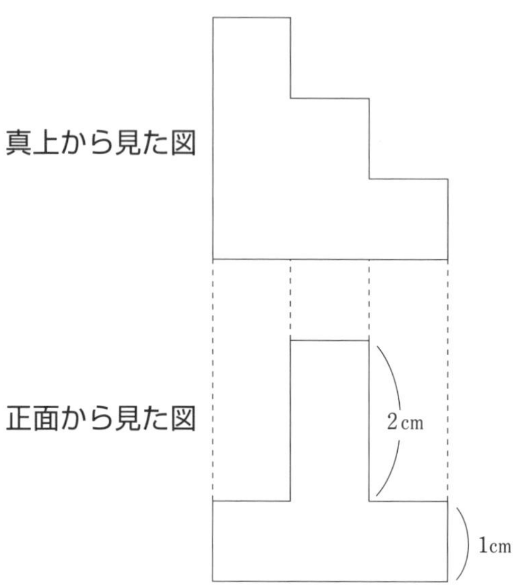

1 $2cm^3$
2 $3cm^3$
3 $4cm^3$
4 $5cm^3$
5 $6cm^3$

問 14　真上から見た投影図により、右上には1段目から3段目まで立方体がないことがわかる。ではほかの位置には立方体があるのかないのかを、ない(×)、あるかないかわからない(△)、ある(○)として、**各段ごと**に考えてみる。
まず、立方体は積み上げているので、1段目(一番下)がないのに2・3段目があるということはあり得ない。すると1段目は真上から見た図に一致する。
次に、正面から見たとき、2段目と3段目の左右の列にはさえぎるものがないので、2段目も3段目もa・b・d・fの位置には立方体がないことがわかる。また、正面から見て中央の列は、cかeの位置のどちらか1つは3段目まで積まれていなければならない。もう1つの位置は3段目まで積まれていても、2段目まででも、1段目だけでもいいことになる。

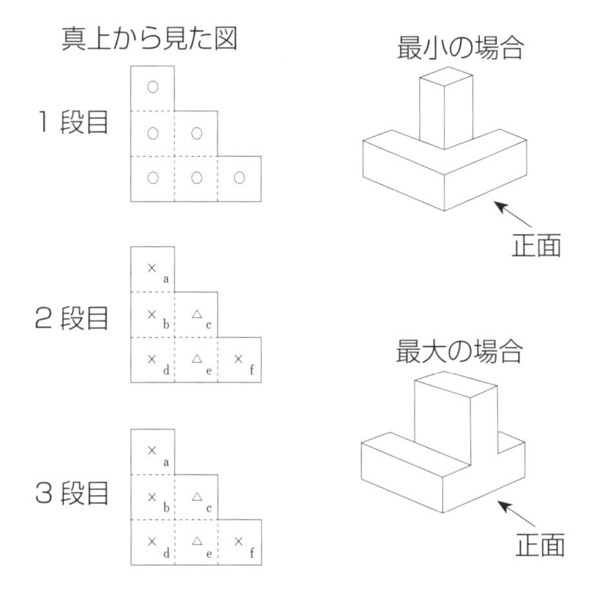

すると、1段目にある立方体は6個、2段目にある立方体は1個か2個、3段目にある立方体は1個か2個とわかる。
以上から、最大のときは10個、最小のときは8個となり、その差は2個ということになる。
(△4個はcかeの位置に2個重ねられていなければならないので、自由になるのは2個である。)
なお、右側の図は最大の場合と最小の場合の一例である。

正解　1

【補足】
空間図形をイメージするには、適当な面でスライスするという手がよく用いられますが、本問のような積み木の問題では、下の段がなければその上の段があることはないので、特に段ごとにわけて考える方法が有効です。

問 15 check✓ □□□

図のように 1 辺の長さが 1 ㎝の立方体を、横に 3 個、縦に 4 個、上下に 2 個積んだ直方体がある。この直方体を平面 BDG で切断すると、何個の小立方体が切断されるか。

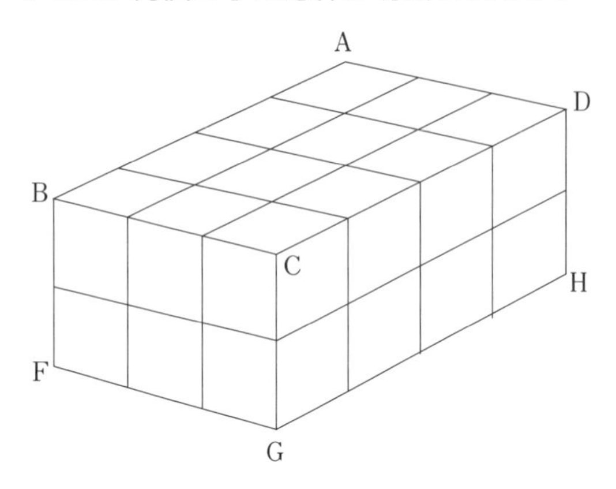

1　11 個
2　12 個
3　13 個
4　14 個
5　15 個

問 15　積まれた小立方体(サイコロ)を斜めに切断するイメージを考えるよりは、先に**切断面**を考え、それに元からあった縦、横、上下の**切れ目を加えていく**方がイメージしやすい。斜めに切断するイメージよりは、縦、横、上下に垂直に切断するイメージの方が持ちやすいからである。

BDG で切断した図形は三角形で、これを面 CDHG に**平行な面**で切断すると、(横 3 列のサイコロからなるので) 辺 BG、BD は**平行**に 3 等分される。(図①)

同様に、面 BCGF に平行な面で切断すると、辺 DB、DG は 4 等分され (図②)、面 ABCD に平行な面で切断すると、辺 DG、BG は 2 等分される (図③)。

これを 1 つにまとめて描いたものが図④であるが、これらの線はサイコロ間の境目であるから、1, 2, 3, ……12 の各部分はそれぞれ別のサイコロである。よって、12 個のサイコロが切断されたわけである。

正解　2

図①　面 CDHG に平行な面で切断

図②　面 BCGF に平行な面で切断

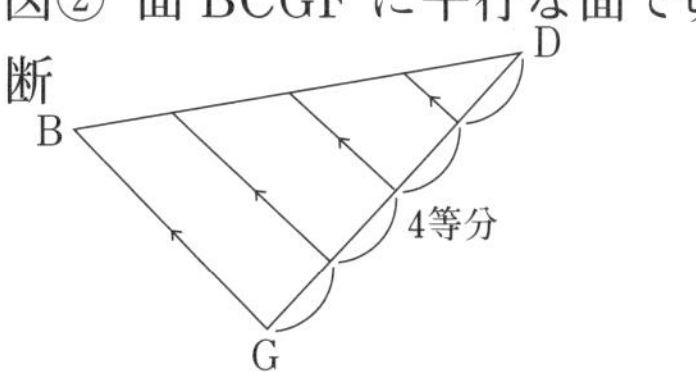

図③ ABCD に平行な面で切断

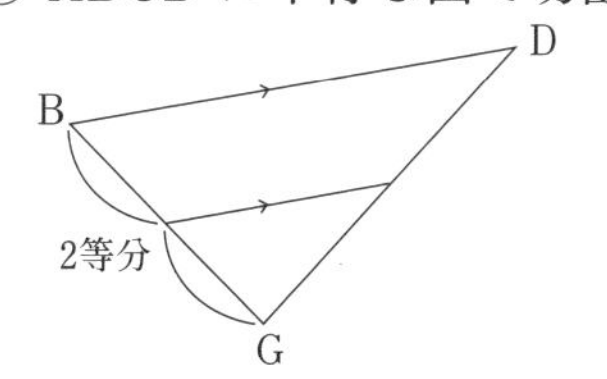

図④ ひとつにまとめてみると

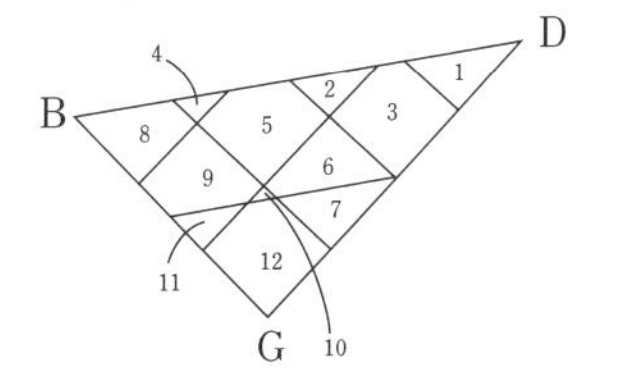

【補足】

分割された図を立体的に描いてみると右の図のようになります。

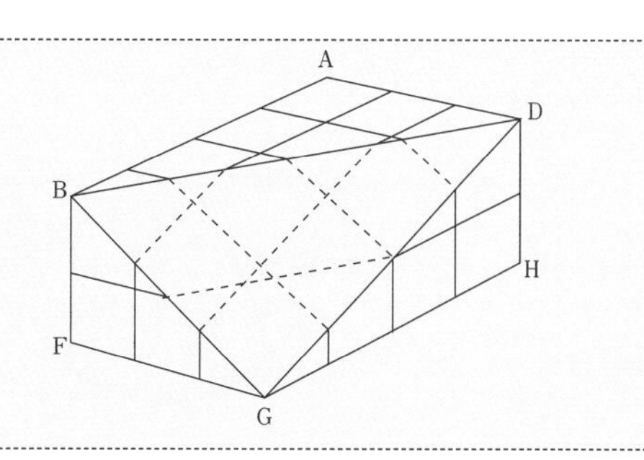

◆覚えておくと便利な法則・解法

1　集合（→は「ならば」、$\overline{\bigcirc}$は「○ではない」を表わしている）

A → B（命題）が確実であるとき、$\overline{B} \to \overline{A}$（**対偶**）は確実にいえる。

A → B（命題）が確実であるとき、B → A（**逆**）は確実にはいえない。

A → B（命題）が確実であるとき、$\overline{A} \to \overline{B}$（**裏**）は確実にはいえない。

2つの命題 p → q、q → r がいえるとき、p → r（**対象**）は確実にいえる。

2　2進法の10進法への直し方

2進法で表わされる数を10進法に直す場合どのようにすればよいかというと、
1桁目は2の0乗をかけた数、2桁目は2の1乗をかけた数、3桁めは2の2乗をかけた数字、というように位が上がるごとに乗数を増やして〔(桁数－1)乗となるから10桁目は2の9乗となる〕計算した数を合計すればよいのです。

例えば、2進法の10111を10進法に直す場合には、
$1\times2^0 + 1\times2^1 + 1\times2^2 + 0\times2^3 + 1\times2^4 = 1 + 2 + 4 + 0 + 16 = 23$ となります。

逆に10進法の数字を2進法に直すときは、2で割ったあまりで表わすことができます。
23の場合、計算すると下のようになり、あまりを下の桁から並べると10111となります。

23 ÷ 2 = 11 あまり1　→　1桁目
11 ÷ 2 = 5 あまり1　→　2桁目
5 ÷ 2 = 2　あまり1　→　3桁目
2 ÷ 2 = 1　あまり0　→　4桁目
1 ÷ 2 = 0　あまり1　→　5桁目

3　濃度の基本公式（食塩水の場合）

$$濃度(\%) = \frac{食塩の重さ}{食塩水の重さ} \times 100$$

4　円周角と中心角

同じ弧を持つ円周角は等しく、その中心角の$\frac{1}{2}$である。

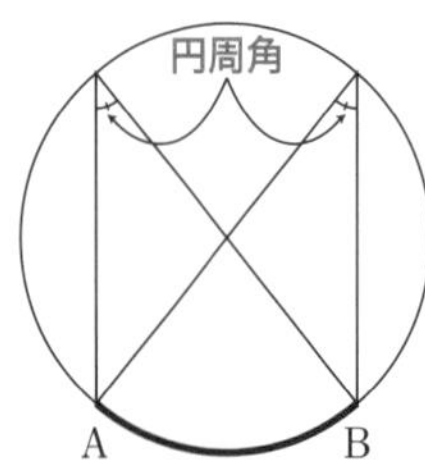

第6章

資料解釈

文章理解

問 1 check✓ □□□

次のグラフはアジアのエネルギー消費の実績と見通しを国別に示している。このグラフから正しくいえることは次のうちどれか。

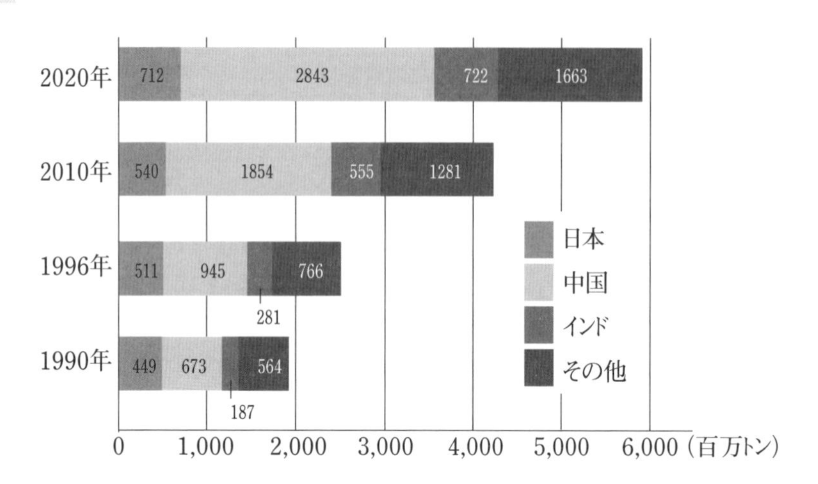

1 アジア全体の消費量の 2010 年から 2020 年の間の増加率は 30%の見込みである。

2 日本の消費量の全体に占める割合は増えることもある。

3 インドの消費量は 30 年間で 4 倍以上に増える。

4 中国の消費量の全体に占める割合は常に増え続けている。

5 その他に含まれる国々はどの国も消費量が増え続けている。

問1　正解　4

1　×　アジア全体の消費量は2010年から2020年にかけておよそ**40%**増加する見込みである。

2020年：5940　　2010年：4230

(712 + 2843 + 722 + 1663) ÷ (540 + 1854 + 555 + 1281) ≒ 1.404

2　×　日本の消費量の全体に占める割合は**減り**続けている。

$$1990年\ \frac{449}{(449+673+187+564)}=\frac{449}{1873}\fallingdotseq 0.240$$

$$1996年\ \frac{511}{(511+945+281+766)}=\frac{511}{2503}\fallingdotseq 0.204$$

$$2010年\ \frac{540}{(540+1854+555+1281)}=\frac{540}{4230}\fallingdotseq 0.128$$

$$2020年\ \frac{712}{(712+2843+722+1663)}=\frac{712}{5940}\fallingdotseq 0.120$$

3　×　4倍**未満**である。

722 ÷ 187 ≒ 3.861

4　○　中国の消費量の全体に占める割合は**増える**傾向にある。

$$1990年\ \frac{673}{1873}\fallingdotseq 0.365$$

$$1996年\ \frac{945}{2503}\fallingdotseq 0.378$$

$$2010年\ \frac{1854}{4230}\fallingdotseq 0.438$$

$$2020年\ \frac{2843}{5940}\fallingdotseq 0.479$$

5　×　その他の国々全体の消費量は増えているが、それを構成する国の実数はこの資料には**示されていない**ので**わからない**。

問 2 check✓ □□□

次のグラフはある会社の地域別の売上高の推移を示したものである。このグラフから正しくいえることは次のうちどれか。

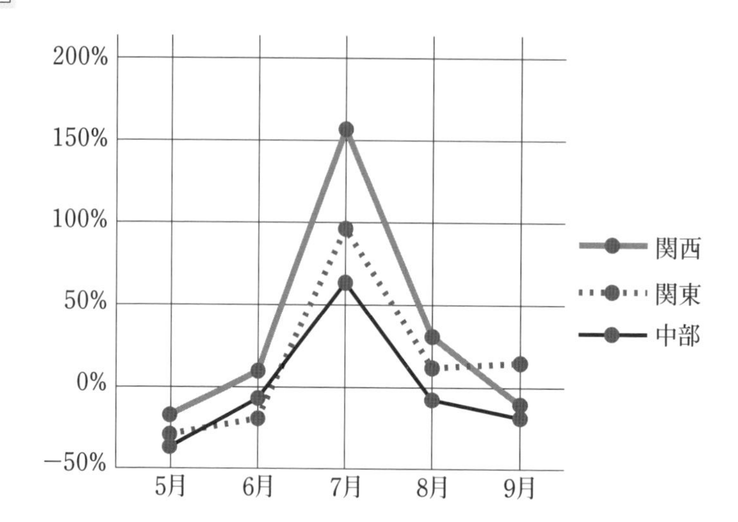

1　6 月の売上高は関東、中部、関西全ての地域で前月を上回っている。
2　7 月の売上高は関西が一番大きく、次いで関東、一番小さいのが中部である。
3　5 ヶ月の間で関西の売上高が最も大きいのは 7 月である。
4　関東の売上高が前月を上回ったのは 2 回である。
5　中部の売上高が前月を下回ったのは 4 回である。

問2 正解 5

1 × この設問のグラフは増減率を表わしているから前月比が0より小さい場合は売上高は小さくなり、0より大きい場合は売上高は大きくなる。したがって前月を上回ったのは**関西だけ**である。

2 × **実数**は示されていないので、増減率の大小からだけでは売上高の大小はわからない。

3 × 8月も前月比は**プラス**であるから、8月の売上高のほうが7月よりも**大きい**。

4 × 前月比が**プラス**を示しているのは7月、8月、9月の3回である。したがって売上高が前月を上回ったのは3回である。

5 ○ 前月比が**マイナス**を示しているのは5月、6月、8月、9月の4回である。したがって売上高が前月を下回ったのは4回である。

問1 check✓ □□□ **次のア～オを意味の通る一つの文章となるよう並べかえた場合に、最も妥当な順序は次のうち、どれか。**

ア 適正な雇用水準の推計方法としては、企業の雇用人員判断からみる方法や、労働分配率、売上高人件費比率などのこれまでのトレンドから導き出す手法などがある。また、生産性を用いて、現実の生産量から適正な雇用者数を導き出す方法もある。

イ 例えば、企業の雇用人員判断などの雇用過剰感から過剰雇用者数を導き出す方法は、過剰雇用の程度が数値化されていないことから客観的に過剰雇用者数を試算することは困難である。

ウ しかしながら、どの推計方法をとったとしても、それぞれ問題を抱えており、その推計結果も推計の方法やデータ期間の取り方により大きな差が生じることが珍しくない。

エ こうして求めた適正な雇用水準と現実の雇用水準の差が過剰雇用となる。

オ 過剰雇用を推計するためには、適正な雇用水準を推計することが必要であり、何を適正な雇用水準とみなすかでその数値が大きく異なる。

1 ア－イ－エ－ウ－オ
2 ア－エ－イ－ウ－オ
3 イ－オ－エ－ウ－ア
4 オ－ア－エ－ウ－イ
5 オ－イ－ウ－エ－ア

問 1 正解 4

与えられた文の順序を並びかえて正しい文章にする整序問題である。

まず、各文のうち、接続詞で始まっている文は文章の初めにくることは不自然なので、「例えば」で始まる**イ**から文章が始まるとしている **3** が正解でないということがわかる。

また、**エ**は、「こうして求めた適正雇用水準と…」あるから、**エ**の直前の文には、適正雇用水準の求め方についての記述があることがわかる。これをさがすと、**ア**の「適正な雇用水準の推計方法としては、…を導き出す方法もある。」であることがわかる。したがって、**ア—エ**という順序が含まれるものが正解ということになり、ここで、**2** または **4** に正解がしぼられる。

次に、**ウ**は「しかしながら」という逆接の接続詞が使われており、**ウ**の前に**ウ**と反対の意味、または、**ウ**を否定する内容を持った文がくることがわかる。

2 をみてみると、**ウ**の前が**イ**で、**イ**の「客観的に過剰雇用者数を試算することは困難である。」と**ウ**の「…データ期間の取り方により大きな差が生じることが珍しくない。」ということと反対の内容というより、同じ内容になっており、**イ—ウ**という順序が適当ではないということがわかる。したがって、**4** が妥当な順序ということになる。

確認すると、**4** では、まず、**オ**の「過剰雇用を推計するためには、」という**問題提起**があって、次に**ア**の「雇用水準の推計方法についての説明」から**エ**に続いている。さらに、**エ**は「こうして…」とその前の**アの内容**とつながって過剰雇用者数の試算方法を述べており、**ウ**の内容は、**ア—エ**で述べられた意味を**否定**すると考えることができる。最後に**イ**は、「例えば」で始まっているので、その**前の文の例**を挙げていると考えられるが、**ウの内容**とその点で一致するので、正しいつながりであると判断できる。

以上から **4** が妥当な順序である。

問2 check✓ □□□ **次の文章の(　　　)に入る共通の語として最も妥当なものはどれか。**

（　Ａ　）の最も大きな魅力は、様々な種類の情報を扱えることに加えて、全世界に向けて自分の情報を発信できるということです。これまで人々に伝えたいことがあるのにその方法がわからない、あるいはコストがかかりすぎるという悩みを持っていた人々や、自分を表現する場所が欲しいと思っていた人々のニーズに完全にマッチしたのです。

たとえば、趣味で集めた情報を提供し、それを誰かと共有することもできますし、自分で創作したイラストや写真、音楽などをいろいろな人に見たり、聞いたりしてもらいたいという表現欲求にも応えてくれます。また、ボランティアグループなどが（　Ａ　）でその活動状況を報告するということもあります。阪神淡路大震災や日本海沿岸の重油流出事故の際などに、（　Ａ　）が果たした社会的役割が大きくクローズアップされました。

もちろんビジネス利用も盛んです。自分のお店の宣伝をすることも可能ですから、最少の経費で、より多くの人々の目にとまる可能性のある広告を出すことができるわけです。現在、個人商店から大企業にいたるまで、無数の企業が（　Ａ　）を開設しています。

1　インターネット
2　マルチメディア
3　ホームページ
4　コンピュータ
5　ネットワーク

問２ 正解　３

４ヶ所すべてに挿入して不自然ではないというものを選ぶためには、順にあてはめて考えていくしかない。

第１段落では、Ａは「**様々な種類の情報を扱える**」「**自分の情報を発信できる**」ものだということがわかるが、ここでは、どれも不自然**とはいいきれない**。

第２段落では、Ａで活動状況を報告することによって、**社会的な役割が果たすことができる**ものだということがわかるが、ここでも、どれも不自然**とはいいきれない**。

最後に、**個人商店や大企業がＡを開設**している、という記述がある。ここで、誰もが**開設することができる**という内容に最もふさわしいのは、**３のホームページ**であるということがわかる。

●編著者

L&L 総合研究所

License & Learning 総合研究所は，大学教授ほか教育関係者，弁護士，医師，公認会計士，税理士，1 級建築士，福祉·介護専門職などをメンバーとする。資格を通して新しいライフスタイルを提唱するプロフェッショナル集団。各種資格試験、就職試験を中心とした分野，書籍·雑誌·電子出版，WBT における企画・取材・調査・執筆・出版活動を行っている。

絶対決める！
警察官〈大卒程度〉採用試験総合問題集

編著者　L&L総合研究所
発行者　富永靖弘
印刷所　今家印刷株式会社

発行所　東京都台東区台東2丁目24　株式会社　新星出版社
〒110-0016　☎03(3831)0743